BESTSELLER

Clive Cussler posee una naturaleza tan aventurera como la de sus personajes literarios. Ha batido todos los récords en la búsqueda de minas legendarias y dirigiendo expediciones en pos de recuperar restos de barcos naufragados, de los cuales ha descubierto más de sesenta de inestimable valor histórico. Asimismo, Cussler es un consumado coleccionista de coches antiguos, y su colección es una de las más selectas del mundo. Sus novelas han revitalizado el género de aventuras y cautivan a millones de lectores. Entre ellas deben destacar *Sáhara*, *El secreto de la Atlántida*, *La cueva de los vikingos*, *El buda de oro*, *La odisea de Troya* y *Viento Letal*. Clive Cussler divide su tiempo entre Denver (Colorado) y Paradise Valley (Arizona).

Paul Kemprecos, coautor de las novelas de la serie NUMA —*Serpiente*, *Oro azul*, *Hielo ardiente*, *Muerte blanca*, *La ciudad perdida* y *Crisis polar*—, autor de seis *thrillers* de detectives submarinistas y ganador de un Premio Shamus, es un experto y reconocido submarinista con una excelente formación como reportero, columnista y editor.

Biblioteca

CLIVE CUSSLER
CON PAUL KEMPRECOS

El Navegante

Traducción de
Alberto Coscarelli

DEBOLS!LLO

Título original: *The Navigator*

Tercera edición: abril, 2009

© 2007, Sandecker, RLLLP
  Publicado por acuerdo con Peter Lampack Agency, Inc.,
  551 Fifth Avenue, Suite 1613, New York,
  NY 10176-0187, EE.UU.;
  y con Lennart Sane Agency AB,
  Hollandareplan 9, S-374 34 Karlshamn, Suecia
© 2009, Random House Mondadori, S. A.
  Travessera de Gràcia, 47-49. 08021 Barcelona
© 2009, Alberto Coscarelli Guaschino, por la traducción

Printed in Spain - Impreso en España

ISBN: 978-84-8346-882-1 (vol. 244/29)
Depósito legal: B-18995-2009

Fotocomposición: gama, s. l.

Impreso en Litografia Rosés, S. A.
Progrés, 54-60. Gavà (Barcelona)

P 868821

Prólogo

Una tierra muy lejana, alrededor de 900 a.C.

El monstruo emergió de la bruma matutina en la perlada luz del amanecer. La enorme cabeza, con su largo hocico y las dilatadas fosas nasales, avanzó hacia la playa donde estaba arrodillado el cazador, la cuerda del arco tensa contra su mejilla, la mirada fija en un ciervo que pastaba en el marjal. Un chapoteo llegó al oído del cazador y miró hacia el agua. Soltó un gemido de terror, arrojó el arco a un lado, y se levantó de un salto. El ciervo, espantado, desapareció en el bosque con el aterrorizado cazador pegado a su cola.

Los tentáculos de la niebla se separaron para dejar a la vista un enorme navío de vela. Cortinas de algas bordeaban el casco de madera castaña rojiza de la embarcación de casi setenta metros de eslora. Un hombre estaba de pie en la curvada proa detrás del mascarón que reproducía la imagen de un semental furioso. Había estado mirando en el interior de una pequeña caja de madera. A medida que se materializaba la fantasmal orilla, el hombre levantó la cabeza y señaló a la izquierda.

El piloto en los dos remos de timón hizo virar la nave en una grácil vuelta que la situó en un nuevo curso paralelo a la frondosa orilla. Los marineros manejaron diestramente la vela cuadra a rayas rojas y blancas para compensar el cambio de rumbo.

El capitán tenía unos veintitantos años de edad, pero la grave expresión en su apuesto rostro añadía años a su apariencia. La fuerte nariz se curvaba apenas en el puente. La espesa barba negra estaba arreglada en trenzas alrededor de la boca de labios carnosos y la mandíbula cuadrada. El sol y el mar le habían bronceado la piel hasta darle un color caoba. Los ojos insondables que observaban la costa eran de un color castaño tan oscuro que apenas si se adivinaban las pupilas.

La elevada posición del capitán le permitía vestir la túnica teñida con el carísimo púrpura de Tiro que se obtenía del caracol *Murex trunculus*. Prefería ir con el pecho desnudo, y vestir el faldellín del tripulante raso. Una gorra tejida de forma cónica cubría el pelo negro ondulado y corto.

El olor salobre del mar se había esfumado en cuanto la nave dejó el mar abierto y entró en la gran bahía. El capitán llenó sus pulmones con el aire que estaba cargado con el perfume de las flores y la fronda. Ansiaba el momento de probar el agua fresca y desesperaba por poner pie en tierra firme.

Aunque el viaje había sido largo, se había desarrollado sin inconvenientes gracias a la tripulación fenicia, todos ellos marineros veteranos en la navegación de altura. La tripulación incluía a varios egipcios y libios, y otros de países que bordeaban el Mediterráneo. Un pelotón de guerreros escitas se ocupaba de la seguridad.

Los fenicios eran los mejores marineros del mundo, exploradores y mercaderes aventureros cuyo imperio marítimo se extendía por todo el Mediterráneo y más allá de las Columnas de Hércules y el mar Rojo. A diferencia de los griegos y los egipcios, cuyos barcos navegaban pegados a la costa y fondeaban cuando se ponía el sol, los intrépidos fenicios navegaban día y noche fuera de la vista de tierra. Con un buen viento de popa, sus grandes navíos de carga podían recorrer más de cien millas al día.

El capitán no era fenicio por nacimiento, pero estaba bien versado en las artes marineras. Su conocimiento de la navegación y su frío juicio durante los días de mal tiempo le habían ganado el respeto de la tripulación. La nave al mando del capitán era un «barco de Tarsis», construido para el transporte de mercancías en largas travesías a mar abierto. A diferencia de las naves de cabotaje que eran más anchas de manga y cortas de eslora, sus líneas eran largas y rectas. La cubierta y el casco estaban hechos con cedro del Líbano, y el grueso mástil era bajo y fuerte. La vela cuadra de lino egipcio, reforzada con correas de cuero, era la vela para navegación de altura más eficaz que existía. La quilla, la proa y la popa curvas eran un anticipo de las naves vikingas que no serían construidas hasta siglos más tarde.

El secreto detrás de la maestría fenicia en el mar iba más allá de la tecnología. La organización a bordo de sus naves era legendaria. Cada tripulante sabía su lugar en la bien engrasada máquina que era la marina fenicia. Las velas y aparejos se guardaban en un almacén de fácil acceso que era la responsabilidad del segundo de a bordo. El vigía sabía la ubicación de cada pieza, y siempre comprobaba el aparejo para asegurarse de que funcionaría en un caso de emergencia.

El capitán sintió que algo suave rozaba su pierna desnuda. Se permitió una sonrisa, dejó la caja de madera en un receptáculo y se agachó para recoger al gato del barco. Los gatos fenicios tenían sus orígenes en Egipto, donde los animales eran adorados como dioses. Los naves fenicias llevaban gatos como mercancía y para el control de las ratas. El capitán acarició al gato a rayas naranjas y amarillas un par de veces, y después dejó al contento felino en la cubierta. El bajel se acercaba a la ancha desembocadura de un río.

El capitán gritó una orden al vigía.

—Llama a los aparejadores para que arríen la vela, y avisa a los remeros.

El vigía retransmitió la primera orden a un par de tripulantes, que subieron como monos por el mástil hasta la verga. Otros dos arrojaron cabos sujetos a las esquinas bajas de la vela a los aparejadores, que utilizaron los cabos para arrizar el gran cuadrado de lino.

Los musculosos remeros en dos filas de veinte ya estaban acomodados en los bancos. A diferencia de los remeros esclavos de muchas embarcaciones, los remeros que propulsaban la nave con rápidos y precisos golpes eran profesionales.

El timonel guió al barco para entrar en la corriente de agua dulce. Aunque el río estaba crecido con el deshielo primaveral de la nieve en las colinas y montañas, el poco calado y los rápidos impedirían que la nave avanzase mucho por el curso.

Los mercenarios escitas formaron en la borda, con las armas preparadas. El capitán, en la proa, observaba la ribera. Vio un promontorio cubierto de hierba que se adentraba en el río y ordenó a los remeros que sujetasen la nave contra la corriente para que la tripulación de cubierta echase el ancla.

Un hombre musculoso de pómulos prominentes y el rostro curtido como el cuero de una montura vieja se acercó al capitán. Tarsa mandaba a los escitas que protegían la nave y su carga. Relacionados con los mongoles, los escitas eran conocidos por su habilidad como jinetes y arqueros, así como por sus peculiares hábitos.

En la batalla, bebían la sangre de sus enemigos derrotados y utilizaban sus cueros cabelludos como servilletas. Tarsa y sus hombres se pintaban el cuerpo de rojo y azul, se lavaban en baños de vapor, y vestían camisas y pantalones de cuero con las perneras metidas en las cañas de las botas de cuero suave. Hasta el más pobre escita engalanaba sus prendas con ornamentos de oro. Tarsa llevaba un pequeño pendiente con la forma de un caballo que le había regalado el capitán.

—Mandaré a tierra a un grupo de exploradores —dijo Tarsa.

El capitán asintió.

—Voy contigo.

Una sonrisa apareció en el rostro pétreo del soldado. Como hombre de tierra había tenido poca fe en la capacidad del joven capitán para mantener el barco a flote. Pero había visto cómo gobernaba la nave y advertido el hierro detrás de las facciones patricias y el habla suave del navegante.

La barca de ancha manga que llevaban atada a la popa fue traída al costado. El escita y tres de sus duros guerreros subieron a la barca con el capitán y dos fuertes remeros.

Minutos más tarde la barca golpeó contra el promontorio con un sonoro rascado. Debajo de la hierba había un muelle de piedra. El capitán amarró la barca a un bolardo oculto por los hierbajos.

Tarsa ordenó a uno de sus hombres que se quedase con los remeros. Luego marchó con el capitán y los otros escitas por la carretera de piedra disimulada entre la vegetación que se dirigía tierra adentro desde el muelle. Después de pasar semanas en una cubierta que se balanceaba, caminaban con un paso un tanto inestable pero no tardaron en recuperar el andar normal. A unos pocos centenares de pasos del río llegaron a una plaza central bordeada por los cuatro costados por edificios ruinosos. La hierba crecía en los portales abiertos y las callejuelas.

El capitán recordó cómo era el poblado en su primera visita. La plaza había sido un bullicio de actividad. Centenares de trabajadores habían ocupado los dormitorios de techo plano y trabajado en los almacenes.

El grupo revisó metódicamente cada edificio. Una vez hubo comprobado que el pueblo estaba desierto, el capitán dirigió al grupo de regreso al río. Fue hasta el extremo del muelle y agitó un brazo. Mientras la tripulación recogía el ancla y los remeros llevaban la nave hacia el muelle, el capitán se volvió hacia el comandante escita.

—¿Tus hombres están preparados para la importante misión que nos espera?

La pregunta hizo que el escita diese un resoplido.

—Mis hombres están preparados para lo que sea.

El capitán no se sorprendió por la respuesta. Había pasado muchas horas hablando con Tarsa durante el largo viaje.

La insaciable sed de conocimiento sobre las personas de todas las razas había hecho que el capitán interrogase al escita sobre su patria y su gente, y había cogido afecto al viejo y duro guerrero a pesar de su piel pintada de rojo y azul y sus extraños hábitos.

El barco amarró en el muelle y la tripulación colocó una ancha rampa. Los cascos golpearon la cubierta cuando dos caballos de tiro fueron sacados de su establo debajo de la popa y bajados por la rampa. Los animales se mostraban nerviosos al encontrarse al aire libre, pero el escita los calmó de inmediato con palabras suaves y puñados de cereal remojado en miel.

El capitán organizó un grupo de trabajo para que buscase agua dulce y comida. Después bajó a la bodega para acercarse a un cajón hecho con el resistente cedro libanés. El cajón parecía resplandecer en la luz que entraba por la escotilla de cubierta. Gritó a la tripulación que tuviese mucho cuidado a la hora de sacarlo de la bodega.

Ataron gruesos cabos al cajón y lo sujetaron a un pescante que crujió bajo el peso. Levantaron el cajón y lo depositaron en cubierta. Después de quitar el gancho, pasaron remos por los agujeros en los costados y los extremos del cajón a modo de varas. Los hombres se echaron las varas al hombro y llevaron el cajón por la rampa hasta el muelle.

Cargaron el cajón en un carro con resistentes ruedas de madera reforzadas con aros de hierro. Engancharon los caballos al carro. Los guerreros se colgaron los escudos y los arcos a la espalda, y, con las lanzas en la mano, se situaron en posición en los flancos del carro. El capitán y el comandante escita se pusieron en cabeza. La columna inició la marcha acompañada por el estrépito de las armas.

Cruzaron el pueblo abandonado para seguir por una carretera abierta en el bosque junto al curso del río. La hierba había crecido en el camino, pero no era un impedimento y avanzaron a buen paso a través del denso bosque. La columna se detenía cada noche para montar campamento. En la mañana del tercer día, llegaron a un valle entre dos montañas bajas.

El capitán detuvo a la columna y sacó de su bolsa la misma caja de madera que había consultado en la nave. Mientras los soldados se tomaban un descanso y cuidaban de los caballos, levantó la tapa, vertió una pequeña cantidad de agua, y miró en el interior. A continuación, consultó un pergamino que llevaba en una bolsa de tela. Luego siguió adelante con la seguridad de un ave migratoria.

Cruzaron el valle y siguieron hasta llegar a un campo donde asomaban entre los hierbajos los restos de unas ruedas de molino. El capitán recordó el lugar donde grupos de hombres sudorosos habían hecho girar las ruedas. Los trabajadores habían volcado cestos llenos de piedra en los molinos, que los convertían en polvo. El polvo había sido llevado hasta las hogueras. Las fraguas habían avivado las llamas hasta el rojo blanco. Los fundidores habían inclinado los crisoles de arcilla para verter el resplandeciente metal amarillo fundido en moldes con forma de ladrillo.

La expedición continuó la marcha y llegó donde se alzaban dos ídolos de piedra. Cada uno tenía el doble de la altura de un hombre, y representaba más o menos la forma humana del cuello para abajo. Los ídolos habían sido tallados para espantar a los nativos. Las horribles cabezas eran una combinación de animal y humano, tomando las peores facciones de ambos, como si el escultor hubiese procurado crear la más espantosa y temible cara imaginable. Incluso los rudos mercenarios se mostraban inquietos. Pasaban nerviosos las lanzas de una mano a la otra y dirigían miradas desconfiadas a los ídolos de aspecto malvado.

El capitán consultó su caja mágica y el pergamino, y entró en el bosque. La caravana siguió por el crepúsculo artificial creado por la fronda. Las gruesas raíces eran un obstáculo frecuente, pero después de una hora de marcha la columna salió del bosque. Se acercaron a la pulida pared de piedra en la base de un risco. Otros dos ídolos, idénticos a los dos primeros, cerraban el paso.

Con los ídolos como referencia, el capitán trianguló un punto en la roca. Fue palpando por la pared vertical como un ciego que hubiera topado con un obstáculo imprevisto. Sus dedos encontraron unos huecos apenas visibles, que utilizó para escalar la pared.

Más o menos a unos cuatro metros de altura giró el cuerpo y se sentó en una oquedad. Pidió una lanza, que metió en una grieta a modo de palanca. Los soldados le arrojaron una cuerda, que ató al mango de la lanza. Ataron el otro extremo de la cuerda a un caballo. El capitán dio la señal, y el animal tiró mientras él empujaba con los pies un pequeño saliente. Una lápida de piedra de unos treinta centímetros de grueso se desprendió y cayó al suelo con un sonoro retumbar; quedó a la vista una entrada de unos dos metros de ancho y tres metros de altura.

El capitán bajó de la abertura y se ocupó de encender fuego en un puñado de hierba seca. En cuanto apareció la primera llama acercó la hierba humeante a un manojo de ramas. Con la tea en alto, encabezó la entrada a la galería. Los escitas se habían enganchado a los arneses y tiraban del carro por el pulido suelo del túnel, que se adentraba unos quince metros antes de desembocar en una sala.

El capitán encendió varias lámparas de aceite colgadas en las paredes. El resplandeciente anillo iluminó la gran sala circular, con túneles que salían como rayos del cubo de una rueda. En el centro se alzaba una peana redonda de un metro de altura y dos de diámetro. El capitán ordenó a los escitas que colocasen el cajón sobre la peana y quitasen la tapa. Los hombres acataron la orden y se apartaron.

El capitán se inclinó sobre el cajón para levantar la tapa de un cofre un poco más pequeño hecho con una madera noble oscura y cantoneras de oro. A medida que apartaba las capas de tela azul, el corazón le latía cada vez con más fuerza. Miraba, traspuesto; su rostro resplandecía con el reflejo que salía de la caja. Después de un momento, el capitán acomodó con cuidado la tela azul y cerró el cofre. Los hombres de Tarsa colocaron la tapa del cajón.

—Nuestra misión aquí está acabada —anunció, y sus palabras resonaron en la sala.

Encabezó la salida. El aire limpio y fresco le produjo una sensación agradable en el rostro bañado en sudor y limpió el polvo de sus pulmones. El capitán ordenó a los escitas que colocasen de nuevo en su lugar la lápida de piedra. Observó la pared. Nadie sospecharía que la lápida ocultaba una abertura.

La columna emprendió el regreso por donde había venido. Avanzaban a paso rápido, ahora libres del peso en el carro, y fueron en línea recta hacia el río. Construido junto a la inclinada ribera, había un edificio de madera cuyas grandes puertas daban al agua. El capitán inspeccionó el interior. Cuando salió, parecía complacido. Dijo a Tarsa y a sus hombres que preparasen una buena comida y disfrutasen de una noche de descanso.

El incansable capitán los despertó con el alba. Los caballos sacaron una embarcación del edificio y la llevaron al río. La embarcación era mitad barca, mitad balsa, de unos quince metros de largo y unos cuatro metros de ancho, y solo unos pocos pies de calado. Un largo remo servía de timón.

Cargaron a los caballos en la embarcación, la apartaron de la orilla y la llevaron al centro del río con las pértigas para aprovechar la corriente. El viaje río abajo fue más espeluznante que la travesía marítima. La embarcación encontró rápidos, bajíos, árboles a la deriva, remolinos y rocas. Los escitas gritaron de entusiasmo cuando la embarcación salió a la desembocadura y vieron el barco en su amarre.

La tripulación de la nave dio la bienvenida a los recién llegados y ayudó a arrastrar la embarcación a la costa. Mientras el capitán escribía en su diario de a bordo, la tripulación celebró una fiesta hasta bien entrada la noche. Se levantaron con el alba, y con el sol apenas asomando por encima de los árboles soltaron las amarras. Empujado por el viento y los remeros, el barco se movió rápidamente hacia la bahía y los remeros encorvaron las espaldas en los bancos. Como todos los demás a bordo estaban impacientes por emprender el regreso a casa.

El entusiasmo duró poco por un inesperado acontecimiento. Cuando el barco pasó junto a una isla, apareció otra embarcación que les cerró el paso.

El capitán gritó la orden de embarcar los remos y arriar la vela. Subió a un gran tonel de agua en la proa para observar mejor el navío. No había señales de vida a bordo pero la cubierta estaba oculta por la cerca de mimbre que servía para proteger la carga colocada a lo largo de los costados.

Tenía delante a un barco de Tarsis.

La embarcación mostraba las mismas gráciles líneas funcionales que el barco del capitán. La cubierta era larga y recta, con la popa curva y el mascarón de proa con la cabeza de caballo bien alta por encima del agua. Los ojos de águila del capitán advirtieron importantes diferencias entre las dos naves. La misteriosa embarcación había sido construida para el comercio y modificada para la guerra.

La proa del desconocido estaba forrada con bronce en lugar de madera, para crear un espolón que podía arrancar el corazón a la nave más resistente. La enorme espadilla y los remos de proa sujetos al casco podían servir como arietes.

El comandante escita se acercó al capitán.

—¿Debemos enviar un grupo de abordaje?

El capitán analizó la cuestión. Una nave fenicia no debía suponer una amenaza, pero no había ninguna razón para que estuviese donde estaba. Sus acciones, si bien no eran hostiles, desde luego no eran amistosas.

—No —respondió—. Esperaremos.

Pasaron cinco minutos, diez. Al cabo de veinte minutos, se vieron unas figuras que bajaban por una escalerilla a la chalupa. La embarcación se acercó hasta un tiro de piedra. Había cuatro hombres en los remos. Un quinto estaba en la proa con las piernas bien separadas, su capa roja ondeando al viento como una vela suelta. Se llevó las manos en forma de bocina a la boca.

—Salud, hermano mío —gritó a través del agua.

—Mis saludos a ti, hermano —contestó el capitán, sorprendido—. ¿Cómo es que estás aquí?

Una mirada de burlona incredulidad apareció en el rostro del hombre. Señaló la nave de guerra.

—Vine como tú, Menelique, en un barco de Tarsis.

—¿Con qué propósito, Melqart?

—Para que volvamos a unir nuestras fuerzas, querido hermano.

El rostro del capitán no traicionó ninguna emoción, pero sus ojos oscuros se encendieron de furia.

—¿Conocías mi misión?

—Somos familia, ¿no? No hay secretos entre hermanos.

—Entonces no hagas un secreto de tus deseos.

—Sí, por supuesto. Ven a bordo de mi barco y hablaremos.

—La hospitalidad de mi nave también está abierta para ti.

El hombre de púrpura se rió.

—Es obvio que carecemos de la confianza entre hermanos.

—Quizá sea porque solo somos hermanastros.

—En cualquier caso, compartimos la misma sangre. —Melqart señaló la isla—. Dejemos esta discusión infantil y reunámonos en tierra neutral para hablar.

El capitán observó la isla. A diferencia de la costa arbolada, el banco de arena era llano a lo largo de unos centenares de pasos antes de elevarse en un bajo montículo cubierto de hierba.

—De acuerdo —gritó.

El capitán dijo a Tarsa que reuniese un grupo de desembarco. Tarsa escogió a cuatro de sus más aguerridos hombres. Minutos más tarde, la barca llegó a la isla. Los escitas se quedaron en la embarcación mientras el capitán caminaba por la pendiente de la playa.

Su hermanastro estaba a un centenar de pasos de la costa con los brazos cruzados. Vestía con todas las prendas de lujo fenicias, con una túnica de dos piezas bordada debajo de la capa púrpura y con una gorra cónica en la cabeza. Un collar de oro rodeaba su cuello, y sus brazos y dedos estaban adornados con el precioso metal.

Igualaba al capitán en estatura, y su apuesto rostro mostraba una fuerte semejanza con el de su hermanastro, con una prominente nariz, la tez oscura, el pelo ondulado y la barba. Sin embargo, había algunas diferencias importantes. El porte regio del capitán era imperioso y arrogante, mientras que las facciones de su hermanastro eran más brutales que fuertes. Sus ojos oscuros no tenían profundidad o suavidad. Su prominente barbilla señalaba más tozudez que decisión.

—Qué maravilloso es verte después de todos estos años, querido hermano —exclamó Melqart, con una gran sonrisa donde prevalecía la astucia sobre el encanto.

El capitán no estaba de humor para palabras carentes de sinceridad.

—¿Por qué estás aquí? —preguntó.

—Quizá nuestro padre decidió que necesitabas ayuda en tu misión.

—Él nunca habría confiado en ti.

—Es obvio que confió en ti, y tú eres un ladrón.

Las mejillas del capitán se encendieron ante el insulto, pero controló su furia.

—No has respondido a mi pregunta.

Su hermanastro se encogió de hombros.

—Me enteré de que habías zarpado. Intenté alcanzarte, pero tu nave es demasiado rápida y nos quedamos atrás.

—¿Por qué tu nave está equipada para la guerra?

—Estas son aguas peligrosas.

—Has desafiado a nuestro padre al venir aquí. Este no puede ser su deseo.

—Nuestro padre... —Melqart escupió las palabras—. Nuestro padre era un mujeriego que se acostó con tu madre que era una puta.

—¿También con la puta de tu madre?

Melqart echó hacia atrás la capa púrpura. Su mano se movió hacia la empuñadura de la espada, pero se lo pensó mejor y contuvo el movimiento.

—Somos tontos al discutir por asuntos de familia —dijo con voz apaciguadora—. Vayamos a mi barco. Podremos hablar mientras comemos y bebemos.

—No hay nada de que hablar. Aparta tu barco. Nosotros te seguiremos.

El capitán giró sobre los talones y caminó de nuevo hacia el río. Mantuvo el oído atento a las pisadas, en el poco probable caso de que su hermanastro encontrase el coraje para atacar. Pero lo único que escuchó fue el grito de Tarsa:

—¡Capitán! ¡Detrás de ti!

El escita había visto una docena o más de figuras que se levantaban en el montículo detrás de la playa.

El capitán se volvió mientras los hombres corrían en su dirección. Los tatuajes adornaban sus hombros y pechos.

Tracios.

Otra raza de ojos feroces que alquilaban sus habilidades con la espada y la jabalina a los fenicios. Los tracios pasaron junto a su hermanastro que los alentaba a seguir:

—¡Matadlo! ¡Matadlo!

El capitán desenvainó su espada corta mientras los tracios lo rodeaban.

Giró para hacer frente a sus atacantes, pero no podía vigilar la retaguardia. Un tracio se acercó con la jabalina presta a lanzarla, pero se detuvo de pronto y dejó caer el arma. Con las manos alrededor del mástil emplumado que sobresalía de su garganta, soltó una tos ahogada, cayó de rodillas, y se desplomó de cara en la arena.

Tarsa colocó otra flecha en su arco. Sin más esfuerzo que pestañear, mató a un segundo tracio. Los demás se dispersaron.

Los arqueros de Tarsa descargaron una letal lluvia de flechas que encontraron sus dianas en las espaldas de los tracios que huían.

El capitán soltó un tremendo grito de guerra y corrió playa arriba. Descargó un golpe con su espada con tanta fuerza que habría decapitado a su hermanastro de no haber podido Melqart eludir la hoja en una desesperada parada. Bajo la tormenta de golpes que siguió, Melqart tropezó con el dobladillo de la túnica y cayó sobre la suave arena. Se puso boca arriba y arrojó la espada a un lado.

—No me mates, hermano.

El capitán titubeó. Por muy malvado que fuese Melqart era un pariente de sangre.

Tarsa gritó otro aviso.

Un segundo grupo de tracios había aparecido en la colina para reforzar a la primera línea de atacantes.

El capitán echó a correr hacia la embarcación, saltando sobre los cadáveres de los atacantes.

Los escitas dispararon sus últimas flechas. Esta vez la prisa impidió que apuntasen con precisión y los proyectiles demoraron el avance de los tracios pero no los detuvieron.

Tarsa arrojó el arco a un lado, sujetó al capitán con sus poderoso brazos, y lo subió a la embarcación. Los remeros pusieron manos a la obra y muy pronto estuvieron fuera del radio de alcance de las jabalinas, que cayeron sin consecuencias en la estela.

El capitán subió a la cubierta de su nave. El vigía estaba repartiendo lanzas y espadas que tenía dispuestas en un pequeño arsenal en cubierta.

La barca de Melqart se alejó de la orilla con los últimos tracios. Bajaron la reja de mimbre en el bajel de guerra y quedaron a la vista por lo menos cien hombres en la cubierta de combate elevada.

El sol arrancaba destellos en las puntas de las lanzas. Los escudos colgados en la balaustrada formaban un muro defensivo. El capitán vio las columnas de humo que se alzaban de la cubierta enemiga y ordenó que repartiesen toneles con agua por toda la nave.

Las flechas incendiarias se alzaron del barco de Melqart, su vuelo seguido por delgadas estelas de humo, y cayeron en un arco desde el cielo en una lluvia ígnea.

Ninguno de los proyectiles alcanzó un blanco humano, pero algunos se clavaron en las bandas y la cubierta. Apagaron las llamas con el agua de los toneles, pero otra andanada siguió a la primera, y esta vez algunas de las flechas dieron en la vela recogida.

Los tripulantes bajaron la vela y apagaron la tela incendiada a pisotones, sin hacer caso de las ascuas que les quemaban los pies y las piernas.

El capitán mandó levar el ancla. Los escitas descargaron una mortal andanada para proteger a los remeros que ciaban con todas sus fuerzas para hacer que el barco retrocediese y situarlo fuera del alcance de las flechas incendiarias. Pero la torpe maniobra los dejó con toda la banda expuesta al atacante.

Las llamas de la vela se extendían. Menelique comprendió que su barco estaba condenado. Las naves eran de madera, cáñamo, brea y tela. En cuestión de minutos, se convertiría en una enorme tea ardiente.

El bajel de guerra se preparaba para asestar el golpe final.

Utilizaba los grandes remos a proa y popa para realizar la maniobra llamada ciaboga que permitía virar la embarcación en un giro de 180 grados y así hacer que el espolón de bronce entrase en juego.

El espolón abriría un agujero en el barco incendiado. En cuanto comenzase a hundirse y no pudiese maniobrar, lo acribillarían con las flechas incendiarias y lanzarían las granadas de aceite ardiendo que colgaban de las varas sujetas en la proa en la punta.

El capitán ordenó al timonel que virase. En cuanto la proa apuntó corriente abajo, gritó a los remeros:

—¡Avante toda!

El barco se sacudió como una ballena perezosa y ganó velocidad. El bajel enemigo aún viraba, y nunca estaría en una posición más vulnerable. Si bien la proa del barco de Menelique no estaba forrada con metal, los gruesos maderos libaneses podían utilizarse con un efecto letal.

Se escuchó el tronar de los cascos en medio de los gritos de los hombres. Los caballos habían escapado del establo y habían subido por la rampa a la cubierta. Los escitas dejaron los arcos e intentaron llevar a los caballos otra vez abajo. Los animales recularon, más asustados por el humo y el fuego que por los ruidosos seres humanos.

Las naves estaban separadas solo unos metros. El capitán vio la figura con la capa púrpura que iba de un extremo al otro de la cubierta. Era Melqart que urgía a la tripulación a que se moviese más rápido.

La nave incendiada embistió a su oponente. El capitán perdió el equilibrio y cayó de rodillas, pero se levantó sin demora. La cabeza de caballo del mascarón colgaba torcida. El barco había rebotado y se movía de forma tal que su casco quedaría pegado por la banda con la otra nave. Los arqueros enemigos podrían dispararles a voluntad. Los guerreros armados con lanzas saltarían al abordaje para acabar el trabajo.

Había desaparecido la disciplina en su barco. Los hombres corrían por la cubierta incendiada intentando evitar morir quemados o pisoteados por los caballos.

Los barcos chocaron por la banda con un fuerte crujido.

Una ráfaga de viento despejó el humo por un instante. El

capitán vio el rostro sonriente de su hermanastro que lo miraba desde unos pocos pasos más allá.

Con renovados bríos, Menelique se movió por la cubierta principal entre las nubes de humo en un intento por serenar a la aterrorizada tripulación.

Un caballo se encabritó delante del capitán y él tuvo que retroceder para no acabar aplastado. De pronto se le ocurrió una idea, cogió un trozo de vela ardiendo de la cubierta y la agitó delante del caballo. El animal agitó las patas delanteras cortando el aire con los afilados cascos. Gritó a los escitas que siguiesen su ejemplo.

Se formó una línea dispersa. A fuerza de gritos y agitando trozos de tela en llamas o haciendo girar en alto las camisas de cuero llevaron a los caballos contra la borda.

Los tracios tatuados estaban formados en la borda de la otra nave, sus ojos brillantes como ascuas ante la proximidad de la lucha cuerpo a cuerpo. Pero los caballos medio saltaron medio treparon por encima de la borda y pasaron a la cubierta enemiga. Los animales arrollaron a la línea de guerreros y corrieron enloquecidos de una punta a la otra de la cubierta, aplastando a cualquiera que se pusiese en su camino.

El capitán saltó por la borda, seguido por los escitas. Un rápido golpe de su espada abatió al primer hombre que encontró. Luego toda la tripulación saltó al abordaje. Los tracios se apartaron desconcertados ante el feroz ataque.

El rostro de Menelique estaba teñido de hollín. Sangraba de varias heridas de lanza y espada de poca consideración, pero se movía inexorable hacia Melqart, que había visto como cambiaba la batalla e intentaba buscar la seguridad en la parte elevada de la popa. El capitán subió la escalerilla de popa donde se acurrucaba su hermanastro.

Esta vez no titubeó en asestar el golpe mortal.

Sin embargo, cuando su espada atravesaba la carne viva, algo duro golpeó el cráneo del capitán y se desplomó sobre la cubierta, con una cortina de negrura sobre los ojos.

Más tarde, cuando el último resto de la batalla había salido a la superficie, el silencioso testigo que había estado oculto entre la maleza caminó con cautela a lo largo de la playa, no muy lejos de donde había visto por primera vez al monstruo con la cabeza de caballo.

Reinaba el silencio. Los gritos de dolor y agonía y el choque de las armas se habían esfumado. Solo quedaba el suave ondular del agua en la ribera sembrada con los cadáveres. Fue de cuerpo en cuerpo, sin preocuparse de los ornamentos de oro y recoger objetos de mayor utilidad.

Se agachaba para recoger un poco más de botín, cuando escuchó un triste maullido. La empapada masa de pelo amarillo naranja tenía las garras clavadas en una tabla quemada. El cazador nunca había visto antes un gato, y, por un momento, pensó en matarlo. Pero se apiadó y en cambio envolvió al animal con un trozo de cuero suave.

Cuando no pudo cargar nada más, se marchó, dejando solo sus huellas en la arena.

Casa Blanca, 1809

La mansión presidencial en la avenida Pensilvania estaba a oscuras excepto por el despacho, donde un fuego crepitaba en el hogar para mantener a raya el frío del invierno. La oscilante luz amarilla alumbraba el perfil aguileño del hombre sentado a la mesa, tarareando mientras trabajaba.

Thomas Jefferson miró el reloj de pared con sus brillantes ojos azul grisáceo, cuya intensidad a menudo sorprendía a aquellos que lo veían por primera vez. Eran las dos de la mañana; por lo general se retiraba a las diez. Había estado trabajando en su despacho desde las seis de la tarde, después de levantarse con el alba.

El presidente había hecho su cabalgata de la tarde por Washington en su caballo favorito, Eagle, y aún vestía sus prendas de montar: una cómoda y vieja chaqueta marrón, chaleco rojo, pantalones de pana y calcetines de lana. Se había quitado las botas de montar para ponerse las pantuflas que habían sorprendido a los enviados extranjeros, quienes habían esperado un calzado más elegante en los pies presidenciales.

El largo brazo del presidente se acercó a una vitrina. Las puertas se abrieron con el toque de su dedo, un detalle que complacía el gusto por los artilugios mecánicos de Jefferson. Dentro había una copa de cristal tallado, una jarra de vino tinto francés, un plato de galletas y la palmatoria que utilizaba cuando recorría los pasillos para ir a su dormitorio. Se sirvió media copa de vino, la sostuvo con expresión soñadora a la luz, y bebió un sorbo que le trajo agradables recuerdos de París.

No veía el momento de que llegase el día siguiente. Dentro de unas horas, la pesada carga del cargo pasaría a los estrechos pero capaces hombros de su amigo James Madison.

Bebió otro sorbo y volvió a ocuparse de los documentos que tenía sobre la mesa. Escritas con la misma letra apresurada de la Declaración de Independencia, había palabras, dispuestas en columnas, de más de cincuenta vocabularios indios reunidos a lo largo de un período de treinta años.

Jefferson estaba obsesionado con la pregunta de cómo los indios habían llegado a Norteamérica y había pasado años recopilando listas de palabras que se utilizaban en las lenguas y dialectos indios. Su teoría era que las similitudes entre las palabras del Viejo y del Nuevo Mundo podían ofrecer una pista sobre el origen de los indios.

Jefferson no había tenido conflicto ético alguno a la hora de utilizar el poder presidencial para dar con la respuesta. En cierta ocasión había invitado a cinco jefes cherokees a una recepción en la Casa Blanca, y los había asaeteado a preguntas sobre su lengua. Había ordenado a Meriwether Lewis que reuniese vocabularios de los indios, algo de lo que el explorador se ocuparía en su histórico viaje al océano Pacífico.

El libro que Jefferson planeaba escribir sobre los orígenes de los indios norteamericanos sería la culminación de su carrera intelectual. Los tumultuosos acontecimientos de su segundo mandato presidencial habían demorado el proyecto, y retrasado el envío de las listas a la imprenta hasta poder escribir todo lo referente al nuevo material que Lewis y Clark habían traído de la expedición.

Con la promesa de ocuparse de la tarea tan pronto como estuviese de nuevo en Monticello, ordenó los papeles en una pila, la ató con un cordel y la dejó junto a los otros vocabularios y documentos en un resistente baúl. Sería transportado con sus pertenencias al río James y cargado en una embarcación que llevaría el equipaje a su casa. Colocó el último paquete de documentos en el baúl y lo cerró.

Su mesa estaba limpia ya excepto por la caja de peltre que tenía su nombre grabado en la tapa. El presidente la abrió y sacó un trozo de pergamino rectangular de unos veinticinco por treinta centímetros. Sostuvo la suave piel cerca de una lámpara de aceite. La arrugada superficie estaba cubierta con extrañas letras, líneas onduladas y una equis. Tenía rasgado uno de los bordes.

Había comprado el pergamino en 1791. Su vecino de Virginia Jemmy Madison y él habían ido a caballo hasta Long Island, en Nueva York, para reunirse con unos pobres indígenas de la tribu unkechaug. Jefferson había esperado encontrar a alguien que supiese la antigua lengua de la tribu algonquin, y le presentaron a tres ancianas que lo hablaban. Había tomado nota de un glosario que confiaba serviría para demostrar su teoría del origen europeo de los indios.

El jefe de la tribu había dado a Jefferson el pergamino y le había explicado que este había pasado de generación en generación. Conmovido por el gesto, Jefferson había pedido a un rico hacendado, uno de los firmantes de la Declaración, que procurase por los indios.

Miró el pergamino y se le ocurrió una idea. Lo llevó a la mesa, donde tenía un pantógrafo con dos plumas. Jefferson empleaba este aparato, que se utilizaba sobre todo para copiar planos o dibujos, para hacer duplicados de su voluminosa correspondencia.

Copió las marcas del pergamino y añadió notas donde pedía a los destinatarios que identificasen, si era posible, la lengua en que se habían escrito las palabras. Luego anotó las direcciones, lacró los sobres y los colocó en la bandeja del correo saliente.

Las listas de palabras unkechaug estaban guardadas con las demás en el baúl. Jefferson quería tener el pergamino con él, y lo colocó de nuevo en la caja. La llevaría en una de las alforjas en su cabalgata a Monticello. Miró de nuevo el reloj de pared, se acabó el vino y se levantó de su silla.

A la edad de sesenta y cinco años, Jefferson no tenía ni un gramo de grasa en su cuerpo de campesino. En el abundante pelo rubio rojizo con el paso de los años comenzaba a predominar el gris arena. Con los hombros cuadrados, la postura erguida y una estatura de un metro ochenta y siete, siempre sería una figura imponente. La artritis avanzaba, pero, en cuanto se libraba de la rigidez inicial de los miembros, sus movimientos eran flexibles y ágiles, y se movía con la gracia de un hombre más joven.

Encendió la vela y fue por los silenciosos pasillos de la Casa Blanca hasta su dormitorio.

Al amanecer, fue a la toma de posesión del nuevo presidente con su habitual falta de pompa y ceremonia. Se llevó la mano al sombrero al pasar por delante de la escolta de caballería que lo esperaba, desmontó cerca del Capitolio y ató al caballo a una cerca. Se sentó con el público durante la ceremonia de investidura. Más tarde, hizo una visita de despedida a la Casa Blanca. En el baile presidencial bailó con Dolley Madison.

Al día siguiente acabó de hacer el equipaje y se aseguró de que el baúl con todos los escritos sobre las lenguas indias estuviese en la carreta que lo llevaría al río James. Montó en su caballo y partió hacia Monticello, cabalgando durante ocho horas a través de una tormenta de nieve en su ansia por reanudar su vida como terrateniente.

El hombre estaba en la sombra de un roble cubierto de nieve cerca de la orilla del río James, donde varias barcazas habían sido amarradas para pasar la noche. Unas sonoras risotadas se escuchaban desde la taberna cercana. Las voces eran cada vez más fuertes, y juzgó por experiencia personal que las tripulaciones habían llegado a la fase donde caerían borrachos perdidos.

Abandonó la protección de la oscuridad y caminó por el suelo cubierto de nieve hacia una embarcación que se distinguía débilmente en la oscilante luz de la lámpara de popa. Era una chalana de quince metros de eslora, con la proa afilada, la manga angosta y el fondo plano diseñada para el transporte fluvial de tabaco.

Se detuvo en la orilla y llamó, sin recibir respuesta. Entusiasmado por la perspectiva de una copa, un buen fuego y compañía femenina, el patrón había bajado a tierra con los dos marineros que se encargaban de las pértigas. En esa remota parte del río prácticamente no había delitos, y ninguno de los barcos creía necesario dejar a un tripulante a bordo en aquella noche fría.

El hombre subió la pasarela y cogió la lámpara de la popa para alumbrar su camino. Se agachó por debajo de la arqueada toldilla que tapaba la parte central de la cubierta. La toldilla protegía más de dos docenas de bultos marcados con las iniciales TJ. Dejó la lámpara en el suelo y comenzó a buscar entre el equipaje y las cajas.

Abrió el baúl con un cuchillo y sacó un puñado de documentos de su interior. Tal como le habían ordenado, guardó los documentos en una bolsa grande y arrojó un puñado a la orilla. Tiró más documentos al río, donde se perdieron de vista arrastrados por la rápida corriente.

El hombre sonrió por su logro. Con una rápida mirada hacia la ruidosa taberna, bajó silenciosamente por la rampa y desapareció como un fantasma en la oscuridad.

Poco más tarde, Jefferson regresaba a Monticello con sus amigos y vio a los esclavos descargar las cajas de una carreta delante de la escalinata de la galería porticada de la mansión. Cuando se acercó un poco más, distinguió la figura fornida y barbada del patrón de la chalana que había llevado su equipaje desde Washington.

Desmontó y se acercó a la carreta, pero, en su entusiasmo al ver que había llegado su equipaje, no advirtió la expresión preocupada del marinero. Golpeó el costado de la carreta con los nudillos.

—Buen trabajo, capitán. Veo que todo ha llegado sano y salvo.

El rostro redondo del patrón se arrugó como una uva pasa.

—Lamento decirle que no todo, señor —murmuró.

—¿A qué se refiere?

El patrón pareció encogerse. Jefferson lo superaba en estatura por casi un palmo y habría sido una figura imponente incluso de no haber sido ex presidente de Estados Unidos. Sus luminosos ojos parecían taladrar agujeros con la fuerza de la mirada a través del cariacontecido patrón.

El hombre relató lo sucedido, retorciendo la gorra de tal modo que era un milagro que no la hiciese pedazos.

El baúl había sido abierto en el último tramo del viaje cuando navegaban corriente arriba hacia Richmond. El ladrón había subido a la chalana mientras estaba amarrada y la tripulación dormía en tierra. Había vaciado un baúl. El patrón entregó a Jefferson unos papeles manchados con barro y explicó que los había encontrado en la ribera.

Jefferson miró los papeles mojados en su mano. Con la voz estrangulado por el enojo, preguntó:

—¿Robaron alguna otra cosa más?

—No, señor. —El hombre se animó ante la oportunidad de señalar algo bueno en medio de la desgracia—. Solo el baúl.

Solo el baúl.

Las palabras resonaron en los oídos de Jefferson como si hubiesen sido pronunciadas en una cueva.

—Dígame dónde encontró esto —exigió.

Poco después, Jefferson y sus amigos partieron al galope para ir hasta el río, y allí se desplegaron en ambas direcciones. Tras una intensa búsqueda, rescataron algunas hojas que habían flotado hasta la orilla. Excepto por unas pocas páginas, las listas de vocabularios indios no eran más que un masa inservible de papel y fango.

A finales de aquel verano, un borracho y ladrón fue detenido y acusado del delito. El hombre afirmó que había sido contratado por un desconocido para robar los documentos y fingir que habían sido destruidos.

Jefferson se alegró de que hubiesen atrapado al culpable, quien quizá acabaría en la horca. No tenía ningún interés por el destino del hombre. El malhechor le había causado una pérdida irreparable. Jefferson tenía problemas más urgentes, como atender sus descuidados campos y ocuparse de cómo pagar las crecientes deudas.

Todo ello cambió meses más tarde cuando llegó una carta.

Jefferson había recibido varias respuestas a las misivas enviadas desde la Casa Blanca a los miembros de la Sociedad Filosófica. Todas manifestaban extrañeza ante la lista de palabras que Jefferson había copiado del pergamino. Excepto una.

El profesor Holmberg era un lingüista en la Universidad de Oxford. Se disculpaba por no haber respondido antes pero había estado viajando por África del Norte. Sabía cuál era la lengua de las palabras escritas e incluían las traducciones.

Jefferson abrió los ojos de par en par cuando leyó la traducción de Holmberg. Con la carta en la mano, buscó en su biblioteca y fue sacando volúmen tras volúmen de las estanterías. Historia, lenguaje, religión.

Dedicó varias horas a la lectura y a tomar notas. Cuando apartó el último libro, se recostó en su silla, entrelazó los dedos y miró al infinito. Tras un momento ensimismado en sus pensamientos, Jefferson pronunció en silencio un nombre conocido.

Meriwether Lewis.

El destino no había sido bondadoso con el hombre que había dirigido la expedición que abriría las puertas del Oeste norteamericano a la expansión de Estados Unidos.

Lewis era un hombre de extraordinarios talentos. Jefferson conocía muy bien las cualidades del virginiano cuando pidió a Lewis que dirigiese la expedición a la costa del Pacífico en 1803.

Educado, intrépido, versado en las ciencias, fuerte físicamente, Lewis era un hombre que conocía las costumbres indias, y poseía un carácter excelente. Había sido un capitán del ejército muy respetado antes de ir a trabajar para Jefferson en la Casa Blanca, donde añadió la diplomacia, el conocimiento del estado y la política a su cofre de talentos.

La expedición había tenido un éxito extraordinario. Después del regreso de Lewis a Washington en 1806 con William Clark, que había compartido el mando, Jefferson lo nombró gobernador del territorio de Luisiana.

Lewis había tenido razones para preguntarse si el nombramiento había sido una recompensa o un castigo. Pese a todos sus talentos y energía, Lewis había pasado por muchas dificultades en su tarea de domesticar la frontera salvaje. Los enemigos políticos del explorador eran implacables.

Una noche, después de que Lewis hubiese pasado otro agotador día enfrentándose a las acusaciones de que había malversado fondos del gobierno en una compañía de pieles en la que tenía intereses, vio un paquete sellado en su mesa y de inmediato reconoció la caligrafía de Jefferson. Una sonrisa apareció en el rostro de Lewis cuando deslizó la hoja de un cuchillo debajo del sello y retiró con mucho cuidado el papel que envolvía una pila de documentos. Una nota en el interior decía:

Mi querido señor Lewis: Su huerto quizá se beneficie de la información contenida aquí.

T. J.

«El cultivo de las alcachofas» era el título que podía leerse en la primera página de la pila de documentos. Las siguientes contenían un manual muy detallado con las tablas de siembra y un diagrama del huerto.

Colocó las hojas sobre su mesa, con el entrecejo fruncido. Lewis conocía el interés de Jefferson por la horticultura, pero le parecía extraño que se hubiese tomado la molestia de enviarle información sobre el cultivo de la alcachofa a través de medio continente. Sin duda sabía que sus pesadas responsabilidades le dejaban poco tiempo para la horticultura.

Entonces la comprensión iluminó el rostro alargado de Lewis y se le aceleró el pulso. Buscó entre los estantes de un armario donde había guardado los informes de la expedición y encontró lo que buscaba en cuestión de minutos.

Encajada entre dos pilas de documentos había una hoja de papel grueso, que sacó y sostuvo a la luz. La hoja estaba perforada con docenas de pequeños agujeros rectangulares, y, con dedos temblorosos, colocó la matriz sobre la primera página escrita del manual de las alcachofas y copió las letras que aparecían a través de los agujeros en otra hoja de papel.

Cuando Jefferson concibió la idea de una expedición al Pacífico sabía que Lewis se encontraría en una delicada posición diplomática al explorar territorios que eran del dominio francés y español. Detrás de la imperturbabilidad de esfinge de Jefferson había una mente tan tortuosa como cualquiera que se pudiese encontrar en las cortes y palacios de Europa. En su correspondencia con su ministro en Francia, a menudo había utilizado una clave que describía como «una máscara cuando la necesitemos».

Cuando Lewis se encontraba en Filadelfia preparando su viaje con los principales científicos de la Sociedad Filosófica, Jefferson le envió la clave que había preparado para la expedición. Se había basado en el método de cifrado de Vigenere que se utilizaba mucho en Europa. El sistema cifraba los textos con una tabla alfanumérica y se descifraba con una palabra clave.

Alcachofas.

No había sido necesario utilizar la clave durante la expedición, y por eso Lewis se había asombrado al verla ahora.

Se olvidó de las preguntas y se dedicó a descifrar el mensaje con el entusiasmo que ponía en todos sus trabajos. A medida que descifraba letra a letra el inocente texto, las palabras comenzaron a formarse ante sus ojos.

> Querido señor Lewis: Confío que esta carta lo encuentre a usted bien. Me he permitido la libertad de enviarle este informe en la forma cifrada que habíamos acordado, con el objetivo de que solo lo lea usted, y sea para su exclusiva disposición. Me temo que la información adjunta, sea verdadera o no, exacerbaría ciertas pasiones, haría que los hombres fuesen a un territorio donde están mal preparados para sobrevivir y crearía problemas con los indios. Tengo entendido que está muy ocupado en la formidable tarea de domar al semental que es louisiana, pero le ruego su ayuda en la solución de este asunto.
>
> Su fiel servidor,
>
> T. J.

Lewis descifró todo el mensaje. Luego pasó al diagrama del huerto. Las líneas, las equis, los círculos y las palabras escritas en un antiguo lenguaje comenzaron a tener sentido. Estaba mirando un mapa, y algo le resultó conocido. Buscó entre docenas de sus mapas y documentos y encontró lo que buscaba.

Cogió papel y pluma, y escribió una breve nota. Agradeció a Jefferson los consejos de horticultura, añadió que había encontrado el lugar ideal para la cosecha y le prometió que hablarían más del tema cuando fuese a Washington para limpiar su nombre. Lewis tenía dispuesto iniciar el viaje por el río Mississippi a principios de septiembre de 1809. Llamaría a Jefferson cuando llegase a la capital.

No sería así. A finales del otoño, Jefferson recibió una nota de un tal comandante Neely donde le informaba de que Lewis había muerto a consecuencia de las heridas de balas sufridas en el sendero de Natchez Trace. Solo tenía treinta y cinco años.

La pérdida de aquel joven de gran talento era incomprensible para Jefferson. Parecía como si una antigua maldición pesase sobre los vocabularios indios. Varias semanas más tarde, el comandante Neelly llegó a Monticello con el joven esclavo de Lewis. Mientras Neelly se aseaba, el esclavo entregó con timidez a Jefferson un paquete y le susurró un mensaje.

Después de ordenar a la servidumbre que no debía molestarlo, Jefferson se encerró en su despacho y leyó el contenido del paquete. A continuación hizo un extenso análisis escrito de los acontecimientos que habían acabado con la muerte de Lewis. La luz del amanecer entraba por las ventanas cuando resumió la sinopsis con una única palabra subrayada.

Conspiración.

¿Qué pasaría si las listas de palabras indias habían sido robadas por encargo de unas personas desconocidas, como había afirmado el autor del robo? ¿Qué pasaría si alguien sabía que la investigación de Jefferson era la clave a un antiquísimo secreto? ¿Qué pasaría si la muerte de Lewis no era un suicidio sino un asesinato?

Jefferson dedicó varios días más a trabajar en su despacho. Cuando salió, con una lista de órdenes para sus empleados, parecía un hombre poseído. Una noche, al amparo de la oscuridad, partió con su caballo, seguido por una carreta con sus más leales esclavos. Regresaron semanas más tarde, con aspecto agotado, pero había un brillo de triunfo en los ojos de Jefferson.

Consideró las implicaciones de su descubrimiento. Había hecho todo lo que estaba en su poder para evitar que Estados Unidos se viese perjudicado por la letal alianza de la Iglesia y el Estado que había provocado las guerras de religión que habían asolado el continente europeo. Temía que si esta información se hacía pública sacudiría los fundamentos de la joven nación e incluso destruiría la recién nacida república que había ayudado a crear.

Sin detenerse a asearse o cambiarse, Jefferson entró en su despacho y escribió una larga carta a su viejo amigo, y a veces oponente, John Adams. En el momento de lacrar el sobre, una sonrisa apareció en su rostro cansado. Sabía jugar a la conspiración tan bien como cualquier otro.

1

Carina Mechadi ardía de furia. La joven italiana echaba chispas mientras observaba la destrucción y el desorden reinante en las oficinas administrativas del Museo Arqueológico iraquí. Habían volcado los archivadores. Los ficheros aparecían desparramados como si hubiesen sido pillados por un tornado. Las mesa y las sillas estaban hechas astillas. El alcance de la destrucción era espantoso.

La joven soltó una ristra de insultos que hacían referencia a la paternidad, la orientación sexual y el coraje de los vándalos que habían hecho semejante estropicio.

Los insultos pasaron por encima al joven cabo de marines que se mantenía cerca con una carabina M4 entre las manos. Las únicas dos palabras italianas que el marine conocía eran *pepperoni* y *pizza*. Pero no necesitaba un diccionario para saber que había presenciado una exhibición de lenguaje soez digna del más procaz de los carreteros.

El lenguaje fuerte era todavía más desconcertante dado su origen. Carina medía treinta centímetros menos que el marine. El equipo de combate que los militares habían insistido que llevase hacía que la delgada joven pareciese todavía más menuda. Ofrecía el aspecto de una tortuga demasiado pequeña para su caparazón con el chaleco antibalas. El uniforme de camuflaje para el desierto era de un hombre de talla pequeña.

El casco que tapaba su largo pelo negro le cubría la frente hasta casi ocultar sus ojos azules.

Carina advirtió la sonrisa de asombro del marine. Enrojeció de vergüenza y dio por acabados los insultos.

—Lo siento.

—Ningún problema, señora —dijo el cabo—. Si alguna vez quiere ser sargento instructor, el cuerpo de marines se alegrará de tenerla.

El enfado desapareció del rostro moreno. Los labios sensuales, que parecían más adecuados para la seducción que los insultos, se abrieron en una gran sonrisa que dejó ver unos dientes blancos perfectos. Apagado el fuego de sus palabras, su voz era baja y calma. Con un ligero acento, manifestó:

—Gracias por el ofrecimiento, cabo O'Leary. —Miró los destrozos a sus pies—. Como puede ver soy muy apasionada cuando se trata de este tipo de cosas.

—No la culpo por ponerse hecha una furia... —Las mejillas del marine enrojecieron y desvió la mirada—. Perdón, quería decir enojada, señora. Menudo desastre.

La guardia republicana de Saddam Husein había montado una posición defensiva en el complejo del museo, situado en el corazón de Bagdad en la ribera occidental del Tigris. Las tropas iraquíes habían escapado a la vista del avance norteamericano, y dejado el museo desprotegido durante treinta y seis horas. Centenares de vándalos se habían movido por el complejo hasta que habían sido expulsados por el personal directivo de la institución.

Los guardias se habían deshecho de sus uniformes y quemado sus tarjetas de identidad en su prisa por regresar a la vida civil. En un último gesto de desafío, alguien había escrito en la pared del patio: MUERTE A TODOS LOS AMERICANOS.

—Hemos visto todo lo que necesitábamos —dijo Carina con una mueca.

Escoltada por el cabo O'Leary, salió de las oficinas administrativas. Su andar pesado solo era en parte culpa de las botas militares que calzaba. La aplastaba el sentimiento de temor de lo que encontraría, o no encontraría, en las galerías abiertas al público, donde las mejores piezas se habían exhibido en más de quinientas vitrinas.

La caminata por el largo pasillo solo sirvió para reforzar sus temores. Muchos sarcófagos se veían abiertos y las estatuas estaban decapitadas.

Carina entró en la primera galería y el aire escapó involuntariamente de sus pulmones. Fue de sala en sala, horrorizada. Cada vitrina parecía haber sido limpiada con una aspiradora.

Llegó a la sala que había contenido los objetos babilónicos. Un hombre regordete y de mediana edad estaba inclinado sobre una vitrina rota. Junto a él había un joven iraquí que levantó su AK-47 cuando entraron.

El marine se llevó la carabina al hombro.

El hombre regordete alzó la mirada para mirar al marine a través de las gafas de cristal grueso. Había desdén más que miedo en sus ojos. Su mirada pasó a Carina y una sonrisa encendió su rostro.

—Mi querida señorita Mechadi —exclamó con gran afecto.

—Hola, doctor Nasir. Me alegra ver que está bien. —Carina se volvió hacia el marine—. Cabo, este es Mohammed Jassim Nasir. Es el conservador jefe del museo.

El marine bajó su arma. Después de una pausa para demostrar que no se había sentido intimidado por el norteamericano, el iraquí hizo lo mismo. Los dos hombres continuaron mirándose con desconfianza.

Nasir se acercó para tomar las manos de Carina entre las suyas.

—No tendría que haber venido tan pronto. Esto es todavía peligroso.

—Usted está aquí, profesor.

—Por supuesto. Esta institución ha sido mi vida.

—Lo comprendo. Pero la zona alrededor del museo es segura. —Hizo un gesto hacia su escolta—. Además, el cabo O'Leary me vigila muy de cerca.

Nasir frunció el entrecejo.

—Espero que este caballero sea mejor guardia de lo que fueron sus amigos. De no haber sido por mis valientes colegas el desastre habría sido total.

Carina comprendió la furia de Nasir. Las tropas norteamericanas habían llegado cuatro días después de que las autoridades del museo hubiesen comunicado a los comandantes el saqueo. Carina había intentado con desesperación hacer que se moviesen más rápido. Había exhibido su tarjeta de identificación de la UNESCO colgada alrededor de su cuello debajo de las narices de los oficiales norteamericanos que se habían limitado a responderle que la situación era demasiado peligrosa.

La joven no veía qué sentido podía tener discutir quién era el culpable cuando el daño ya había sido hecho.

—Hablé con los norteamericanos —dijo—. Según ellos se habría librado una sangrienta batalla si hubiesen venido antes.

Nasir dirigió una mirada de desprecio en dirección al marine.

—Lo comprendo. Estaban demasiado ocupados vigilando los pozos de petróleo. —La expresión poco comprensiva en su rostro moreno sugería que habría preferido el derramamiento de sangre al saqueo.

—Estoy tan disgustada como usted —manifestó Carina—. Esto es terrible.

—Bueno, no es tan malo como parece aquí —comentó Nasir con un inesperado optimismo—. Los objetos robados de esta vitrina eran de menor importancia. Por fortuna, el museo tenía preparado un plan de contingencia después de la invasión de mil novecientos noventa y uno. Los conservadores se llevaron la mayoría de los objetos a unos depósitos que solo conocen cinco de las principales autoridades del museo.

—¡Eso es maravilloso, profesor!

La alegría de Nasir duró poco. Se atusó la barba con nerviosismo.

—Desearía que el resto de las noticias fuesen igual de buenas —añadió, con un tono de pesar—. A otras partes del museo no les ha ido tan bien. Los ladrones saquearon los más grandes tesoros de Mesopotamia. Se llevaron la copa sagrada y la máscara de Warka, la estatua de Bassetki, el marfil de la leona que ataca a los nubios y los toros gemelos de cobre.

—¡Esas piezas no tienen precio!

—A diferencia de los ladronzuelos que echamos del museo, las personas que se llevaron las antigüedades más valiosas eran expertos. Por ejemplo, no hicieron el menor caso del Obelisco Negro.

—Sin duda sabían que el original está en el Louvre.

Los labios de Nasir esbozaron una sonrisa.

—No tocaron una sola de las copias. Eran muy organizados y selectivos. Venga, se lo enseñaré.

Nasir la llevó hacia los almacenes de la planta baja. Las estanterías estaban vacías. Los trozos de docenas de jarrones, ánforas y copas cubrían el suelo. Carina apartó de un puntapié un uniforme militar.

—Veo que la guardia republicana también estuvo por aquí —dijo—. ¿Tiene alguna idea de cuántas piezas faltan?

—Se tardará años en valorar el robo. Yo calculo que se llevaron más o menos unas tres mil piezas. Desearía poder decir que eso ha sido lo peor...

Entraron en la galería de las antigüedades romanas. El profesor apartó una estantería esquinera para dejar a la vista una puerta oculta cuyos cristales habían sido rotos y retorcida la reja de acero. Buscó en su bolsillo una vela y un mechero. Bajaron una angosta escalera hasta unas puertas metálicas que estaban abiertas de par en par, sin ninguna señal de que las cerraduras hubiesen sido forzadas. Una pared sellaba el espacio detrás de la puerta. Habían quitado los ladrillos de hormigón para hacer un gran boquete.

Pasaron por el agujero a una habitación caliente y mal ventilada. Un hedor acre les irritó la nariz. Las pisadas en el suelo cubierto de polvo habían sido rodeadas con cinta de plástico amarilla colocada en la escena del crimen por un grupo de investigadores.

Carina miró en derredor.

—¿Dónde estamos?

—En los depósitos subterráneos Aquí abajo hay cinco. Muy pocas personas en el museo sabían de la existencia de este lugar. Por eso creíamos que la colección estaba a salvo. Nos equivocamos, como puede ver.

Movió la vela en un arco. La luz amarilla iluminó docenas de cajas de plástico arrojadas por toda la sala.

—Nunca había visto semejante caos —susurró Carina.

—Las cajas contenían los cartuchos, cuentas, monedas, frascos de vidrio, amuletos y joyas. Faltan miles de artefactos. —Acercó la vela hacia las docenas de cajas de plástico más grandes que cubrían las paredes—. No se molestaron con estas. Al parecer, sabían que estaban vacías.

El cabo O'Leary observó los destrozos con el ojo de un pandillero que busca posibles vías de escape.

—Si no le importa que se lo pregunte, señor, ¿cómo sabían dónde encontrar este lugar?

Las facciones de Nasir mostraron una expresión lúgubre al tiempo que asentía.

—Ustedes los norteamericanos no son los únicos para tener motivos de sentirse avergonzados. Sospechamos que alguien de nuestro personal con un profundo conocimiento del museo comunicó a los ladrones la existencia de este depósito. Hemos tomado las huellas digitales de todo el personal excepto las del jefe de seguridad, que no se ha presentado a reclamar su puesto de trabajo.

—Me preguntaba por qué no he visto ninguna señal de que la puerta hubiese sido forzada —dijo Carina.

—Los ladrones bajaron al sótano por el mismo camino

que nosotros, pero debieron de olvidar las linternas o quizá pensaron que no las necesitarían. —Recogió un trozo de espuma quemada—. Utilizaron este material de la planta superior para hacer una tea. El material se quema muy rápido, y el humo tuvo que ser terrible. Encontramos juegos de llaves en el suelo. Es probable que dejasen caer las llaves y no pudiesen encontrarlas. No encontraron treinta armarios con nuestros mejores cartuchos y decenas de miles de monedas de oro y plata. Supongo que faltan unos diez mil artefactos. Centenares de cajas quedaron intactas, bendito sea Alá.

Pasaron por una puerta a un espacio mayor lleno de antigüedades de todos los tamaños y formas.

—Estas son piezas que estaban siendo objeto de una identificación preliminar y que debían ser incorporadas a la colección principal a medida que el trabajo lo permitiese. Algunas llevan almacenadas varios años.

—Las pisadas vienen aquí —señaló Carina.

—Es evidente que los ladrones creyeron que había algo de valor en esta habitación. No podremos saberlo hasta que repasemos nuestros inventarios. Tenemos mucho que hacer para recuperar la mayor parte posible de estos preciosos objetos.

—He oído decir que hay una amnistía —manifestó la joven.

—Así es. En parte ha restaurado algo de mi fe en la naturaleza humana. La gente ha traído miles de cosas, incluida la máscara de Warka. Confío en que continuarán devolviéndonos objetos, pero, como usted sabe, los más valiosos ya estarán en posesión de algún rico coleccionista en Nueva York o Londres.

Carina exhaló un suspiro. Los robos habían sido planeados con toda minuciosidad, la invasión había tardado semanas en ponerse en marcha. Los traficantes sin escrúpulos en Europa y Estados Unidos sin duda habían recibido pedidos por anticipado de piezas concretas por parte de sus clientes ricos.

El negocio de las antigüedades se había convertido en algo

tan lucrativo como el tráfico de drogas. Londres y Nueva York eran los mercados principales. Antigüedades robadas de excavaciones ilegales en Grecia, Italia y Sudamérica a menudo eran «blanqueadas» a través de Suiza, donde las piezas podían conseguir un título legal con solo pasar cinco años en el país.

Carina permaneció en silencio entre las cajas vacías, al parecer absorta en sus pensamientos. Al cabo de un momento, dijo:

—Quizá pueda acelerar el proceso de amnistía.

—¿Cómo? Hemos hecho correr la voz por todas partes.

La joven se volvió hacia el marine.

—Necesitaré su ayuda, cabo O'Leary.

—Tengo orden de cumplir con cualquier petición que usted haga, señora.

En el rostro de Carina apareció una sonrisa misteriosa.

—Contaba con ello.

2

El pavimento tembló debajo de las cadenas del vehículo de combate Bradley de veinticinco toneladas, y el estruendo avisaba de la presencia del transporte de tropas mucho antes de que apareciese a la vista. Para cuando el Bradley dobló la esquina y circuló por el bulevar, el hombre que había estado caminando junto a las desiertas tiendas se había escabullido en un callejón. Se ocultó en un portal, donde sería invisible a los aparatos de visión nocturna del vehículo.

El hombre observó el transporte hasta que desapareció en otra esquina antes de aventurarse a salir del callejón. El retumbar de las bombas que habían presagiado el avance de las tropas norteamericanas había cesado. Los disparos de las armas de pequeño calibre eran constantes pero esporádicos. Excepto por los combates que se sucedían cuando los invasores acababan con los focos de resistencia, había habido una pausa en la batalla mientras la coalición y lo que quedaba de los defensores estudiaban su próximo movimiento.

Pasó por delante de una estatua decapitada de Saddam Husein, y caminó otros diez minutos hasta llegar a una calle transversal. Con una linterna que proyectaba un delgado haz de luz roja, consultó un plano de la ciudad, luego guardó este y la linterna en el bolsillo y volvió hacia la calle.

Si bien era un hombre grande, de casi un metro noventa de estatura, se movía por la ciudad a oscuras con el silencio de una sombra. Su sigilo era algo que había aprendido en las semanas de entrenamiento en un campamento dirigido por antiguos miembros de la Legión Extranjera francesa, la Fuerza Delta norteamericana y el Grupo de Operaciones Especiales británico. Podía infiltrarse en la instalación más vigilada para llevar a cabo su misión. Aunque había aprendido a asesinar de una docena de formas diferentes, su arma preferida eran sus largos y gruesos dedos dotados de una fuerza tremenda.

Había llegado muy lejos desde sus humildes orígenes. Vivía con su familia en un pequeño pueblo del sur de España cuando lo encontró su benefactor. Aún no había cumplido los veinte años y trabajaba en un matadero. Disfrutaba con el trabajo de matar lo que fuese, desde pollos hasta vacas, e intentaba poner algo de creatividad en la tarea cada vez que podía, pero algo en él ansiaba cosas más importantes.

A punto había estado de perder la gran oportunidad el día en que estranguló a un molesto compañero de trabajo por una discusión menor. Acusado de asesinato, había languidecido en la cárcel mientras los periódicos sacaban el máximo partido a que fuese hijo del último verdugo de España cuando el garrote vil era el método de ejecución oficial.

El hombre que se convertiría en su benefactor llegó a la cárcel en un coche conducido por un chófer. Se sentó en la celda y habló con el joven. «Tienes un orgulloso y glorioso pasado y un gran futuro», le dijo.

El joven escuchó con profunda atención mientras el extraño le hablaba de los servicios de su familia al Estado. Sabía que el padre del joven se había quedado sin trabajo en 1974, tras las ultimas ejecuciones del 2 de marzo en Barcelona y Tarragona, y que después de cambiar de nombre se había retirado a una pequeña granja, donde la familia pasaba penurias, y había muerto, sin un céntimo y desilusionado, dejando una viuda y un hijo.

El benefactor quería que el joven trabajase para él. Sobornó a los carceleros y al juez, dio a la compungida familia más dinero del que el granjero muerto habría ganado en cien vidas, y desaparecieron las acusaciones. Fue enviado a un colegio privado, donde aprendió varios idiomas, y tras concluir los estudios pasó al entrenamiento militar. Los asesinos profesionales que se encargaron de formarlo reconocieron, como había hecho su mecenas, que era un discípulo dotado. Muy pronto lo enviaron en misiones solitarias para eliminar a aquellos designados por su benefactor. Se producía la llamada telefónica con las instrucciones, realizaba la misión y el dinero era depositado en su cuenta en un banco de Suiza.

Antes de ir a Bagdad, había asesinado a un sacerdote activista que estaba provocando disturbios en una de las minas de su protector en Perú. Iba de camino a España para reunirse con su patrón cuando recibió el mensaje para que fuese a Irak antes de la invasión norteamericana. Allí debía alojarse en un hotel discreto y establecer los contactos necesarios.

Se había llevado una desilusión al saber que esa vez no debía matar a nadie sino procurar el transporte de un objeto del Museo Arqueológico de Bagdad. No obstante, en contrapartida, tenía un asiento de primera fila para presenciar la invasión, con la muerte y la destrucción resultante.

Consultó el mapa de nuevo y soltó un gruñido de satisfacción. Solo estaba a unos minutos de su destino.

3

Sin energía eléctrica en la ciudad, a Carina le había costado encontrar el edificio en el barrio viejo. Solo había estado allí una vez, en pleno día, y no en medio de una guerra. Las ventanas estaban tapiadas y daban a la casa el aspecto de una fortaleza. En el momento en que se acercaba a la gruesa puerta de madera, escuchó en la distancia los disparos de las armas de pequeño calibre.

Movió la pesada manija de hierro. La puerta estaba sin llave. Entró. La suave luz de las lámparas de aceite iluminaba los rostros de los hombres que jugaban al backgammon y bebían té. El espeso y asfixiante humo de las docenas de cigarrillos y los narguiles solo aliviaba un poco el olor acre de los cuerpos sucios.

El suave murmullo de las voces masculinas se detuvo como si hubiesen apretado un interruptor. Aunque la mayoría de los rostros barbudos estaban en sombras, la joven sabía que era el objetivo de las miradas hostiles.

Dos figuras se separaron de un rincón a oscuras como criaturas que saliesen de un pantano. Un hombre se deslizó detrás de ella, cerró la puerta y le cortó cualquier posible vía de escape. El otro se enfrentó a ella. En árabe, preguntó:

—¿Quién es usted?

El aliento del hombre apestaba a tabaco y ajo. Carina se resistió al impulso natural de vomitar y se irguió en toda su estatura.

48

—Diga a Alí que Mechadi quiere verlo.

La seguridad femenina tenía sus límites con los machos árabes. Un brazo le rodeó el cuello por detrás y apretó. El hombre que tenía delante desenvainó un puñal y se lo acercó al ojo izquierdo, tanto que la aguda punta se le difuminó.

Consiguió emitir un débil grito de ayuda.

La puerta se abrió con tanta violencia que la hoja chocó contra la pared. El brazo se aflojó alrededor de su cuello. El cabo O'Leary apareció en el umbral, con la boca del cañón de su carabina apoyada en la base del cráneo del hombre que sujetaba a Carina. El marine había escuchado la llamada de la joven por la radio sintonizada con el mismo canal que la radio que él llevaba en el chaleco.

Un Humvee estaba aparcado al otro lado de la calle. Los focos de la capota estaban encendidos y los clientes de la casa de té veían con toda claridad el largo cañón de la ametralladora que apuntaba a la puerta. Un pelotón de marines estaba en la calle con los fusiles en posición de ataque.

El cabo mantuvo la mirada en el hombre con el puñal.

—¿Está bien, señora?

—Sí, gracias —respondió Carina, y se frotó el cuello—. Estoy bien.

—El curso acelerado de árabe no me ha enseñado a decir a este tipo que le volaré los sesos si su amigo no suelta el cuchillo.

Carina hizo una burda pero efectiva traducción. El puñal cayó al suelo, y el marine lo apartó de un puntapié. Los presentes se tropezaron los unos con los otros en su prisa por retirarse del lío en que se encontraban.

Una voz dijo en inglés desde detrás de una cortina en el fondo del local:

—La paz sea contigo.

Carina respondió al tradicional saludo árabe.

—La paz sea contigo, Alí.

Un hombre salió de detrás de las sucias sábanas de algodón que servían de cortinas. Las luces del Humvee iluminaron el rostro regordete y la nariz bulbosa. Un casquete tejido cubría el cráneo afeitado. La camiseta de los New York Yankees era demasiado corta para cubrir su corpachón, y dejaba a la vista el peludo ombligo.

—Bienvenida, *signorina* Mechadi. —Unió las palmas de las manos—. También sus amigos.

—Ese tipo estaba a punto de clavarme un puñal en el ojo —respondió Carina—. ¿Es así como da la bienvenida a sus huéspedes?

Los pequeños ojos astutos de Alí observaron el cuerpo de Carina y se demoraron en su rostro.

—Viste un uniforme militar —manifestó con una sonrisa afectada—. Quizá creyó que era un soldado enemigo.

Carina no hizo caso del comentario de Alí.

—Quiero hablar con usted.

El iraquí se rascó la barba, que tenía adheridos restos de comida.

—Por supuesto. Pasemos a mi despacho y tomaremos una taza de té.

—¿Quiere que vaya con usted, señora? —preguntó el marine.

—Estaré bien. —Carina observó el salón—. De todas maneras, no me importaría cierta seguridad. Como puede ver el local de Alí no atrae a la mejor clientela.

El cabo sonrió. Asomó la cabeza a la calle e hizo una señal. Varios marines entraron en la habitación y ocuparon posiciones junto a las paredes.

Alí separó las sucias cortinas, abrió una puerta metálica e hizo pasar a la joven a una habitación donde resplandecían las luces eléctricas. Un generador sonaba en otra parte del edificio. Unas preciosas alfombras cubrían el suelo y soberbios tapices adornaban las paredes. Una pantalla de televisión conectada a una cámara de vigilancia exterior mostraba imágenes de la calle delante de la casa. El Humvee se veía con toda claridad.

Alí invitó a Carina a sentarse en una tarima cubierta con grandes cojines de terciopelo. Le ofreció un té, que ella rehusó. Alí se sirvió un vaso.

—¿Qué la trae de visita en medio de una invasión?

Ella recibió su pregunta con una mirada dura.

—Vengo del Museo Arqueológico. Lo han saqueado y se han llevado miles de antigüedades.

Alí detuvo el vaso a medio camino de la boca.

—¡Eso es un ultraje! El museo es el corazón y el alma de la herencia cultural iraquí.

Carina soltó una risa de burla ante la fingida sorpresa del hombre.

—Tendría que haber sido actor, Alí. Se habría ganado un premio de la Academia solo con esa frase.

Alí había aprendido a ser actor como luchador profesional. Incluso había luchado en Estados Unidos con el nombre de Alí Babbas.

—¿Cómo puede creer que me enredaría en un acto de rapiña tan despreciable? —Todavía utilizaba términos de la jerga que había aprendido en sus días de luchador, en Estados Unidos.

—No hay ninguna antigüedad de valor que entre o salga de Irak sin su connivencia o su conocimiento.

Alí había montado una red mundial de conservadores, comerciantes y coleccionistas. Había cultivado la amistad de la familia de Saddam Husein, y se decía que había vendido numerosas piezas para las colecciones de Uday y Kusay, los hijos psicópatas del dictador.

—Solo negocio con objetos legales. Puede revisar el lugar si le apetece.

—Es un ladrón pero no un estúpido, Alí. No estoy reclamando la devolución de los artefactos menores. Son inútiles para los propósitos de un museo sin una proveniencia fiable. —Sacó una hoja de papel del bolsillo y se la dio—. Quiero estas piezas. Hay una amnistía. No se hacen preguntas.

Alí desplegó el papel con sus dedos gruesos. En su rostro apareció una sonrisa.

—Me sorprende que no haya incluido el Puente de Brooklyn en esta lista.

—Ya es mío —replicó Carina—. ¿Qué?

El hombre le devolvió la hoja de papel.

—No puedo ayudarla.

Carina se guardó el papel en el bolsillo y se levantó del cojín.

—Vale.

—¿Solo vale? Me desilusiona, *signorina*. Esperaba que se comportase con su tesón habitual.

—No tengo tiempo. Debo hablar con los norteamericanos. —Carina se dirigió hacia la puerta.

—Los norteamericanos estarán muy ocupados intentando restablecer el suministro eléctrico y de agua. —dijo Alí, a su espalda. Carina continuó caminado—. Dejaron el museo sin vigilancia. ¿Cree que se preocuparán por un pequeño ladrón como yo?

Carina apoyó la mano en el pomo de la puerta.

—Creo que les molestará mucho cuando se enteren de sus vínculos con Saddam Husein.

—Todos en Irak tienen vínculos con Saddam —manifestó Alí con una risotada—. Tuve la precaución de no dejar ningún registro de mis negocios.

—Eso no importa. Los norteamericanos tienen el dedo del gatillo fácil desde el Once de Septiembre. Le sugiero que desocupe este edificio antes de que lo apunten con una de sus bombas inteligentes.

Alí saltó de su cojín y se acercó. La expresión de mofa había sido reemplazada por otra de alarma. Tendió la mano para coger el papel.

—Veré lo que puedo hacer.

Carina apartó la lista de su alcance.

—Ya no me conformo con eso. Haga las llamadas ahora. No me diga que los teléfonos no funcionan. Sé que tiene sus propios sistemas de comunicación. Esperaré mientras llama a su gente.

Alí frunció el entrecejo y le arrebató la lista de la mano. Fue de nuevo hacia la tarima, buscó debajo del cojín y sacó un radiotransmisor portátil. Hizo varias llamadas y habló con un lenguaje inocente que no denunciase su propósito. Después de la última llamada, apagó la radio y la dejó sobre la mesa de té.

—Tendrá lo que quiere dentro de cuarenta y ocho horas.

—Que sean veinticuatro —dijo Carina—. No se moleste en acompañarme hasta la salida. —Abrió la puerta y le lanzó una última pulla sobre el hombro—. Tendrá que hacer un buen acopio de pilas para las linternas.

—¿A qué se refiere?

—Mientras los idiotas que contrató daban vueltas en la oscuridad quemándose los dedos, pasaron por alto treinta armarios con los mejores cartuchos y docenas de miles de monedas de oro y plata. *Ciao.* —Soltó una risita y desapareció entre las cortinas.

Cuando Alí cerró la puerta detrás de ella con toda violencia, se apartó uno de los tapices que tapaban la pared y un hombre entró por otra puerta.

Era alto y de físico poderoso. Su rostro de querubín parecía no encajar con el resto, como si la cabeza rapada hubiera sido colocada en el cuerpo equivocado. Si bien había mucho espacio en el ancho rostro, los ojos, la nariz y la boca estaban comprimidas, y creaban un efecto que era infantil y grotesco al mismo tiempo.

—Una mujer formidable —opinó el hombre.

—¿Carina Mechadi? —Alí casi escupió las palabras—. No es más que una metomentodo de la UNESCO que cree que puede mangonearme.

El visitante sonrió con picardía mientras miraba en el monitor de la cámara de vigilancia cómo el Humvee se marchaba con Carina y los marines.

—Por lo que he escuchado, eso es lo que acaba de hacer.

—Sobreviví a Saddam y puedo sobrevivir a los norteamericanos —afirmó Alí con una sonrisa feroz.

El hombre miró de nuevo al árabe.

—Confío en que sus problemas no pongan en peligro el asunto que estábamos discutiendo antes de que ella interrumpiese nuestras negociaciones.

—No del todo.

—¿A qué se refiere?

—Ha habido una pega.

El hombre se acercó hasta dominar al iraquí con su estatura.

—¿Qué clase de pega?

—*El Navegante* ha sido vendido a otro comprador.

—Ordenamos que lo sacasen del museo, y le pagamos por adelantado. Vine a Bagdad para cerrar el trato.

—Ha aparecido otro comprador con una oferta superior. Le devolveré el anticipo. Quizá pueda convencer al comprador para que desista de la operación, aunque el precio sin duda será mayor del que habíamos acordado.

La mirada del hombre pareció taladrar el cráneo de Alí, pero mantuvo la sonrisa.

—¿No estará intentando sacarme más dinero?

—Si no quiere hacer un trato, de acuerdo.

Alí todavía rabiaba por su confrontación con Carina. La furia había embotado su astucia; de lo contrario, quizá habría advertido la amenaza en el tono del hombre cuando susurró:

—Debo tener la estatua.

Por primera vez Alí se fijó en las manos enormes que colgaban de los largos y musculosos brazos.

—Solo le estaba haciendo sufrir un poco —manifestó Alí con una gran sonrisa—. Culpe a la perra italiana. Llamaré al almacén con mi radio y mandaré que traigan la estatua.

Se acercó a la tarima.

—Espere —dijo el hombre. Alí se detuvo a medio camino. La sonrisa del hombre se hizo más grande cuando recogió la radio que Alí había dejado en la mesa—. ¿Es esto lo que busca?

Alí se lanzó hacia los cojines y metió la mano debajo de uno. Sus dedos se cerraron alrededor de la culata de la Beretta y sacó la pistola de su escondite.

El hombre se movió con la rapidez de un leopardo hambriento. Arrojó la radio a un lado, sujetó a Alí por la barbilla desde atrás y le retorció el brazo. La pistola cayó de la mano de Alí, su cuerpo doblado hacia atrás como una herradura en el yunque.

—Dígame dónde encontrar *El Navegante* y lo dejaré ir. Si no lo hace, le partiré el cuello.

Alí era un hombre duro pero no demasiado valiente. Solo necesitó unos pocos segundos de terrible dolor para convencerse de que ninguna obra de arte valía su vida.

—De acuerdo, se lo diré —jadeó.

En cuanto le reveló el lugar, el hombre dejó de retorcerle el brazo. El dolor se alivió. La mano de Alí bajó hacia la daga que llevaba en una vaina sujeta por encima del tobillo. En el momento en que se soltase, abriría a ese engendro como a un cerdo. Sin embargo, no tuvo ocasión, pues la mano libre del hombre se unió a la otra debajo de la barbilla y los dedos comenzaron a apretar. Al mismo tiempo levantó una rodilla y la pegó a la espalda de su víctima.

—¿Qué hace? Creí que teníamos un trato —alcanzó a decir Alí con voz ahogada.

Ya casi había perdido la conciencia cuando oyó un crujido sordo. Se aflojó la mano que le sujetaba la barbilla. La cabeza de Alí cayó sobre su pecho como la de una muñeca de trapo y se desplomó. El hombre pasó por encima del cuerpo que todavía se sacudía y apartó el tapiz que ocultaba la puerta trasera de la casa. Momentos más tarde, había desaparecido en el laberinto de callejuelas. Le llevó casi hasta el amanecer encontrar el camino de regreso a su hotel. Se acercó a la ventana para contemplar el humo que se alzaba sobre la ciudad invadida, e hizo una llamada desde su móvil.

La voz meliflua de su benefactor se escuchó en el teléfono casi de inmediato.

—He estado esperando su llamada, Adriano.

—Lamento la demora, señor. Se han producido unas dificultades inesperadas.

Adriano describió con todo detalle su encuentro con Alí. Su benefactor sabría si mentía o disimulaba la verdad.

—Estoy muy desilusionado, Adriano.

—Lo sé, señor. Tenía la orden de no dejar que *El Navegante* cayese en las manos de algún otro. Esa me pareció la única manera.

—Ha hecho muy bien en seguir las órdenes. Es muy importante que primero encontremos la pieza. Hemos esperado casi tres mil años. Un poco más no importa.

Adriano soltó un suspiro de alivio. Lo habían adiestrado para no sentir miedo o dolor, pero era muy consciente del destino de aquellos que incurrían en el desagrado de su benefactor.

—¿Quiere que trate de averiguar su paradero?

—No. Le seguiré la pista otra vez a través de los canales internacionales. Ese lugar se está convirtiendo en demasiado peligroso para usted.

—He hecho arreglos para dejar el país a través de Siria.

—Bien. —Hubo una pausa al otro extremo de la línea—. Esa mujer, Carina Mechadi, podría sernos útil.

—¿De qué manera, señor?

—Ya lo veremos, Adriano. Ya lo veremos.

Se cortó la comunicación.

Adriano recogió la maleta y cerró la puerta de la habitación del hotel al salir. Había acordado reunirse con un contrabandista de petróleo que le había prometido sacarlo de Irak. De acuerdo con sus órdenes de no dejar ningún rastro de su paso, por supuesto, enviaría al hombre junto a Alá una vez que hubiese cruzado la frontera.

Sonrió mientras pensaba en el asesinato.

4

Fairfax County, Virginia, en la actualidad

El Corvette descapotable rojo salió de la carretera, con los altavoces estéreos donde sonaba la música de salsa a todo volumen como una gramola de Tijuana sobre ruedas. El coche siguió por el camino que pasaba por delante de una mansión victoriana y un césped que parecía haber sido cortado con tijeras de manicura. Joe Zavala aparcó el coche delante de una casa en la orilla del río Potomac que antes había sido un cobertizo de embarcaciones, y se disponía a salir de detrás del volante cuando escuchó un disparo.

Zavala, un brillante diseñador de embarcaciones submarinas para la National Underwater and Marine Agency, no llevaba nunca nada más letal que su ordenador portátil. Pero sus años de trabajo en el equipo de misiones especiales de la NUMA le habían enseñado el sabio lema de los niños exploradores de estar siempre preparado. Zavala metió la mano debajo del asiento, sus dedos buscaron la funda automática y su mano reapareció con una pistola Walther PPK.

Bajó del coche y rodeó la casa con el sigildo de un cazador de ciervos. Con la espalda apoyada en la pared, fue hasta la esquina y salió al descubierto; llevaba la pistola sujeta con ambas manos y preparado para encontrar un objetivo.

Un hombre de anchos hombros vestido con pantalón corto marrón y camiseta blanca estaba en el borde del río de espaldas a Zavala. Sujetaba una pistola contra el muslo y miraba a un blanco de papel clavado en un árbol. Una nube de humo rojiza flotaba en el aire. El hombre se quitó los cascos de la cabeza en el momento en que Zavala pisaba una rama. Se volvió al escuchar el crujido y vio a Zavala asomado junto a la esquina con el arma en las manos.

Kurt Austin, el jefe de Zavala en el equipo de misiones especiales de la NUMA, sonrió.

—¿Has salido a cazar pavos, Joe?

Zavala bajó el arma y se acercó al árbol para observar el agujero que el proyectil había perforado apenas a un milímetro de la diana.

—Tú eres quien tendría que salir a cazar pavos, cegato.

Austin se quitó las gafas protectoras amarillas para dejar a la vista los ojos del color azul del coral bajo el agua.

—Por ahora me contentaré con los blancos fijos. —Miró la pistola de Zavala—. ¿A qué viene esta imitación de los SWAT?

Zavala se metió la pistola debajo del cinturón.

—No me habías dicho que habías convertido tu lujosa propiedad ribereña en una galería de tiro.

Austin sopló el humo del cañón del arma como un pistolero que hubiera sido más rápido en desenfundar que su rival.

—No podía esperar a probar mi nuevo juguete en una galería de tiro.

Entregó la pistola de duelo a Zavala, que observó con admiración la culata de nogal y el cañón octogonal grabado. Sopesó el arma.

—Muy bien equilibrada —comentó—. ¿Qué antigüedad tiene?

—Fue hecha en mil setecientos ochenta y cinco por Robert Wogdon, un armero de Londres. Fabricó algunas de las pistolas de duelo más precisas de su tiempo. Este tipo de armas deben probarse sujetándolas con el brazo abajo. Luego han de levantarse rápidamente y sostenerlas solo el tiempo necesario para verificar la mira y disparar. Esta tendría que dar en la diana.

Zavala apuntó a otro árbol y chasqueó la lengua para imitar el sonido de un disparo.

—En la diana —dijo Austin.

Zavala le devolvió la pistola.

—¿No me habías dicho que ya tenías completa tu colección de pistolas?

—Pues díselo a Rudi —respondió Austin, y se encogió de hombros. Rudi Gunn era el ayudante del director de la NUMA.

—Todo lo que dijo fue que nos relajásemos unos días después de nuestra última misión.

—Pues eso. El tiempo libre es algo peligroso en manos de un coleccionista. —Austin arrancó la diana del árbol y se la guardó en el bolsillo—. ¿Qué te trae a Virginia? ¿Te has quedado sin mujeres para ligar en Washington?

El encanto y el atractivo de Zavala hacía que fuese muy solicitado entre las mujeres de Washington. Las comisuras de sus labios se curvaron hacia arriba en su característica sonrisa.

—No diré que he estado llevando la vida de un monje porque no me creerías. He venido para mostrarte un proyecto que comencé hace meses.

—¿El proyecto S? Podrás darme todos los detalles mientras nos tomamos un par de cervezas.

Guardó todo lo del tiro en una bolsa, envolvió la pistola en una tela y encabezó la subida por la escalera hasta la gran terraza que daba al río.

Austin había comprado el cobertizo cerca de Langley cuando todavía estaba con una unidad submarina clandestina de la CIA. El precio excedía a su presupuesto, pero la vista panorámica del río había cerrado el trato, y había conseguido que el vendedor le bajase el precio porque el cobertizo era una ruina. Había gastado miles de dólares e innumerables horas de trabajo transformando aquel destartalado depósito de embarcaciones en una cómoda casa que le permitía descansar de las exigencias de su trabajo como director del Equipo de Misiones Especiales.

Sacó un par de Tecate de la nevera, salió a la terraza y dio una a Zavala. Chocaron las botellas y bebieron un trago de la cerveza mexicana. Zavala sacó una hoja del bolsillo, la colocó sobre una mesa y alisó los pliegues con la mano.

—¿Qué te parece mi nuevo sumergible abierto?

En un submarino abierto, el piloto y su acompañante vestían trajes de submarinista y se sentaban en el exterior del vehículo y no dentro de una cabina cerrada. Los submarinos abiertos imitaban las formas de sus hermanos más grandes, con las hélices en un extremo del sumergible con forma de torpedo y el piloto en el otro.

El vehículo que Zavala había diseñado tenía una larga capota inclinada, un maletero ahusado, un parabrisas envolvente, dobles faros, embellecedores laterales y un interior en dos tonos. El sumergible llevaba cuatro impulsores en lugar de ruedas.

Austin carraspeó.

—Si no supiese que esto es un sumergible, juraría que se parece a un Corvette de mil novecientos sesenta y uno. Es más, a tu Corvette.

Zavala se pellizcó la barbilla.

—Este es turquesa. Mi coche es rojo.

—Parece rápido —señaló Austin.

—Mi coche acelera de cero a noventa en unos seis segundos. Este es un poco más lento. Pero se moverá sobre el agua o debajo de ella, y toma las curvas como si nada. Hace todo lo que puede hacer un coche excepto quemar neumáticos.

—¿A qué viene apartarse de las líneas más convencionales de los sumergibles, que suelen tener forma de platillo o de torpedo?

—Aparte del desafío, quería algo que pudiese utilizar en las misiones de la NUMA y fuera divertido de conducir.

—¿Este trasto funcionará?

—Las pruebas han ido bien. He diseñado además un sistema completo de transporte, inmersión y recuperación. El prototipo va de camino a Turquía. Iré allí dentro de una semana para ayudar en la excavación arqueológica de un antiguo puerto que han encontrado en Estambul.

—Una semana nos dará el tiempo que necesitamos.

—¿Tiempo para qué? —preguntó Zavala, dominado por una súbita desconfianza.

Austin dio a Zavala una revista científica abierta en la página de un artículo que describía el trabajo de un barco que remolcaba los icebergs que amenazaban las plataformas petrolíferas de Terranova.

—¿Qué te parece acompañarme a un crucero por el callejón de los Icebergs?

Zavala echó una ojeada al artículo.

—No lo sé, Kurt. Parece un lugar muy frío. El Cabo es algo que atrae más a mi naturaleza chicana de sangre caliente.

Austin miró a Zavala con una expresión de reproche.

—Venga, Joe. ¿Qué harías en el Cabo? Estarte acostado en la playa bebiendo margaritas. Mirando la puesta de sol con tu brazo alrededor de una hermosa señorita. Más de lo mismo. ¿Dónde está tu sentido de la aventura?

—En realidad, amigo mío, pensaba en contemplar la salida del sol mientras cantaba a mi señorita canciones de amor.

—Estarías abusando de tu suerte —replicó Austin con un tono burlón—. No olvides que te he escuchado cantar.

Zavala no se hacía ninguna ilusión con sus dotes de cantante, porque solía entonar fatal.

—En eso tienes razón —reconoció con un suspiro.

Austin cogió la revista.

—No quiero empujarte a que lo hagas, Joe.

Zavala sabía por experiencias pasadas que su colega no lo empujaba; lo arrastraba.

—Espero ese día.

—Si te interesa —añadió Austin con una sonrisa—, necesito una decisión rápida. Nos marcharemos mañana. Acabo de recibir el visto bueno. ¿Qué me dices?

Zavala se levantó de la silla y recogió los planos del sumergible.

—Gracias por la cerveza.

—¿Adónde vas?

Zavala caminó hacia la puerta, al tiempo que respondía por encima del hombro:

—A casa. Para empacar mi suspensorio de franela y una botella de tequila.

5

Cerca de Ma'arib, Yemen

—Aquí abajo, señor, ser tumba de la reina.

El beduino agitó una mano en el aire, su dedo huesudo señalaba una fisura de casi un metro de ancho y sesenta centímetros de altura en la ladera de una colina de piedra caliza. Los bordes ásperos de los estratos por encima y debajo de la abertura eran como encías afectadas por una gingivitis severa.

Anthony Saxon se puso a gatas y miró dentro del agujero. Apartó los pensamientos de serpientes y arañas venenosas, se quitó el turbante y la chilaba color arena para dejar a la vista los pantalones largos y la camisa. Encendió la linterna, alumbró el interior y respiró a fondo.

—Madriguera, allá voy —dijo con una despreocupada insolencia.

Se metió en la grieta, moviendo su larguirucho cuerpo como una salamandra, y desapareció de la vista. El pasaje se hundía como el túnel de una mina de carbón. Se sintió dominado durante unos segundos por un temor claustrofóbico cuando el túnel se angostó y se imaginó trabado en el lugar, pero se las ingenió para pasar con una creativa coordinación de los dedos de las manos y los pies.

Para su alivio, el pasaje volvió a ensancharse. Después de arrastrarse durante unos seis metros, salió del túnel a un lugar abierto. Con mucho cuidado para no golpearse la cabeza con el techo bajo, se irguió poco a poco y alumbró el entorno con la linterna.

El rayo de luz iluminó una pared en un espacio rectangular del tamaño de un garaje para dos coches. Había una abertura con un arco de un metro cincuenta de altura en la pared opuesta. Pasó por la brecha y siguió por otro pasillo de unos quince metros hasta que llegó a una especie de sala rectangular que medía más o menos la mitad de la superficie de la anterior.

El polvo que lo cubría todo le produjo un ataque de tos. Cuando se recuperó, vio que en la sala no había nada más que un sarcófago de madera tumbado. La tapa estaba un par de pasos más allá. Una forma vagamente humana envuelta en vendas de pies a cabeza estaba medio salida del viejo ataúd. Saxon maldijo por lo bajo. Había llegado con unos cuantos siglos de retraso. Los ladrones de tumbas habían despojado aquella de cualquier objeto valioso centenares de años antes de que él naciese.

La tapa del sarcófago estaba decorada con una pintura de una joven, una adolescente de ojos oscuros muy grandes, boca sensual y pelo negro recogido apartado de la cara. Parecía llena de vida. Con mucho cuidado, puso a la momia dentro de la caja. El cuerpo disecado tenía el tacto de un saco de ramas secas. Colocó el sarcófago en la posición correcta y lo tapó de nuevo.

Alumbró las paredes de la tumba y leyó las letras talladas en la piedra. Las palabras que formaban eran un epígrafe árabe del siglo primero después de Cristo. Una diferencia de unos mil años.

—Mierda —murmuró. Dio una palmada a la tapa del sarcófago—. Que duermas bien, cariño. Lamento haberte molestado.

Con una última y triste mirada a la tumba, volvió por el pasillo hasta la abertura del túnel. Gruñó mientras pasaba por la salida estrecha y arrastraba su cuerpo cubierto de polvo por el agujero para llegar al exterior, donde hacía una temperatura de casi cincuenta grados. Tenía los pantalones rasgados, y los codos y las rodillas lastimados y sangrantes.

El beduino lo esperaba con una expresión expectante en su rostro moreno.

—*Bilquis?* —preguntó.

Anthony Saxon respondió con una carcajada.

—Ahí no hay nada.

El rostro del beduino mostró su desilusión.

—¿No reina?

Saxón recordó el retrato en el sarcófago.

—Quizá una princesa. Pero no mi reina. No es Saba.

Se escuchó el toque de una bocina al pie de la colina. Un hombre estaba junto a un viejo Land Rover con una mano apoyada en el vehículo y otra agitándola en el aire. Saxon respondió al gesto, se colocó de nuevo la chilaba y el turbante, y emprendió la bajada. El hombre que tocaba la bocina en el vehículo azotado por la arena era un árabe de aspecto aristocrático cuyo labio superior quedaba oculto por un soberbio mostacho.

—¿Qué pasa, Mohammed? —preguntó Saxon.

—Hora de irse —respondió el árabe—. Vienen los malos.

Movió el cañón de su fusil de asalto Kalashnikov hacia un punto a un poco más de medio kilómetro de distancia. Se acercaba un vehículo que levantaba una densa nube de polvo.

—¿Cómo sabes que son los malos? —preguntó Saxon.

—Por aquí todos son malos —afirmó el árabe con una sonrisa que dejó a la vista sus dientes de oro. Sin decir nada más, se sentó al volante del vehículo y puso en marcha el motor.

Saxon había aprendido a respetar la capacidad de Mohammed para mantenerlo con vida en el interior del Yemen que se parecía mucho al Salvaje Oeste. Cada jefe en la zona parecía disponer de su propio ejército particular de bergantes, y una gran afición por el robo y el asesinato.

Se sentó en el asiento del acompañante.

El beduino se acomodó en la parte de atrás. Mohammed

pisó el acelerador. El Land Rover levantó una nube de tierra y arena. Mientras el conductor cambiaba de marchas, se las apañaba para conducir y sujetar al mismo tiempo el arma.

Mohammed no dejaba de mirar por el espejo retrovisor. Después de varios minutos palmeó el salpicadero como si fuese el cuello de un noble semental.

—Ya estamos a salvo —anunció con una gran sonrisa—. ¿Has encontrado a tu reina?

Saxon le habló del sarcófago y de la momia de la adolescente.

Mohammed señaló con el pulgar al beduino en el asiento trasero.

—Te lo dije. Este hijo de un camello y todos los de su aldea son unos ladrones.

Convencido de que lo alababan, el beduino les dedicó una sonrisa desdentada.

Saxon exhaló un suspiro y contempló el paisaje desértico. Los habitantes cambiaban, pero la escena era siempre la misma. Algún nativo le contaba excitado que la reina que buscaba estaba literalmente debajo de sus narices. Saxon se jugaba el pellejo para llegar al interior de alguna antigua necrópolis que los antepasados del estafador habían saqueado siglos atrás. Había olvidado ya el número de momias que había encontrado. A lo largo del camino había conocido a muchas personas buenas. Era una pena que todas estuviesen muertas.

Sacó unos cuantos riales del bolsillo del pantalón. Le entregó las monedas al encantado beduino y declinó la oferta de este de mostrarle la tumba de otra reina muerta.

Mohammed dejó al beduino cerca de un grupo de tiendas, y luego continuó viaje hacia la vieja ciudad de Ma'arib. Saxon se alojaba en el Garden of the Two Paradises Hotel. Pidió a Mohammed que fuese allí a la mañana siguiente para decidir la actividad del día.

Después de una ducha caliente, Saxon se puso unos pantalones de algodón y una camisa y bajó al vestíbulo, con la boca seca como si se hubiese comido medio kilo de arena del desierto. Se sentó en el bar y pidió un Martini con Bombay Sapphire, y la astringente dulzura de la bebida le quitó el ardor de la garganta.

Habló con un par de paletos de una compañía petrolera de Texas. Un segundo cóctel reavivó sus ánimos, hasta que uno de los hombres le preguntó qué estaba haciendo en Ma'arib.

Saxon podría haber respondido que aquella era la última etapa de una fracasada búsqueda para dar con la fabulosa reina de Saba entre las ruinas de la vieja Ma'arib, la ciudad que se decía que había sido su lugar de residencia.

—Estoy aquí para probar las aguas —respondió, en cambio.

Los dos hombres intercambiaron una mirada y luego se echaron a reír. Antes de marcharse a sus habitaciones, invitaron a Saxon a un tercer Martini con ginebra.

Saxon había llegado a aquel maravilloso punto donde toda la actividad cerebral queda suspendida en una nube alcohólica cuando un botones entró en el bar y le entregó una nota escrita en una hoja con el membrete del hotel:

> Creo que puedo presentarlo al hombre del mar. Si todavía está interesado en conocerlo hágamelo saber cuanto antes.

A fuerza de pestañear se quitó el velo de sus ojos y leyó de nuevo. El remitente era un buscador de antigüedades del Cairo llamado Hassan, con quien había hablado por teléfono antes de ir a Yemen. Garabateó una respuesta al pie de la nota y se la entregó al botones con una propina y la orden de que le buscase un medio de transporte para la mañana siguiente. Luego pidió la primera de varias cafeteras de café bien cargado y se dedicó a la tarea de recuperar la sobriedad.

6

Zavala tenía preparado el petate y estaba listo para partir cuando Austin llegó al antiguo edificio de una biblioteca en Alexandria, Virginia, que su amigo había convertido en un apartamento de soltero con un toque del sudoeste. Los dos hombres tomaron un vuelo de Air Canada, y el avión aterrizó aquella tarde en la pista de Saint John, en Terranova, después de hacer una escala en Montreal.

Un taxi los llevó al bullicioso muelle, donde estaba amarrado el *Leif Eriksson*, un buque de noventa metros de eslora y cuatro mil seiscientas toneladas que había sido botado hacía menos de cinco años, y tenía el casco reforzado para protegerlo contra los terribles hielos del Atlántico Norte.

El capitán, un nativo de Terranova llamado Alfred Dawe, sabía la hora de llegada y los esperaba en la cubierta. Cuando los dos hombres subieron por la pasarela se presentó.

—Bienvenidos a bordo del *Eriksson* —añadió.

Austin estrechó su mano con un apretón capaz de romper los huesos.

—Gracias por recibirnos, capitán Dawe. Soy Kurt Austin y él es mi colega Joe Zavala. Somos sus nuevos domadores de icebergs.

Dawe era un hombre fornido de unos cincuenta años que se vanagloriaba de haber nacido en un lugar con un nombre tan insólito como Misery Cove y de que los de su familia eran tan idiotas que aún vivían allí. La picardía de un escolar acechaba en sus claros ojos azules, y tenía una sonrisa fácil que creaba un hoyuelo en la barbilla de su rostro rubicundo. A pesar de su humor autocrítico, Dawe era un avezado capitán con años de experiencia en gobernar naves por las terribles aguas del Atlántico noroeste. A menudo se había encontrado con los buques de investigación de la NUMA con sus característicos cascos de color turquesa, y sabía que el organismo norteamericano era de las instituciones más respetadas en la exploración y el estudio oceánico en el mundo.

Cuando Austin había llamado para participar en un crucero por la región de los icebergs, el capitán había solicitado a los propietarios del buque el permiso de recibir visitantes a bordo. Una vez estos dieron el visto bueno, informó a Austin de la fecha de la próxima partida de la nave.

Dawe había sentido un gran interés por conocer a aquellos dos hombres desde que Austin le había enviado por fax una copia de sus currículos. Austin había querido que Dawe supiese que Zavala y él no eran dos novatos que necesitarían de una vigilancia constante para no caerse por la borda.

El capitán sabía de la licenciatura de Austin en la Universidad de Washington, su formación como buceador profesional con varias especialidades, y su experiencia en salvamentos a grandes profundidades. Mucho antes de que el almirante James Sandecker, antiguo director de la NUMA, hubiese contratado a Austin, que entonces estaba en la CIA, este último había trabajado en las plataformas petrolíferas del mar del Norte y con la compañía de salvamento marítimo de su padre en Seattle.

En el currículo de Zavala podía leerse que se había graduado con matrícula de honor del New York Maritime College; además, constaba que era un experto piloto con centenares de horas de navegación por encima, y debajo del mar, y un brillante ingeniero experto en el diseño y manejo de vehículos sumergibles.

Dadas las excelentes credenciales académicas de sus invitados el capitán se sintió intrigado cuando conoció en persona a los hombres de la NUMA. Austin y Zavala parecían caballeros de capa y espada, y no los científicos que había imaginado. Sus modales y hablar suave no conseguían enmascarar la dureza del acero y una descarada audacia que solo quedaba disimulada en parte por la pátina de cortesía.

Sus huéspedes tenían un físico impresionante. Austin medía más de un metro ochenta y pesaba alrededor de cien kilos sin una gota de grasa en su cuerpo. Con los anchos hombros y su constitución musculosa, el hombre con el pelo prematuramente gris, casi blanco, parecía un equipo de demolición de un único miembro. El rostro anguloso estaba muy bronceado por la constante exposición al aire libre, y los vientos y el sol del océano habían dado a su tez un brillo metálico. Cuando reía, unas finas arrugas enmarcaban unos inteligentes ojos color azul coral que miraban tranquilamente al mundo con una expresión que sugería que nada de lo que viesen podían sorprenderlos.

Zavala era unos centímetros más bajo. Delgado y musculoso, se movía con la ligereza felina de un torero, rasgo que conservaba de sus días de estudiante cuando era un boxeador profesional de peso medio. Se había pagado los estudios con una devastadora combinación de directo de derecha y gancho de izquierda. Con su aspecto de galán de cine y su físico atlético, parecía el protagonista masculino de una película de piratas.

El capitán acompañó a los invitados a su pequeño pero cómodo camarote.

—Espero que no hayamos dejado a alguien sin cama —comentó Austin. Arrojó el petate en una de las literas.

Dawe sacudió la cabeza.

—En este viaje tenemos una tripulación de doce hombres; dos menos de nuestro contingente normal.

—En ese caso, estaremos encantados de echar una mano —manifestó Zavala.

—Cuento con ello, caballeros.

Dawe los llevó en una rápida visita de proa a popa del barco y luego subieron al puente, donde dio orden de zarpar. Los tripulantes soltaron las amarras, y la nave abandonó el puerto de Saint John. Después de pasar entre Fort Amherst y Point Spear, la lengua de tierra más al noreste de América del Norte, el barco puso rumbo al norte a lo largo de la costa de Terranova bajo un cielo cubierto de nubes color pizarra.

Una vez que el barco hubo salido a mar abierto y fijado el rumbo, Dawe pasó el mando a su segundo y colocó una foto de satélite sobre la mesa de cartas de navegación.

—El *Eriksson* lleva comida y equipos a las plataformas de perforación en los meses cálidos. De febrero a julio, estamos alertas a la presencia de los grandes icebergs que bajan desde la bahía de Baffin. —Apoyó el dedo índice en la foto—. Aquí es donde se originan la mayoría de los icebergs del Atlántico Norte. Tenemos unos cien glaciares en el oeste de Groenlandia de los que se desprende el noventa por ciento de los icebergs de Terranova.

—¿Cómo se traduce eso en el número de icebergs? —preguntó Austin.

—Creo que es alrededor de cuarenta mil icebergs de tamaño medio a grande que salen de Groenlandia. Solo una fracción de ese total llega tan al sur. Entre cuatrocientos y ochocientos llegan hasta el callejón de los Icebergs, una zona que está a cuarenta y ocho grados de latitud al norte de Saint John. Derivan alrededor de un año después de desprenderse, y luego pasan por el estrecho de Davis a la corriente del Labrador.

—Eso está justo en el centro de las rutas marítimas —señaló Austin.

—Veo que ha estado haciendo los deberes —manifestó Dawe con una sonrisa—. Sí. Es allí donde comienzan los problemas. Tenemos un flujo continuo de naves entre Canadá, Estados Unidos y Europa. Las compañías marítimas quieren que los viajes sean cortos y económicos. Los barcos pasan justo al sur del límite de todo el hielo conocido.

—Que es donde el *Titanic* descubrió el hielo desconocido —manifestó Austin.

La sonrisa de Dawe se esfumó.

—Se piensa mucho en el *Titanic* cuando se está por aquí. Es un recordatorio permanente de que un error puede enviarte a pique. La tumba del *Titanic* está cerca de los Grandes Bancos, donde la corriente del Labrador se encuentra con la corriente del Golfo. Hay una diferencia de temperatura del agua de veinte grados que crea una neblina densa como la lana de acero. La circulación del océano en la zona también es bastante compleja.

—Supongo que eso hace que algunas veces se le pongan los pelos de punta —comentó Austin.

—Desearía que fuese algo que pudiese embotellar para los calvos. Un iceberg puede vagar por el océano como un borracho que regresa a casa de una juerga. Los icebergs del Atlántico Norte son los más rápidos del mundo. Viajan a una velocidad de hasta casi siete nudos por hora. Por fortuna, tenemos mucha ayuda. La Patrulla Internacional del Hielo hace vuelos regulares. Las naves que pasan informan de los icebergs, y el *Eriksson* trabaja con una flota de pequeños aviones contratados por las compañías de petróleo y gas.

—¿Cómo es que se metió en esto de remolcar los icebergs? —preguntó Zavala.

—Intentamos utilizar los cañones de agua para moverlos. Eso funciona con los trozos de hielo que tienen el tamaño de un piano de cola, que se llaman «gruñones». Pero no hay una manguera lo bastante grande para mover una montaña de hielo de quinientas toneladas. Arrastrarlos hasta aguas más calientes es lo que parece funcionar mejor.

—¿Cuántos icebergs remolcan? —preguntó Austin.

—Solo aquellos que van hacia una plataforma de perforación de petróleo o gas. Dos o tres docenas. Una vez que un barco recibe el aviso de la presencia de un iceberg puede cambiar de rumbo. Una plataforma de perforación que cuesta cinco mil millones de dólares no tiene esa opción. Las plataformas flotantes pueden moverse, pero lleva tiempo. A punto estuvo de producirse una colisión hace algunos años. El iceberg no fue avistado hasta que llegó a una seis millas de la plataforma. Era demasiado tarde entonces para remolcarlo o evacuar al personal. Las embarcaciones de suministro consiguieron desviarlo en el último segundo. Pasó por encima de la cabecera del pozo.

—Con tanta vigilancia, me sorprende que se acercase tanto —dijo Austin.

—Como he dicho, sus rumbos pueden ser erráticos, según el tamaño, la forma y el viento. Aquel nos engañó. Estaremos ojo avizor a un gigante que desapareció en la niebla después de ser avistado hace unos días. Le he puesto el nombre de Moby-Berg.

—Esperemos que no hagamos de capitán Acab persiguiendo ballenas blancas —dijo Austin.

—Prefiero una ballena blanca a un iceberg —afirmó Dawe—. Por cierto, ¿les he dicho por qué a los habitantes de Terranova les gusta conducir en invierno?

Austin y Zavala se miraron desconcertados ante aquel súbito cambio en la conversación.

—Porque la nieve llena los baches —añadió Dawe, y se rió con tantas ganas que las lágrimas le corrieron por las mejillas.

Al parecer el capitán tenía una fuente inagotable de chistes terranovenses que se burlaban de su herencia. Los chistes continuaron durante la cena.

El cocinero del *Leif Eriksson* les sirvió una cena digna de un barucho de cinco tenedores. Austin y Zavala comieron una extraña carne asada, judías de bote y puré de patatas con ajo, cubierto todo con una salsa espesa, y el capitán aprovechó para descargar su repertorio de chistes ante la audiencia cautiva. Austin y Zavala aguantaron el chubasco de humor marginal hasta que no pudieron más y se excusaron con el pretexto de irse a dormir.

Cuando subieron al puente a primera hora de la mañana siguiente, el capitán debió de apenarse de ellos. Dejó de un lado los chistes y les sirvió tazas de café caliente.

—Avanzamos rápido. Hemos visto un montón de gruñones. Aquel es nuestro primer iceberg.

Dawe señaló la montaña de hielo que flotaba a un cuarto de milla por la banda de estribor.

—Es más grande que cualquiera que haya visto —dijo Austin.

—No es nada comparado con lo que veremos más tarde. No se los considera icebergs hasta que no están a unos seis metros de altura por encima del nivel del mar y tienen unos dieciséis metros de largo. Cualquier cosa más pequeña es un gruñón o un témpano.

—Por lo visto tendremos que aprender todo un vocabulario nuevo —comentó Zavala.

Dawe asintió.

—Bienvenidos al callejón de los Icebergs, caballeros.

7

Saxon recogió su coche de alquiler en el aeropuerto de El Cairo y se sumergió en la anarquía que pasaba por tráfico en la antigua ciudad de las pirámides. El estruendo de las bocinas y el asfixiante impacto del polvo y los escapes de los coches eran un fuerte antídoto a las semanas pasadas viajando en los solitarios desiertos del Yemen.

Condujo hasta las afueras y aparcó en el Sharia Sudan. El fuerte hedor de los establos y los sonidos inhumanos llegaban de un lugar cercano, el Shuq al-Gamal. El viejo mercado de camellos del Cairo. Los verdes campos que una vez habían rodeado los corrales estaban actualmente ocupados por edificios de apartamentos. Saxon había sugerido el lugar del encuentro. Quería reunirse con Hassan en un lugar público para tener cierta seguridad. El oasis salpicado de estiércol del viejo Egipto atraía también a su sentido de lo teatral.

Pagó la entrada requerida para los no egipcios y caminó entre los corrales. Centenares de camellos eran traídos desde Sudán y esperaban para ir al matadero o incluso a un destino peor cargando a los obesos turistas a las pirámides.

Hizo una pausa para observar a un dromedario que no dejaba de resistirse a que lo cargasen en la trasera de una camioneta. Sintió un suave tirón en la mano. Uno de los mocosos de rostros sucios que rondaban por el mercado mendigando un *bakshish* intentaba llamar su atención.

Saxon miró hacia donde el niño señalaba con un dedo. Un

hombre estaba debajo de una toldilla improvisada cerca de un grupo de compradores de camellos que regateaba. Dio una propina al chico y cruzó hasta el corral. El hombre tenía la tez color café con leche típica de muchos egipcios, y una barba bien recortada adornaba la barbilla. Llevaba un casquete tejido y una chilaba blanca a juego, la larga prenda de algodón que muchos hombres egipcios preferían.

—*Sabaah iljir* —saludó Saxon.

—*Sabaah innuur*, señor Saxon. Soy Hassan.

—Gracias por venir.

—¿Quiere hacer negocios? —preguntó Hassan.

La oferta tendría que haber hecho sospechar a Saxon. A los egipcios les gustaba charlar disfrutando de una taza de té ante de hablar de negocios. Pero la ansiedad pudo más que el juicio.

—Me han dicho que quizá podría ayudarme a encontrar cierta propiedad perdida.

—Quizá —respondió Hassan—. Si puede pagar el precio.

—Pagaré lo que sea razonable —manifestó Saxon—. ¿Cuándo puedo ver esa propiedad?

—Se la puedo mostrar ahora. Tengo un coche. Venga conmigo.

Saxon titubeó. El bajo mundo del Cairo algunas veces tenía vínculos con oscuros grupos políticos. Juzgó prudente evaluar a Hassan antes de ponerse en manos de un extraño.

—Vayamos a Fishawi's. Allí podremos hablar y conocernos el uno al otro —ofreció. El popular café al aire libre estaba cerca del bazar principal del Cairo y su mezquita más antigua.

Hassan frunció el entrecejo.

—Demasiada gente.

—Sí, lo sé.

Hassan asintió. Salieron del mercado para ir hacia un vetusto Fiat blanco aparcado delante del mercado. Abrió la puerta para Saxon.

—Lo seguiré en mi coche —dijo Saxon.

Cruzó la calle y se sentó al volante del coche de alquiler. Colocó la llave en el contacto para poner en marcha el motor en el mismo momento en que en otro coche se detenía a su lado con una sonora frenada.

Dos hombres vestidos de negro se apearon del vehículo y se abrieron paso a empellones hacia su coche. Uno se sentó en el asiento de atrás y otro junto a Saxon. Ambos apuntaron a la cabeza de este con pistolas.

—Conduzca —dijo el hombre en el asiento del pasajero.

A Saxon se le heló la sangre en las venas. Pero reaccionó con su flema característica. Había pasado por muchos peligros en sus años de explorador y aventurero. Puso en marcha el motor, se apartó del bordillo y obedeció la orden de seguir al coche de Hassan. Mantuvo la boca cerrada. Las preguntas solo servirían para irritar a los pasajeros no invitados.

El Fiat circuló por el tráfico endemoniado de la ciudad hacia la Ciudadela, un complejo de mezquitas y edificios militares. A Saxon se le cayó el alma a los pies. Ni un ejército sería capaz de encontrarlo en el laberinto de angostas callejuelas alrededor de la Ciudadela.

El coche de Hassan se detuvo ante la entrada de un edificio vulgar. Un cartel en la fachada decía en inglés y árabe: COMISARÍA DE POLICÍA.

Hassan y sus hombres sacaron a Saxon del coche y lo llevaron a través de un vestíbulo mal iluminado hasta una pequeña habitación sin ventanas que olía a sudor y humo de tabaco rancio. El único mobiliario era una mesa de metal y dos sillas. Una sola bombilla, colgada del techo, suministraba la luz.

Saxon se sintió en parte aliviado. Sabía que en Egipto las personas entraban en las comisarías y algunas veces no salían. Le dijeron que se sentase y entregase la cartera. Se quedó solo durante unos minutos. Luego apareció Hassan acompañado por un hombre fornido y calvo con un cigarrillo colgado de los gruesos labios. El recién llegado se desabrochó la chaqueta que le apretaba la barriga y se sentó en una silla delante de

Saxon. Aplastó el cigarrillo en un cenicero lleno de colillas y chasqueó los dedos. Hassan le entregó la cartera, que abrió como si fuese un libro valioso.

Miró la tarjeta de identidad.

—Anthony Saxon.

—Sí —respondió Saxon—. ¿Y usted?

—Soy el inspector Sharif. Esta es mi comisaría.

—¿Puedo preguntar por qué estoy aquí, inspector?

El inspector cerró la cartera.

—Soy yo quien hace las preguntas.

Saxon asintió.

El inspector señaló a Hassan con el pulgar.

—¿Por qué quería reunirse con este hombre?

—No quería —respondió Saxon—. Hablé con alguien llamado Hasan. Es obvio que este no es él.

El inspector soltó un gruñido.

—Correcto. Este hombre es el agente Abdul. ¿Por qué quería encontrarse con Hassan? Es un ladrón.

—Pensé que quizá podría conducirme hasta una pieza robada del Museo Arqueológico de Bagdad.

—Así que usted desea hacerse con obras robadas —señaló el inspector.

—Habría devuelto la pieza al museo. Puede hablar con el verdadero Hassan si quiere corroborar mi historia.

El inspector dirigió una mirada a Abdul.

—No es posible —manifestó el agente—. Hassan está muerto.

—¿Muerto? Hablé ayer con él por teléfono. ¿Qué ha pasado?

Sharif le respondió, atento a la reacción de Saxon.

—Lo asesinaron. Una gran complicación. ¿Está seguro de que no sabe nada de esto?

—Sí. Muy seguro.

El inspector encendió un cigarrillo Cleopatra y soltó el humo por los orificios nasales.

—Le creo. Ahora puede hacer preguntas.

—¿Cómo supo que iba a reunirme con Hasan?

—Muy sencillo. Estaba apuntado en la agenda. Buscamos su nombre. Es usted un escritor muy famoso. Todo el mundo lee sus libros.

—Desearía que más gente los leyese —manifestó Saxon con una débil sonrisa.

El inspector se encogió de hombros.

—¿Por qué un gran escritor está interesado en un ladrón?

Saxon dudaba si el inspector comprendería la obsesión que lo había llevado a realizar un viaje a través de Europa, Oriente Medio y Sudamérica en su búsqueda por resolver uno de los grandes misterios de la historia. Había momentos en que él mismo no lo comprendía. Escogió las palabras con mucho cuidado.

—Creía que Hassan podía ayudarme a encontrar a una mujer.

—Ah —exclamó el inspector. Se volvió hacia el agente Abdul—. Una mujer.

—Hassan tenía una antigüedad que podría haberme ayudado con un libro que estoy escribiendo y una película que espero producir sobre la reina de Saba.

—Saba —repitió el inspector con un tono de desilusión—. Una mujer muerta.

—Muerta y no muerta. Como Cleopatra.

—Cleopatra era una gran reina.

—Sí, también lo fue la de Saba. Hermosa como el día.

Se abrió la puerta para dar paso a otro hombre. A diferencia del gordo y desgarbado inspector, era alto y delgado. Vestía un traje color verde oliva claro impecable. Sharif se levantó de la silla y permaneció en posición de firme.

—Gracias, inspector —dijo el hombre—. Usted y su agente pueden retirarse.

El inspector saludó y salió de la habitación con Abdul.

El hombre se sentó en la silla del inspector y colocó un

expediente sobre la mesa. Miró a Saxon con una expresión risueña en su rostro alargado.

—Me dicen que le gusta el mercado de camellos —dijo en un inglés perfecto.

—Admiro la manera como los camellos mantienen alta la cabeza. Me recuerdan a los aristócratas que están pasando por momentos difíciles.

—Interesante —comentó el hombre—. Mi nombre es Yusuf. Pertenezco al Ministerio del Interior.

Saxon sabía que el ministerio era sinónimo de seguridad nacional.

—Ha sido usted muy amable al venir.

—La amabilidad tiene poco que ver con esta situación. —Abrió el expediente—. Esta es la carpeta del verdadero Hasan. —Sus dedos de uñas cuidadas sacaron varias hojas grapadas, que acercó a Saxon—. Esta es la lista de antigüedades.

Saxon leyó la lista, que estaba en inglés.

—Esto corresponde a la lista publicada por el Museo Arqueológico de Bagdad.

—Entonces me temo que ha llegado demasiado tarde. —Yusuf se echó hacia atrás en la silla y unió la punta de los dedos—. Los objetos han sido recuperados por el ejército. Están en posesión de una representante de la UNESCO. Al día siguiente de la entrega, Hassan fue torturado y asesinado. —Yusuf se pasó un dedo por la garganta.

—Si ya no disponía de las antigüedades, ¿por qué me dijo que las tenía?

—Un ladrón roba más de una vez. Quizá creyó que podía engañar a un extranjero rico.

—¿Saben quién lo mató?

—Lo estamos investigando.

—¿Quién es esa representante de la UNESCO?

—Una italiana llamada Carina Mechadi.

—¿Sabe si todavía está en el Cairo?

—Partió en un barco con las antigüedades hace unos días.

Las lleva a Estados Unidos según un acuerdo adoptado con el gobierno de Bagdad.

Saxon se llevó una desilusión. Había estado tan cerca de su meta...

—¿Puedo irme ahora?

—Cuando lo desee. —Yusuf se levantó de su silla—. Siempre hay una mujer en el corazón de cada caso.

—¿La señorita Mechadi?

El funcionario sacudió la cabeza.

—La reina de Saba.

El egipcio le dedicó una sonrisa y le abrió la puerta. Saxon fue al hotel Marriott. De nuevo en su habitación, hizo unas cuantas llamadas telefónicas y consiguió hablar con un contacto en la UNESCO, quien le confirmó que Carina Mechadi estaba regresando a Estados Unidos.

Saxon se acercó a la ventana y miró al eterno Nilo y a las resplandecientes luces de la vieja ciudad. Recordó la sonrisa de Yusuf al mencionar su búsqueda del fantasma de una mujer que había muerto hacía tres mil años.

Tras un momento de reflexión cogió de nuevo el teléfono e hizo una reserva para un vuelo a Estados Unidos; después comenzó a preparar el equipaje.

Su largo viaje tras la mujer perfecta lo había llevado a los más remotos y peligrosos lugares del mundo. No iba a renunciar ahora.

8

El *Ocean Adventure* podía cargar casi dos mil contenedores, pero con un desplazamiento de siete mil toneladas y una eslora de ciento setenta metros era un pigmeo comparado con los barcos que tenían la longitud de tres campos de fútbol. Estos pequeños detalles del relativismo espacial se perdían para Carina Mechadi mientras caminaba a grandes pasos por la cubierta del barco, abrigada hasta las cejas para protegerse del despiadado frío del Atlántico Norte.

Desde que había subido a bordo en Salerno, Carina había bajado cada mañana desde el camarote en el tercer nivel del puente para hacer su sesión de trote antes del desayuno. La práctica estaba animada por la del todo innecesaria obsesión por mantener su estilizada figura en forma y calmar la impaciencia de llegar a su destino. El número de vueltas variaba de acuerdo con el tiempo, que pasaba de la fría humedad que la calaba hasta la médula al viento helado que soplaba desde las costas de Terranova.

El *Ocean Adventure* inspiraba muy poco de aquel romanticismo inmortalizado en los relatos de Joseph Conrad de los viejos y rechonchos cargueros de vapor que surcaban los océanos en épocas pasadas. No era más que una plataforma flotante que transportaba cajas de acero de seis metros de longitud por dos metros de alto y otros dos de ancho. Estaban apiladas en grupos de seis y cubrían la mayor parte de la cubierta, excepto a proa y a popa, con angostos pasillos a cada lado. El conjunto de los contenedores estaba guardado en las bodegas.

Mientras Carina caminaba a paso ligero junto a la borda de estribor, recordó la serie de acontecimientos que la habían llevado a aquel barco que surcaba el Atlántico. El asesinato de Alí Babbas en Bagdad la había conmocionado pero no había sido una sorpresa. La violencia siempre acechaba en el trasfondo del mercado de antigüedades ilegales. Era un mundo sombrío donde se pagaban y cobraban enormes sumas de dinero y no existían los caballeros. Alí sin duda había traicionado a la persona equivocada.

De todas maneras, había lamentado su muerte. Sin Alí era difícil que pudiese recuperar alguna vez las antigüedades expoliadas. Había sido el intermediario que sacaba los objetos robados al mercado. No había dejado nada escrito. Los nombres de los compradores y vendedores habían estado guardados en su cabeza. Con el astuto intermediario fuera de la escena, las antigüedades que Carina había buscado habían sido esparcidas a los cuatro vientos.

Carina había tenido mucho que hacer cuando regresó a su despacho de la UNESCO en París. Meses después de dejar Bagdad, había estado siguiéndole el rastro a una estatua etrusca cuando Auguste Benoir visitó su despacho y le entregó su tarjeta. Benoir era un hombre delgado y pérfido que a Carina le recordaba el detective creado por Agatha Christie: Hércules Poirot.

Benoir pertenecía a un prestigioso despacho de abogados de París, y había ido sin más al grano:

—Mi firma ha sido contratada para representar a la Fundación Baltazar. El señor Baltazar es un hombre muy rico y un filántropo. Se entristeció mucho cuando se enteró del saqueo del Museo Arqueológico de Bagdad. El señor Baltazar ha leído un artículo donde se mencionan sus esfuerzos para encontrar un lote de antigüedades robadas, y espera que, con el soporte financiero de su fundación, usted pueda dedicar sus talentos a devolver dichas piezas a la colección iraquí.

—Es muy amable de parte del señor Baltazar —había respondido Carina—. Sin embargo, creo que puedo ser de más utilidad trabajando con una organización internacional como la UNESCO.

—Perdón por no haber sido claro en la propuesta del señor Baltazar. No se le pide que la deje.

Carina miró de reojo las carpetas apiladas en la mesa.

—Como puede ver, estoy ocupadísima en el trabajo de la UNESCO.

—Es comprensible. —Benoir sacó una única hoja de papel de su maletín—. Este es el acuerdo que se le propone. La fundación depositará una cantidad mensual en un banco de su elección. Podrá sacar dinero de la cuenta en cualquier momento y para cualquier propósito, con una única condición. El dinero debe gastarse en la recuperación de las piezas iraquíes. No hay límite establecido en los montos disponibles.

La joven consideró la oferta con renovado interés.

—El señor Baltazar es muy generoso.

—Bien, señorita Mechadi, ¿qué responde?

Carina se enfrentaba a un dilema. Estaba ocupada con varios trabajos de la UNESCO, pero no podía dejar pasar una oportunidad como aquella. Echó una ojeada el acuerdo.

—Deje que estudie la propuesta y lo llamaré mañana con la respuesta.

Al día siguiente telefoneó a Benoir y le dijo que la respuesta era afirmativa. En su trabajo con la UNESCO, Carina había colaborado con el gobierno, la policía internacional, los conservadores de museos y los arqueólogos. Pero las posibilidades de tener fondos ilimitados le abría las puertas a nuevos mundos. Con dinero en la mano, podría conseguir el acceso a los siniestros personajes que poblaban el mundo de las antigüedades. Y así fue. Muy pronto estableció una eficaz red de informadores en la policía y los bajos fondos que a menudo le daban pistas sobre las antigüedades desaparecidas en otros países además de Irak.

Una de sus fuentes más fiables era un oficial del ejército egipcio al que solo conocía como el Coronel. Menos de una semana antes, la había llamado sin más con la noticia de que el lote de piezas iraquíes que ella buscaba había sido puesto a la venta por un ladrón de ínfima categoría llamado Hassan. Le respondió que lo vería al cabo de cuarenta y ochos horas, le envió un anticipo y le dijo que efectuase la compra.

El acuerdo con la Fundación Baltazar requería que informase de inmediato de cualquier novedad. Llamó a Benoir para comunicarle que un intermediario llamado Hassan había puesto a la venta las piezas, y Benoir respondió que pasaría la información. Antes de volar al Cairo, habló con el profesor Nasir en Bagdad y le dijo que estaba muy cerca de recuperar el lote.

Nasir se mostró encantado, pero las condiciones aún eran caóticas en Irak y le preocupaba la seguridad de la colección. Intentaba encontrar fondos para organizar un sistema de registro eficiente en el museo. El conservador apoyó con entusiasmo la sugerencia de Carina de que los objetos debían utilizarse para conseguir donaciones. Firmaría una autorización que permitiría a Carina tener las piezas temporalmente en su posesión y llamaría a la embajada iraquí en Washington para alertar al personal diplomático de la posibilidad de una gira.

Los acontecimientos se sucedieron deprisa cuando llegó a Egipto. Mientras comían en el Nilo Sheraton Hotel, el Coronel dijo que ya había comprado la colección. Con mucha galantería le pagó la comida después de que ella le hubiese pagado sus servicios. Aquella noche, en uno de los almacenes en los muelles de Port Said, esperó con creciente excitación la llegada del camión que apareció poco después de medianoche.

Las piezas en el camión estaban cubiertas de polvo, pero más o menos en buenas condiciones. Hizo un rápido inventario a la luz de la linterna y tomó nota de la descripción y el número de cada objeto. Una de las piezas más grandes era una estatua de un hombre vestido con faldellín y gorra cónica. Una capa de mugre cubría el bronce desde el rostro barbado hasta el gato en los pies de la misma. La estatua no aparecía en la lista original, pero una arrugada tarjeta atada en uno de los brazos con un cordel identificaba a la pieza como *El Navegante*. Después de desparramar un poco más de la riqueza de Baltazar en el muelle y el despacho de la aduana, consiguió que pusieran la carga en un barco que zarpaba para Italia.

Fue en avión a Salerno, que era el puerto de destino del barco, y contrató el traspaso de la carga para ser enviada a Estados Unidos en el *Ocean Adventure*. Durante la nerviosa espera, arregló los detalles de una gira con Nasir y la embajada. Cuando por fin atracó el carguero, llamó a Benoir. Le informó de que estaba en posesión de las antigüedades y que las exhibirían en una gira. El abogado pareció un tanto desilusionado pero llamó más tarde para decirle que había consultado con Baltazar y que el filántropo la felicitaba por el éxito. La joven, decidida a no perder de vista las antigüedades, había contratado un camarote en el portacontenedores.

Entonces se detuvo en su carrera y miró por el pasillo entre dos pilas de contenedores para asegurarse de que la caja pintada de azul todavía estaba allí. Continuó hasta la proa donde la golpeó una ráfaga de aire helado cuando se asomó a la parte despejada.

El capitán le había dicho durante la cena que la velocidad de crucero del barco era de dieciocho nudos. La reduciría cuando se acercasen a Terranova y entrasen en una zona conocida como el callejón de los Icebergs. La advertencia le había picado más la curiosidad que asustado.

Hizo una pausa en proa para mirar si había algún iceberg. Solo vio placas de hielo del tamaño de un baúl que flotaban en el mar gris. Las varias capas de ropa no bastaban para evitar que los helados dedos del viento le hiciesen cosquillas en el cuerpo. En el comedor la estarían esperando el café caliente y los huevos revueltos. Dio la espalda al mar abierto y emprendió el regreso por la banda de babor.

Carina ya había recorrido dos tercios del camino hasta el puente cuando escuchó un batir por encima del rumor del roce del casco contra agua. Miró hacia lo alto y vio a un par de helicópteros que volaban juntos a unos sesenta metros por encima del nivel del mar. Se acercaban a gran velocidad. No había señales de identificación de ninguna clase en los fuselajes negros.

Se sorprendió ante la súbita aparición. El barco estaba a un centenar de millas de la costa. Recordó la mención del capitán de las plataformas de extracción de petróleo y gas en la zona. Los helicópteros debían de pertenecer a una de las plataformas de perforación.

Los aparatos pasaron por encima del barco apenas más alto que el nivel de los mástiles, viraron en formación cerrada y volaron alrededor de la nave como pájaros de presa en una espiral cada vez más cerrada hasta desaparecer de la visión. El sonido de los motores se apagó de pronto. Era obvio que los helicópteros habían aterrizado sobre las pilas de contenedores.

Carina estaba segura de que se enteraría de la identidad de los visitantes cuando llegase al comedor. Reanudó la marcha solo para detenerse bruscamente. Delante de ella, una figura se dejó caer por una cuerda desde lo alto de la pila de contenedores y se posó en cubierta. Otras tres figuras bajaron por la misma cuerda y se interpusieron en su camino. Los pasamontañas ocultaban los rostros excepto los ojos. Vestían uniformes negros ajustados y empuñaban metralletas de cañón corto.

La joven se volvió y echó a correr, pero otras cuatro figuras armadas habían bajado de las pilas detrás de ella y se acercaban. Uno de los desconocidos la sujetó de un brazo y la hizo dar vuelta, y otro se encargó de maniatarle las muñecas a la espalda con cinta plástica.

La empujaron en dirección al puente con el cañón de una de las armas metido entre los omóplatos. Más figuras iban de aquella dirección. Carina reconoció a dos tripulantes filipinos. Vio las sonrisas en sus rostros y la situación quedó clara. Los filipinos trabajaban con los asaltantes.

Los atacantes se separaron en dos grupos. Un tripulante marchó hacia el puente con cuatro de ellos. El otro hombre encabezó la marcha por la cubierta. Toda la operación había sido realizada en silencio. Esos hombres sabían lo que hacían y lo que querían, pensó Carina. Pero se sintió desconcertada cuando el tripulante la dirigió hacia el contenedor que guardaba los objetos y golpeó en la superficie metálica con los nudillos enguantados.

La puerta del contenedor estaba sujeta por las otras cajas. Uno de los asaltantes abrió una maleta de metal y sacó un soplete y un tanque de oxígeno. Preparó el soplete, encendió la llama y la ajustó hasta tener una punta fina. Se colocó un par de gafas para protegerse los ojos de la lluvia de chispas y comenzó a abrir un agujero en un costado de la caja.

Un involuntario grito de protesta escapó de los labios de Carina. Su desliz provocó una respuesta inmediata. Uno de los captores la sujetó por los brazos y le propinó una patada en el tobillo. Carina perdió el equilibrio y, como no podía utilizar los brazos para amortiguar la caída, golpeó con todo su peso contra la cubierta. Dio de frente contra la dura superficie y perdió el conocimiento.

Cuando volvió en sí estaba tumbada de espaldas en la penumbra. Le latía la cabeza por el dolor. Se giró para ponerse de lado y vio que estaba encajada entre dos cajones de madera dentro del contenedor. La luz entraba por el agujero rectangular enmarcado por los bordes filosos dejados por el soplete.

Intentó levantarse, pero era difícil apoyar los pies con las manos atadas a la espalda, y el esfuerzo le produjo un vahído. Mientras yacía en el frío suelo de acero con el pecho agitado por el esfuerzo, vio una sombra contra los cajones. Un hombre la miró a través de la abertura. Su rostro tenía las mejillas regordetas de un querubín pero los ojos redondos que la miraban tenían un brillo demoníaco.

A Carina se le heló la sangre en las venas. Era uno de los rostros más terroríficos que hubiese visto.

Su expresión debió de reflejar sus pensamientos porque el hombre sonrió.

Carina casi dio gracias cuando perdió de nuevo el conocimiento.

9

El Hércules 130 HC naranja y blanco, un aparato con un gran radio de acción, había despegado al amanecer del aeropuerto de Saint John y había puesto rumbo al sur en un vuelo de siete horas para la Patrulla Internacional del Hielo. Volaba a una velocidad de crucero de quinientos sesenta kilómetros por hora, y el avión de ala alta recorrería una extensión de setenta y siete mil cuatrocientos kilómetros cuadrados antes de acabar su ronda.

El operador de radar soñaba despierto con la joven terranovense con la que tenía una cita. Pensaba en un plan para llevársela a la cama cuando vio el sospechoso destello en la pantalla.

Se impuso el entrenamiento. Hizo a un lado sus salaces pensamientos y se concentró en la pantalla. El avión con cuatro motores turbo-hélice disponía de un radar frontal y lateral. El lateral había captado el eco de un gran objeto en el agua a unas veinte millas al norte.

La detección de los icebergs había progresado mucho desde 1912, cuando se había creado la Patrulla Internacional del Hielo para prevenir una repetición del desastre del *Titanic.* Pese a los avances tecnológicos, la detección se consideraba más un arte que una ciencia.

Intentó verificar si el objeto era un iceberg o un barco pesquero faenando. Un objetivo de líneas suaves en movimiento indicaría a una nave. El destello era casi estacionario y no había señal de una estela. Su ojo experto se fijó en la sombra del radar, donde no había señal de retorno correspondiente a la parte más alejada del objeto, un fenómeno que indicada que era más alto que un barco.

Un iceberg.

Comunicó al piloto el avistamiento y las coordenadas, y el avión cambió el rumbo siempre hacia el norte.

La niebla que cubría la superficie oceánica impedía la identificación visual hasta el último minuto. El avión descendió hasta situarse a unos centenares de metros de altura sobre el agua. La cortina de niebla se abrió para dejar a la vista un iceberg con un alto y afilado pináculo en un extremo. Después la niebla se cerró de nuevo. El atisbo había sido todo lo que necesitaban.

El avión transmitió los datos del iceberg al centro de operaciones de la Patrulla Internacional del Hielo en Groton, Connecticut. Allí, un ordenador calculó la probable deriva de la montaña de hielo. Se emitió por radio un boletín de aviso a la comunidad marítima. El boletín fue captado por la tripulación del Beech Super King de Provincial Airlines que patrullaba la región de los Grandes Bancos para las empresas propietarias de las plataformas petrolíferas.

El bimotor se dirigió hacia las coordenadas trasmitidas. La niebla se abría, y encontraron el objetivo sin problemas. Después de hacer un par de pasadas a baja altura, el piloto envió una confirmación del avistamiento a las plataformas de extracción y a los barcos en la zona.

El *Leif Eriksson* navegaba a velocidad de crucero cuando recibió el mensaje urgente. De inmediato, los motores diesel de diez mil caballos hicieron una ruidosa exhibición de potencia. El barco aceleró como un policía motorizado que persiguiera a un infractor, dejando atrás una blanca estela en el mar gris.

Austin se encontraba en el puente observando una carta

náutica con Zabala en el momento en que se escuchó el aviso por los altavoces.

—¿Nuestra perdida Moby? —preguntó Austin al capitán.

—Podría ser —respondió Dawe—. Encaja con la descripción. No tardaremos en saberlo.

Dawe ordenó a la sala de máquina que redujesen la velocidad. Algodonosos girones de bruma rodeaban la proa que subía y bajaba con el oleaje. En cuestión de minutos la niebla envolvió la nave como un paño de cocina mojado. La visibilidad se redujo a la distancia de un escupitajo. El barco buscaba su camino guiado solo por los ojos electrónicos.

El capitán no perdía de vista la pantalla del radar y de vez en cuando indicaba al timonel pequeños cambios de rumbo. La nave se movía con la lentitud de un caracol, y la tensión en el puente casi podía mascarse. Navegaban por las aguas cercanas a la tumba del *Titanic*. Pese a que los ojos electrónicos podían captar un barco de juguete en un charco, a veces se producían colisiones con los témpanos, y algunas eran fatales.

Dawe apartó la mirada de la pantalla del radar con un críptico gruñido.

Preguntó con una gran sonrisa:

—¿Les he dicho qué utiliza un terranovense como repelente de mosquitos?

—Una escopeta —respondió Zavala.

—El mosquito se estrellará cuando le destroce las luces de aterrizaje con el escopetazo —añadió Austin.

—Ah, ya lo conocían. No se preocupen; aún acabaremos por convertirles en terranovenses.

Rota la tensión, Dawe miró de nuevo la pantalla de radar.

—La niebla se ha levantado un poco. Estén atentos. Aparecerá en cualquier momento.

Austin miró la cortina gris.

—Tenemos compañía.

El anuncio rompió el silencio sepulcral que reinaba en el puente.

El fantasmagórico perfil de un gigantesco iceberg se alzaba a proa como algo sacado de una pesadilla. En unos segundos, la montaña de hielo se hizo más sólida y menos espectral. El iceberg se elevaba por un extremo en un airoso pináculo que tendría la altura de un edificio de quince pisos. Un rayo de sol había conseguido atravesar la niebla. Iluminado por la luz celeste, el iceberg resplandecía con una pátina blanco hueso excepto en las grietas azul cielo, donde el agua fundida se había congelado de nuevo libre de las burbujas que reflejaban la luz blanca.

El capitán descargó sendas palmadas en las espaldas de Austin y Zavala.

—Cojan los arpones, muchachos. Hemos encontrado a Moby-Berg. —Miró embelesado la enorme masa de hielo—. ¿A que es bonito?

—Menudo cubito —dijo Austin—, y solo vemos una octava parte que es la que asoma por encima del agua.

—Ahí tiene que haber hielo de sobra para mil millones de margaritas —comentó Zavala, sin disimular el asombro.

—Es un iceberg castillo —explicó Dawe—. Como el que hundió al *Titanic*. El iceberg más común en esta zona ronda las doscientas mil toneladas y tiene una longitud de casi setenta metros. El que hundió al *Titanic* solo tenía unas doscientas cincuenta mil toneladas.

Ordenó al timonel que rodease el iceberg, sin acercarse más de una distancia de treinta metros.

—Tenemos que extremar las precauciones —dijo Dawe.

—Los salientes que asoman a la superficie podrían arrancar los percebes del casco —opinó Austin.

—Son los que no vemos los que me preocupan —manifestó el capitán, sin desviar la mirada de la mole—. Las grietas azules son los puntos débiles. En cualquier momento puede desprenderse un bloque gigantesco, y el chapoteo bastaría para hundirnos. —Les dedicó una rápida sonrisa—. ¿Todavía contentos de habernos acompañado?

Zavala se había olvidado de todas sus reservas acerca del viaje y miraba al enorme iceberg como si estuviese hechizado.

—¡Fantástico! —exclamó.

—Me alegra escucharlo, amigos míos, porque este bebé es de ustedes. Un barco de la NUMA me sacó una vez de un problema hace unos años. Esta es mi manera de devolverles el favor. Los dueños del barco dicen que la responsabilidad no es un problema si han firmado como miembros temporales de la tripulación, cosa que ya han hecho. Han demostrado que tienen un don natural para recoger trozos de hielo.

Dawe había dejado que sus invitados echasen una mano enlazando témpanos más pequeños, que en la jerga recibían el curioso apodo de «gruñones». El trabajo en equipo y la manera como habían aprendido la técnica sin problemas le habían impresionado.

—Aquellos trozos de iceberg tenían el tamaño de casas —comentó Austin—. Este es grande como el complejo Watergate.

—El principio es el mismo. Los ves. Los rodeas, los enlazas y los remolcas. Yo estaré vigilando por si acaso tienen problemas. Póngase los trajes de agua. Les espero en cubierta.

Austin y Zavala sonrieron como chicos que reciben su primera bicicleta. Dieron las gracias al capitán y fueron a su camarote. Se pusieron prendas calientes y luego los trajes de agua de un brillante color naranja. Cuando salieron a cubierta, se había levantado el viento. La superficie del mar era irregular como la piel de un cocodrilo.

El capitán observaba atento mientras los dos hombres trabajaban con la tripulación para unir las secciones de cuatrocientos metros de largo y veinticuatro centímetros de diámetro de la maroma de polipropileno. Engancharon la maroma a un bolardo cilíndrico en la cubierta de popa y luego fueron soltándola a través de una ancha abertura en la borda. Llevaba sujeta una boya naranja en el extremo libre. Austin utilizó la radio para llamar al puente y notificar que todo estaba preparado.

El barco se movió en un gran círculo siempre a unos sesenta metros del iceberg, con paradas para permitir que la tripulación fuese agregando secciones a la maroma.

Cuando el *Eriksson* volvió al punto de partida, un tripulante enganchó la boya flotante en el agua y la subió a cubierta. Austin indicó a los marineros que sujetasen un cable de arrastre para mantener la maroma baja en el agua. De otra manera, la maroma podría zafarse de la resbaladiza superficie de la montaña de hielo. El capitán inspeccionó lo que habían hecho hasta ese momento.

—Buen trabajo. Ahora viene la parte divertida.

Llevó a Austin y a Zavala de nuevo al puente. Más o menos media milla de aguas abiertas separaban al barco del iceberg. Dawe consideraba que era la distancia mínima para un remolque seguro.

—Dejaré que usted se haga cargo a partir de aquí —dijo Austin.

Sabía que ese no era lugar para un aficionado. A veces los icebergs rolaban durante la operación de remolque, y siempre estaba el peligro de que la maroma se enredase en las hélices.

A una orden del capitán, aumentaron la potencia de los motores. La maroma se tensó. El agua a popa de la embarcación hirvió en una blanca y burbujeante estela. El tirar del *Ericsson* consiguió vencer la inercia del iceberg. La inmensa montaña de hielo se despegó de la resistencia del mar, y comenzaron a avanzar poco a poco. Pasarían horas antes de alcanzar la velocidad de un nudo.

Con el iceberg en movimiento, Austin fue a su camarote y volvió unos minutos más tarde. Entregó una gran caja de cartón al capitán. Dawe la abrió y en su rostro apareció una gran sonrisa. Sacó un Stetson de ala ancha de la caja y se puso el sombrero de vaquero.

—Un poco grande, pero puedo rellenarlo con papel de periódico para que encaje. Gracias, muchachos.

—Considérelo como una pequeña muestra de gratitud por tenernos a bordo —dijo Austin.

Zavala miraba al iceberg que empequeñecía al barco.

—¿Qué vamos a hacer con esta cosa?

—Lo remolcaremos hasta una corriente que se lo llevará lejos de la plataforma petrolífera. Tardaremos unos días.

—Capitán... —El operador de radar llamó a Dawe para que se acercase—. Estoy rastreando un objetivo. Parece dirigirse hacia la *Great Northern*.

El operador había marcado tres equis en la hoja de plástico transparente y las había unido para mostrar el curso y las horas de paso del objetivo. El capitán cogió una regla y la puso sobre las marcas.

—Esto no pinta bien —murmuró—. Tenemos un barco que va en línea recta hacia la plataforma. Además se mueve muy rápido.

Llamaron por radio a la plataforma *Great Northern*. El operador de radar de la plataforma también seguía al barco que se acercaba y había intentado comunicar con él. Nadie había respondido. Se disponía a contactar con el *Leif Eriksson* cuando recibió la llamada de Dawe.

—Comenzamos a preocuparnos —dijo el operador—. Por lo que se ve apunta directamente a nosotros.

—Eso es lo que parece —asintió Dawe—. Calculo que está a unas diez millas.

—Eso es demasiado cerca.

—Soltaremos el iceberg que estamos remolcando e intentaremos interceptarlos. ¿Cuánto tiempo se tardaría en apartar la plataforma de la cabecera del pozo?

—Ya hemos comenzado la maniobra, pero si el barco continúa a la misma velocidad llegará antes de que acabemos.

—Continúe intentando hacer contacto por radio. Nosotros iremos a por él. —Dawe se volvió hacia Austin y Zavala—. Lo siento, muchachos, pero tendremos que dejar libre a vuestra presa.

Austin había estado escuchando la conversación. Se ajustó la chaqueta del traje de agua y se caló la gorra. Zavala lo imitó.

El procedimiento de soltar el iceberg era la inversa de sujetarlo. El equipo de cubierta soltó el extremo de la maroma con la boya para que flotase libre. Dawe maniobró el barco alrededor del iceberg y la tripulación recogió los centenares de metros de maroma. Cuando el último metro estuvo en cubierta, y apartada de las hélices, el capitán dio la orden de avante a toda máquina.

Zavala se quedó en cubierta acabando la faena y Austin regresó al puente. Vio al capitán con el micro en la mano.

—¿No ha habido suerte? —preguntó Austin.

Dawe sacudió la cabeza. Parecía preocupado y era obvio que había perdido la paciencia.

—Daremos alcance a esos idiotas dentro de poco.

El capitán se acercó a la pantalla de radar. El operador había marcado otra equis y la había unido a las anteriores. Una segunda línea indicaba el rumbo de intersección del *Ericsson*.

—¿Cuáles son las probabilidades de que una plataforma pueda soportar un impacto directo? —quiso saber Austin.

—Pocas. La *Great Northern* es una plataforma semisumergible. Las patas ofrecen una cierta protección pero no como en el caso de la plataforma *Hibernia*, que está anclada al fondo y protegida por una gruesa barrera de hormigón.

Austin conocía las plataformas de perforación de sus días en el mar del Norte. Sabía que una plataforma semisumergible era más un barco que una plataforma, y que se utilizaba sobre todo para aguas profundas. Las cuatro patas descansaban en pontones que hacían de casco. La plataforma estaba diseñada para ser remolcada, aunque las había que podían moverse con sus propios motores. Una vez que la plataforma estaba en el lugar de la perforación, inundaban los pontones. Varias anclas enormes sujetaban a la plataforma fondeada.

—¿Cuántos trabajadores hay en la plataforma? —preguntó Austin.

—Tiene cabida para doscientos treinta.

—¿Tendrán tiempo para alejarse de la posible colisión?

—Están levando anclas, y las embarcaciones de servicio comenzarán el remolque, pero la plataforma se mueve a una velocidad que permite apartarla de los icebergs que han escapado de la vigilancia de la Patrulla Internacional del Hielo. No están construidas para evitar a un barco desbocado.

Austin no estaba muy seguro de lo que pretendía decir el capitán con la palabra «desbocado», que daba la idea de que el barco estaba fuera de control. Su propia impresión era que ese barco estaba muy controlado y que había sido apuntado con toda intención a la plataforma *Great Northern*.

Un tripulante señaló a estribor de la proa.

—Lo veo —anunció.

Austin cogió los prismáticos del tripulante y ajustó la rueda de enfoque hasta que el perfil de un barco portacontenedores apareció en el campo de visión. Vio las enormes letras pintadas en el casco rojo que lo identificaban como perteneciente a una compañía llamada Oceanus Lines. Pintada en letras blancas en la gigantesca popa aparecía el nombre: OCEAN ADVENTURE.

Los barcos se movieron en rumbos paralelos separados por un cuarto de milla. El *Eriksson* intentó comunicarse con los reflectores de señales al tiempo que hacía sonar la sirena para atraer la atención del barco. El *Adventure* siguió navegando sin reducir la velocidad. El capitán ordenó a la tripulación que continuasen intentando establecer contacto visual o por radio.

Apareció a la vista la plataforma petrolífera. Parecía una pulga acuática de cuatro patas apoyada en la superficie del mar. La torre de perforación y una pista de helicópteros con forma de plato destacaban en la estructura.

—¿La plataforma dispone de un helicóptero? —preguntó Austin al capitán.

—Vuela de regreso después de llevar a un tripulante al

hospital. De todas maneras, llegará demasiado tarde para una evacuación aérea.

—No pensaba en una evacuación. Quizá el helicóptero podría llevar a alguien a bordo del barco.

—No habrá tiempo. Lo mejor que podemos hacer es recoger a los supervivientes, si hay alguno.

Austin se llevó los prismáticos a los ojos.

—No hace falta llamar tan pronto al sepulturero. Quizá haya una oportunidad para salvar la plataforma.

—¡Imposible! La plataforma se hundirá como una piedra cuando el barco choque contra ella.

—Eche una mirada a la amura —dijo Austin—. Dígame qué ve.

El capitán miró con sus prismáticos.

—Hay una escalerilla que cuelga hasta casi el agua.

Austin explicó su plan.

—Eso es una locura, Kurt. Es demasiado peligroso. Usted y Joe podrían acabar muertos.

Austin dirigió a Dawe una sonrisa.

—No quiero ofenderlo, capitán, pero si sus chistes no nos han matado, nada lo hará.

El capitán miró el rostro decidido de Austin y su expresión de máxima confianza. Si alguien podía hacer lo imposible tendría que ser aquel norteamericano y su amigo.

—De acuerdo —asintió Dawe—. Le daré lo que necesita.

Austin se puso la chaqueta del traje de agua, subió la cremallera y se dirigió a cubierta para hablar con su compañero. Zavala conocía a su amigo lo bastante bien para no sorprenderse por la audacia o el riesgo de la idea de Austin.

—Es un plan muy sencillo cuando lo piensas —manifestó Zavala—. Bien mirado, las probabilidades en contra no son muchas, ¿verdad?

—Algunas más que las de una bola de nieve en el infierno.

—Suficiente, pues. Eso sí, la ejecución puede ser un poco complicada.

Una expresión de dolor apareció en el rostro curtido de Austin.

—Preferiría que no utilizásemos la palabra ejecución.

—Un desafortunado desliz. ¿Qué opina el capitán Dawe de nuestra idea?

—Cree que estamos locos.

Zavala miró el enorme portacontenedores que surcaba el mar gris en un rumbo paralelo y su mente calculó la velocidad, la dirección y las condiciones del mar.

—El capitán tiene razón, Kurt. Estamos locos.

—Entonces supongo que vienes.

Zavala asintió.

—Demonios, sí. Estoy aburrido de enlazar icebergs.

—Gracias, Joe. Tal como yo lo veo todo esto se reduce a la relación riesgo-recompensa.

Zavala comprendió a qué se refería Austin.

—¿Cuántos tipos hay en la plataforma?

—El capitán dice que hay más de doscientos, además de los que haya en el barco.

—La operación aritmética parece bastante simple. El riesgo es grande pero no insuperable, y quizá podríamos salvar más de doscientos vidas.

—Es así como yo lo veo —dijo Austin.

Se puso el chaleco salvavidas y arrojó otro a Zavala. Sellaron el acuerdo con un firme apretón de manos. Austin levantó el pulgar al capitán, que había estado observando la conversación desde el puente.

A una orden de Dawe, el barco viró para ponerse de costado y permitir a Austin y a Zavala arriar una lancha neumática de cinco metros de eslora por la banda de sotavento. La nave cortaba el impacto directo, pero la neumática se sacudía en el mar cada vez más alborotado como un patito de goma en una bañera.

Austin llevaba una radio con un micrófono y el auricular de manos libres. El capitán lo mantendría informado del progreso de los tripulantes que recogían las anclas de la plataforma. Si conseguían levarlas a tiempo para moverse fuera de la trayectoria del barco, o si había alguna desviación en el rumbo del portacontenedores, llamaría a Austin, quien podría abortar el plan. Si la colisión entre barco y plataforma parecía inminente, Austin podría seguir a partir de allí.

Austin se colgó de la escalerilla con las olas golpeando en sus pies, luego saltó a la embarcación. Era como saltar en un trampolín mojado. Podría haber rebotado, pero se sujetó de los cabos de seguridad en los flotadores y se aguantó en la embarcación que cabeceaba con los golpes de mar.

En cuanto la lancha neumática se estabilizó con su peso, Austin puso en marcha el fueraborda de setenta y cinco caballos. Con la ayuda del motor que resistía el embate de las olas, sujetó la escalerilla y mantuvo firme la lancha neumática para que Zavala bajase. Su compañero saltó con su agilidad felina, soltó las amarras de proa y popa, y apartó la lancha del barco.

Austin pasó la caña del timón a Zavala, y este aceleró el motor y apuntó la roma proa en un rumbo que los llevaría al *Ocean Adventure*.

10

Desde el puente de una altura de seis pisos del *Ocean Adventure*, el capitán Irwin Lange tenía una visión de pájaro de casi toda la eslora del barco a su mando. Estaba allí cuando los helicópteros habían bajado del cielo y aterrizado en lo alto de las pilas de contenedores. Su reacción inicial había sido de sorpresa. Sin embargo, cambió de inmediato a furia cuando miró a través del cristal de la cabina de mando que daba a la larga cubierta.

El capitán se enorgullecía de su impasibilidad teutónica. Su firme carácter se reflejaba en sus facciones que casi nunca cambiaban de expresión de absoluta competencia. Aquello era otra cosa. Su expresión ceñuda se intensificó. Los helicópteros habían aterrizado sin su permiso. Su mente lógica rechazó en el acto la posibilidad de que los helicópteros estuviesen en problemas. Un helicóptero quizá. Pero no dos.

Aquello no estaba bien. No era correcto. Al mirar a través de los prismáticos, el capitán se encolerizó aún más al ver que una docena de figuras saltaban de los helicópteros y se desplegaban por debajo de los rotores en movimiento. Todos aquellos tipos vestían de negro. Solo consiguió ver a los intrusos durante unos segundos antes de que desapareciesen por un costado de la pila de contenedores. Pero en ese breve instante constató que llevaban armas. Su furia se convirtió en alarma.

¡Piratas!

Lange notó un nudo en la garganta. Imposible. Los piratas actuaban en lugares muy distantes, como Sumatra y el mar de China. Se habían producido ataques de piratas frente a las costas de Brasil y África Occidental. Pero le resultaba inconcebible que los asaltantes del mar pudiesen operar en una zona de temperaturas glaciales y cubierta por la niebla como los Grandes Bancos.

En sus muchos años de navegación por la ruta Europa-América, el único contacto del capitán con los piratas había sido un vídeo producido por la compañía de seguros. La empresa propietaria del barco había distribuido el vídeo a sus capitanes con la petición de que debían verlo con sus oficiales. La filmación mostraba a unos fieros piratas asiáticos que atacaban a un buque tanque con veloces lanchas neumáticas.

Lange intentó con desesperación recordar las lecciones aprendidas gracias al vídeo.

«La vigilancia es la mejor defensa contra la piratería.» ¡Nadie le había advertido de piratas que cayesen del cielo!

«¡Convierta el barco en una fortaleza!» Demasiado tarde para clausurar todos los accesos.

«¡No luche contra los piratas!» Por supuesto que no... No había a bordo nada más letal que las pistolas lanzabengalas. Ninguno de los oficiales alemanes o de los miembros de la tripulación, en su mayoría filipinos, había sido entrenado en el manejo de las armas.

«Mantenga la calma.» Bueno, eso era algo que sabía hacer muy bien.

Se volvió hacia la tripulación en el puente que mostraba su misma perplejidad ante la súbita irrupción de los helicópteros.

—Creo que el barco está siendo atacado por piratas —dijo con el mismo tono carente de emociones que habría empleado para anunciar la inminencia de un chubasco.

El rostro atónito de su primer oficial sugería que el joven carecía de la compostura de su capitán.

—¡Piratas! ¿Qué debemos hacer?

—No ofrecer resistencia bajo ninguna circunstancia. Llamaré pidiendo ayuda.

Cogió el micro pero el altavoz de la radio del barco sonó en el momento que iba a hacer la llamada de socorro.

—Llamando al capitán del *Ocean Adventure* —dijo una voz—. ¿Me recibe?

—Habla el capitán. ¿Quién es?

El interlocutor no hizo caso de la pregunta de Lange.

—Estamos reuniendo a su tripulación. Controlamos sus transmisiones de radio y le aconsejamos que no envíe un SOS. ¿Me comprende, capitán Lange?

¿Cómo sabían su nombre? El capitán respondió con esfuerzo:

—Sí, lo comprendo.

—Bien. Permanezca donde está.

El primer pensamiento del capitán se centró en la seguridad de su tripulación de veinte hombres. Quizá si les advertía, podrían esconderse. Cogió el teléfono interno y llamó a la sala de máquinas. Nadie respondió. Intentó con el comedor. Silencio. Controló una creciente sensación de pánico y probó con la sala de oficiales. Otra vez no hubo respuesta.

Unas fuertes pisadas sonaron en el ala del puente. Un grupo de hombres armados entró en la cabina. Cuatro tipos vestidos con uniformes negros idénticos y máscaras que ocultaban sus rostros excepto los ojos. El quinto vestía vaqueros y un chubasquero, y su rostro estaba al descubierto. El capitán lo reconoció como un filipino llamado Juan que trabajaba en la sala de máquinas.

Lange creyó que Juan era un prisionero hasta que vio la pistola en la mano del tripulante. El filipino advirtió la consternación en el rostro del capitán, y en su semblante apareció una gran sonrisa. Lange comprendió que Juan trabajaba para los piratas. Era así como habían conseguido controlar el buque con tanta rapidez y averiguado su nombre. Juan debía de haberlos guiado a la sala de máquinas y a las otras partes del barco.

Uno de los hombres se acercó al panel de mandos y apartó al timonel.

—¿Qué está haciendo? —preguntó el capitán Lange.

El asaltante anotó las coordenadas que llevaba escritas en un papel en el ordenador del barco. El capitán vio que había conectado el piloto automático. El hombre acabó su tarea y dio una orden.

—Usted y los demás, bajen a cubierta.

Lange adelantó su prominente barbilla en un gesto de desafío, pero obedeció y ordenó al resto de la tripulación que lo imitasen. El viento helado que barría la cubierta abierta atravesó la chaqueta liviana del capitán. En cualquier caso habría acabado helado ante la visión que tuvo. Los asaltantes arreaban al resto de su tripulación como si fuese ganado. Un segundo filipino, al igual que Juan, parecía estar aliado con los piratas.

Los piratas llevaron al asustado grupo a punta de metralleta a la cubierta de popa. Allí había más asaltantes reunidos alrededor de un objeto de la altura de un hombre. Estaba envuelto en lonas y en ese momento lo estaban sujetando con un cabo muy grueso.

La mirada de Lange se centró en el pirata que controlaba la firmeza de los nudos. Era alto, poco más de metro noventa, y empequeñecía a sus compinches. Tenía los brazos demasiado largos incluso para su poderoso cuerpo. El hombre se volvió y Lange vio que no ocultaba el rostro. Miró al capitán con unos ojos angelicales.

—Hizo bien en seguir mis órdenes, capitán —manifestó el desconocido.

Lange identificó la voz que le había advertido que no enviase una llamada de socorro. El tono resultaba aterrador en su jovial amabilidad.

—¿Quién es usted? ¿Por qué está en mi barco?

—Preguntas, preguntas —se quejó el hombre, y sacudió la cabeza—. Tardaría más tiempo del que disponemos en explicárselo.

El capitán intentó otro camino.

—Cooperaré con usted, pero, por favor, no haga daño a mi tripulación.

La boca casi femenina en su suavidad del desconocido se abrió en una sonrisa.

—No se preocupe. Tenemos la intención de dejarlo a usted y a su barco tal como lo encontramos.

Lange no era un tonto. El hecho de que el hombre hubiese escogido mostrar el rostro tenía un significado muy claro: no le preocupaba que los testigos pudiesen identificarlo más tarde. A una señal del jefe, un asaltante golpeó al capitán con el arma y le dijo que se tumbase boca abajo en la cubierta con los demás tripulantes. Lo maniataron de pies y manos.

—¿Qué pasa con la mujer? —preguntó Juan al hombre con rostro de bebé—. ¿Qué quiere que hagamos con ella?

—Lo que quiera —respondió el jefe—. Ya nos ha causado muchísimos problemas. Solo hágalo rápido. —Pareció perder interés en el tema y volvió su atención al objeto envuelto en lona.

Juan acarició el mango del puñal sujeto a su cinturón y se alejó por la cubierta para cumplir con su horrible misión. Caminaba deprisa, ansioso por hacerlo. Durante días, había observado a Carina con una mirada de lujuria intentando imaginar cómo sería debajo de las gruesas prendas. Se relamió los labios al recordar el suave calor del cuerpo femenino que había levantado para meterlo en el contenedor. Solo dispondría de unos pocos minutos, pero sería suficiente para que ella conociese la experiencia de estar con un hombre de verdad antes de matarla.

Echó a correr, y miró hacia el mar. Se sorprendió al ver que un barco había aparecido entre la niebla y navegaba a la par del portacontenedores. Una lancha neumática con dos hombres a bordo avanzaba sobre las olas hacia el *Ocean Adventure*.

El filipino pensó en pedir ayuda, pero aquello no le dejaría bastante tiempo con la mujer. La lujuria pudo más que el sentido común. Se ocuparía de aquello él mismo.

Se agachó y siguió moviéndose por la cubierta. La neumática parecía dirigirse a un punto en mitad del barco. El filipino llegó allí primero. Desenvainó su puñal, se tendió boca abajo en la cubierta como un cocodrilo que esperara a una presa, y observó la lancha cuando se acercaba.

Ese iba a ser un día especial.

11

La lancha neumática de quilla plana saltaba sobre la ondulada superficie del mar con unos golpes que les hacían entrechocar los dientes. Zavala había cortado los espásticos saltos que los hacían parecer peces voladores reduciendo la velocidad, pero necesitaba que la embarcación continuase moviéndose para no separarse del portacontenedores.

—Esta cosa es como ir en un coche con los cuatro neumáticos reventados —gritó Austin por encima del aullido agudo del fueraborda.

La réplica de Zavala fue ahogada por la espuma de una ola que le golpeó en la cara. Se limpió el agua de los ojos y escupió una bocanada.

—¡Malditos botes!

Con gran pericia fue acercando la embarcación, moviendo la caña del timón para contrarrestar las olas creadas por el enorme casco. Sentía como si le fueran a arrancar el brazo de la articulación. La lancha perdía el rumbo con cada virada. En cuestión de minutos, tendría que quedarse atrás hasta que estuviese más o menos por la mitad de la eslora. Pero la mano rápida de Zavala y su buen ojo habían reducido drásticamente la distancia al buque.

El portacontenedores parecía una incontenible fuerza legendaria surcando el mar que embestía la acampanada proa. El flujo de agua contra el casco creaba una barrera blanca que se levantaba entre Austin y su meta: la escalerilla del práctico que colgaba por la borda hasta casi la línea de flotación. La cubierta del *Adventure* estaba mucho más arriba. La escalerilla servía para dar acceso desde la embarcación del práctico hasta una pasarela fija que bajaba en diagonal por el costado.

Desde la cubierta del *Leif Eriksson*, la tarea que Austin se había impuesto parecía difícil pero no imposible. Pero el *Ocean Adventure* era tan largo como un rascacielos puesto de lado. Para colmo, ese rascacielos se movía. Mientras Austin miraba hacia el muro de acero que esperaba escalar, se preguntó si no había mordido un bocado más grande de lo que podía masticar.

Apartó el peligroso pensamiento de su mente, fue hasta la proa de la embarcación y hundió los dedos en la resbaladiza superficie de los flotadores. En cuanto estuvo preparado, Austin levantó un brazo y señaló a Zavala que hiciese la maniobra. Este apuntó la neumática hacia la escalerilla. La ola blanca apartó la embarcación como una vaca que espanta a una mosca con el rabo. Zavala tendría que probar de nuevo.

Austin se aferró a la proa mientras Zavala intentaba mantenerse a la par sin ofrecer la banda a un mar que podía volcar la lancha. Una espuma helada le castigaba los ojos y nublaba su visión. El ruido creado por el deslizamiento del agua, el motor fueraborda y los motores del barco hacían la comunicación, e incluso el pensamiento, casi del todo imposible. Quizá era mejor así. Si Austin pensaba en lo que iba a hacer, no lo haría.

Comenzaba a cansarse de la incesante paliza. Si no se movía pronto, su mayor obstáculo sería el terrible agotamiento. El coraje y la decisión no bastarían para vencer las leyes de la física.

Una voz sonó en la radio.

—Kurt. Adelante. —El capitán Dawe lo llamaba.

—No puedo —gritó Austin en el micro—. Ocupado.

—Lo sé. Lo estoy viendo. Acabo de recibir noticias de la plataforma. La última ancla se ha enredado. La colisión parece segura. Será mejor que se aparte de la zona de impacto o se verá metido en un tremendo lío.

Austin tomó una decisión instantánea. Señaló el portacontenedores y gritó por encima del hombro:

—La plataforma está atascada, Joe. Vamos a subir.

Zavala levantó el pulgar y movió la caña del timón suavemente hasta colocar la embarcación a unos metros del barco. Una vez más, la lancha fue sacudida por el oleaje artificial. Zavala la mantuvo cabalgando la ola como un surfista hawaiano hasta que estuvo un poco por delante de la escalerilla.

El extremo de la escalerilla se había enganchado con las bandas de seguridad que colgaban a cada lado. Zavala aceleró al máximo y entró en un ángulo suave. La lancha tocó su costado como un velero que escora. Austin y Zavala echaron sus cuerpos sobre la parte más elevada. La embarcación cabalgó en el agua hasta que llegó al alcance de la escalerilla que golpeaba contra el costado del barco.

Austin se sintió cono un salmón que nadaba corriente arriba mientras la embarcación cabeceaba sobre el oleaje. Con la escalerilla finalmente al alcance, encajó los pies debajo de los flotadores, se quitó el chaleco salvavidas y se alzó un tanto encorvado. Necesitaba total libertad de movimientos, y el chaleco le habría servido de muy poco si fallaba. Solo tendría una oportunidad y si erraba acabaría en el agua, se vería arrastrado a lo largo del barco, y sin duda acabaría cortado en pedazos por la hélice.

Sintió que la lancha caía y se levantó, sus dedos todavía a unos centímetros del extremo del cabo. Se extendió por encima de la proa y manoteó. El abismo que se abría entre sus dedos y la escalerilla se estaba ampliando más allá del punto sin retorno. Luego el cabo se acercó, y alcanzó a sujetarse al peldaño inferior como un acróbata en vuelo. En cuanto los dedos de Austin se cerraron en el escalón, Zavala alejó la lancha para no acabar dando una vuelta de campana. Austin se bamboleó en el extremo de la escalerilla, manoteó a ciegas y se sujetó al siguiente escalón. El duro escalón de goma estaba resbaladizo con el agua de mar. Casi perdió el agarre cuando una ola lo golpeó a la altura de la cintura y lo arrastró hacia abajo, pero se aguantó y subió un poco más. La escalerilla se había estabilizado con el peso de su cuerpo, pero el doble cabo se estaba retorciendo sobre sí mismo. Casi lo soltó cuando su mano rozó el casco de acero. Tuvo la sensación de que sus nudillos acababan de ser sumergidos en ácido. No tenía más alternativa que no hacer caso del dolor y seguir subiendo.

Echó la cabeza hacía atrás para saber a qué distancia estaba de la pasarela. Se sintió alentado por lo que vio. Se encontraba a medio camino. Unos pocos escalones más y podría llegar a la pequeña plataforma al final de los escalones metálicos.

Se sujetó a otro par de peldaños, subió un poco más y miró de nuevo hacia arriba. Alguien lo observaba entre dos delgadas columnas metálicas que se alzaban en la cubierta para que se sujetasen los que subían por la pasarela. Una desgreñada pelambrera enmarcaba el rostro de piel oscura de un hombre. Mostraba una gran sonrisa donde faltaban algunos dientes.

El rostro desapareció, y en su lugar apareció un brazo por encima de la borda. La mano empuñaba un puñal cuya larga hoja estaba cortando la escalerilla de soga.

—Eh —gritó Austin, a falta de poder hacer algo más apropiado.

El cuchillo se detuvo por un instante, pero el tipo volvió al trabajo y no tardó en cortar el cabo. La escalerilla bajó un breve tramo. Austin chocó contra el casco. El impacto casi le soltó las manos de la escalerilla. Se aguantó y miró hacia arriba. Demonios, murmuró. El cuchillo estaba cortando la segunda sujeción de la escalerilla.

Se sujetó a un cabo de seguridad que se había soltado y se agitaba con el viento y lo cogió con las dos manos en el momento en que el cuchillo acababa de cortar la segunda sujeción. La escalerilla cortada cayó al mar y desapareció en el acto.

La cabeza de Austin golpeó contra el costado del barco como un badajo. Por un momento, creyó ver las estrellas. Se aferró tenazmente a la idea de que un tajo más en la soga lo enviaría a la muerte. Extendió una mano y se aferró al último escalón de la pasarela, luego se colgó debajo de la plataforma, donde esperaba ser invisible para el condenado tipo del puñal.

Permaneció allí unos momentos. Cuando no pudo aguantarse más, se encaramó a la plataforma y fue subiendo a gatas los escalones hasta que llegó a la abertura en la borda. Saltó a cubierta en una torpe postura defensiva y se alegró al ver que nadie lo esperaba emboscado.

Austin hizo una señal a Zavala, quien mantenía la lancha en paralelo al portacontenedores. Zavala le devolvió el saludo.

La voz frenética del capitán sonó en la radio.

—¿Está bien, Kurt?

Austin se sentía como una hamburguesa acabada de picar, pero respondió:

—En perfecto estado, capitán. Estoy en el barco. ¿De cuánto tiempo dispongo?

—Está a unas cinco millas de la plataforma. Piense que debe dar tiempo para que el barco se detenga por sí mismo o para que sea posible virar.

Austin echó a correr hacia el castillo de popa, pero un terrible sonido lo detuvo en el acto. De algún lugar entre las pilas de contenedores había surgido un grito de mujer, y no había manera de confundir el terror que constató en su voz.

12

Carina había recuperado el conocimiento solo unos minutos antes de que Austin subiese a bordo. Su regreso al mundo de los vivos había tenido algunas dificultades. Le dolía la cabeza. Su visión era difusa. Las náuseas le revolvían el estómago.

El dolor y la incomodidad le impidieron sumergirse de nuevo en la inconciencia, y se dio cuenta de que aún estaba en el contenedor, el cuerpo encajado entre los cajones. Tenía los brazos atados a la espalda. Con las prisas, los asaltantes le habían dejado las piernas desatadas.

La joven combinó la pura fuerza de voluntad con un físico atlético fortalecido mediante horas de ejercicio en el gimnasio de la UNESCO, para girarse sobre el vientre. Después empleó al máximo sus fuertes músculos abdominales hasta conseguir ponerse de rodillas. Se levantó sobre las piernas temblorosas y esperó a que se le pasase el mareo. Luego se apoyó contra la esquina de un cajón y frotó la cinta plástica que le ligaba las muñecas.

Las astillas se le clavaban en la piel, pero no hizo caso del dolor. Tras unos minutos de tortura, consiguió liberar una mano. Estaba despegándose la cinta adhesiva de las muñecas cuando una figura apareció en el boquete que los piratas habían abierto en el contenedor.

Carina reconoció el rostro del hombre. No sabía su nombre, solo que era uno de los tripulantes filipinos que había visto trabajando en el barco.

—Me alegro de verle —dijo con un tono de alivio.

—Pues yo me alegro mucho de verla, señorita —respondió el hombre con una mirada de lobo.

Las antenas femeninas de Carina captaron el tono de peligro en la voz.

Miró por encima del hombro del tripulante.

—¿Se han marchado los piratas?

—No —contestó él con una sonrisa—. Todavía estamos a bordo.

Estamos...

Carina intentó pasar a su lado. El filipino se movió para cerrarle el paso.

—¿Qué quiere? —preguntó la muchacha, y al instante lamentó sus palabras.

Los labios el filipino se curvaron como una pescadilla en la sartén.

—He venido a matarla. Pero, primero, vamos a divertirnos un poco.

Sujetó a Carina por los hombros. Era varios centímetros más bajo que la mujer pero mucho más fuerte. Le paso un pie por detrás de los tobillos y empujó contra su pecho. Ella cayó de espaldas. El tripulante se le echó encima y la sujetó contra el suelo. Mientras Carina forcejeaba para apartarlo, él sacó un puñal y cortó el delgado cinturón de cuero que le sujetaba el pantalón.

Ella descargó una serie de puñetazos que eran más una muestra de rabia que una defensa; unos pocos golpearon sin fuerza contra la barbilla barbuda. El filipino clavó el puñal en un costado del cajón para liberar las manos, y Carina gritó con toda la fuerza de sus pulmones. No había nadie a bordo que pudiese acudir en su ayuda, pero quizá el alarido podía distraer a su atacante.

Él se echó hacia atrás, y Carina intentó coger el puñal. El tripulante vio el movimiento y le descargó una tremenda bofetada. El golpe casi le hizo perder de nuevo el sentido. Dejó de resistirse. Sintió cómo él le bajaba los vaqueros hasta las rodillas, olió el apestoso aliento y escuchó la agitada respiración. No podía hacer más que débiles esfuerzos para apartarlo. Luego escuchó una queda voz masculina.

—Yo en su lugar no lo haría —dijo la voz.

El filipino cogió el puñal clavado en el cajón. Se levantó de un salto y se volvió para enfrentarse al intruso.

Un hombre de hombros anchos estaba enmarcado por el borde serrado del rectángulo de luz, con las piernas bien separadas. El pelo claro, casi blanco, parecía como una aureola con la luz de atrás.

El filipino se lanzó hacia delante con el puñal extendido. Carina esperaba escuchar el grito de dolor cuando la hoja se hundiese en la carne, pero el único sonido fue un repique y un roce, como si alguien estuviese afilando un cuchillo de cocina.

Austin había recogido una tablilla con escritura cuneiforme que había encontrado en la cubierta. Sostenía el rectángulo de arcilla junto a las rodillas cuando entró en el contenedor y vio la escena que se desarrollaba. Cuando el hombre se dio la vuelta, Austin reconoció el rostro que había mirado por encima de la borda cuando trepaba por la escalerilla de saga. Con una velocidad que sorprendió a su atacante, alzó la tablilla hasta la altura del pecho para usarla como un escudo contra la puñalada.

Al mismo tiempo que la hoja se deslizaba hacia un lado, Austin levantó la tablilla bien alto por encima de la cabeza y la bajó como si estuviese golpeando una alfombra. La arcilla se partió en una docena de fragmentos en la cabeza del tripulante. El filipino se aguantó de pie por unos segundos, luego puso los ojos en blanco y cayó plegado como un acordeón.

Austin pasó por encima del cuerpo que se sacudía y ofreció la mano a la mujer. Ella tendió la suya y se levantó. Con dedos temblorosos, se subió los vaqueros hasta la cintura.

—¿Está bien? —preguntó el desconocido. Había preocupación en los ojos azul coral.

Carina asintió. Miró el cuerpo del tripulante.

—Gracias por salvarme de ese animal. Espero que lo haya matado.

—Es probable que lo haya hecho. ¿Es parte de la tripulación?

—Soy una pasajera. Asaltaron el barco. Llegaron en helicópteros. Se llevaron *El Navegante*.

Austin creyó que ella hablaba de un miembro de la tripulación.

—¿Quién?

Carina vio el desconcierto de Austin.

—*El Navegante*. Es... es una estatua.

Austin asintió. La repuesta de la mujer no tenía para él el menor sentido. Recogió el puñal que había caído de la mano del filipino.

—Lamento tener que marcharme. Debo atender a unas cuantas cosas. A ver si puede encontrar otro lugar donde esconderse. Ya hablaremos durante la cena.

Salió por el boquete del contenedor y desapareció. Carina permaneció como en una nube. Se preguntó si había soñado a aquel ángel vengador que le había salvado la vida, acabado con su atacante y sugerido cenar juntos, todo de una tirada. No sabía quién era, pero decidió seguir su consejo. Miró con desprecio al filipino, y luego salió a la carrera del contenedor para perderse en el laberinto de cajas de acero.

Austin corrió por la enorme cubierta, consciente de que se enfrentaba a una difícil misión. Su desvío para salvar a una damisela en apuros podría ser fatal para ambos. Había demasiada distancia horizontal y vertical para cubrir a pie. La cubierta se extendía ante él. Aún le quedaba por llegar hasta lo alto de la superestructura tan alta como un edificio de apartamentos.

Movió las piernas con la potencia de un velocista. Corría tan rápido que el resplandor metálico atisbado entre la pila de contenedores no se registró en su cerebro hasta que estaba unos metros más allá. Se volvió y asomó la cabeza en la abertura. El brillo había sido el de un manillar de una bicicleta apoyada contra un contenedor. Austin habría preferido una Harley-Davidson, pero la vieja bicicleta Raleigh de tres velocidades utilizada por los tripulantes para ir de un lado a otro del enorme barco le serviría.

Cogió la bicicleta, se montó en el sillín y comenzó a pedalear, con toda la fuerza de sus musculosas piernas. Mientras avanzaba a toda velocidad por la cubierta vio varios cuerpos al pie de la superestructura.

Al acercarse, constató que los hombres estaban vivos pero atados de pies y manos y de cara al suelo. Dejó la bicicleta y se acercó a un hombre fornido que forcejeaba contra las ligaduras. Austin le dijo que permaneciese quieto y lo liberó de las ataduras de sus manos con un solo tajo del puñal.

El hombre utilizó las manos libres para ponerse de lado. Austin vio que era un tipo de mediada edad con le rostro curtido enmarcado por unas rubicundas mejillas. Los ojos del hombre se fijaron en el puñal pero pareció relajarse cuando Austin le cortó las ligaduras de las piernas y le preguntó si era un oficial del barco.

—Soy el capitán Lange, al mando del *Ocean Adventure*.

Austin ayudó a levantarse al capitán.

—¿Qué se ha hecho de los asaltantes? —preguntó.

—No lo sé. Llegaron en helicópteros. —Lange señaló hacia el cielo—. Aterrizaron sobre los contenedores. ¿Quién es usted?

—Un amigo. Ya nos presentaremos más tarde. —Austin sujetó al capitán por los hombros para asegurarse de tener su atención—. Su barco sigue un curso de colisión con una plataforma petrolífera. Solo tiene unos minutos para detenerlo o cambiar el rumbo o se quedará sin barco.

El rostro del oficial palideció.

—Vi cómo marcaban las coordenadas en el piloto automático.

—Tendrá que desconectarlo lo antes posible. Yo me ocuparé de liberar a sus hombres.

—Voy para allá —dijo el capitán, y caminó hacia el puente con las rodillas rígidas.

Austin se apresuró a cortar las ligaduras de los otros tripulantes y les dijo que siguiesen al capitán al puente. No le preocupaba encontrarse con los asaltantes. Era poco probable que se hubiesen quedado después de poner el barco rumbo hacia el desastre. Supo que sus instintos habían acertado cuando escuchó el batir de los rotores de los helicópteros por encima de su cabeza.

Finalizada la misión, los asaltantes se habían estado preparando para abandonar el barco. El jefe con rostro de niño había acabado de inspeccionar las cuerdas que aseguraban el objeto envuelto en lona, cuando el segundo filipino que había estado como topo en la tripulación se acercó a la carrera.

—Juan no ha vuelto —dijo el hombre, que se llamaba Carlos—. No sé qué estará haciendo.

—Sé muy bien lo que está haciendo su amigo —respondió el jefe con una sonrisa—. Está desobedeciendo las órdenes. —Subió al helicóptero más cercano.

—¿Qué vamos a hacer? —preguntó Carlos.

—Puede hacerle compañía, si quiere. —Sonrió de nuevo y cerró la puerta.

Una expresión de terror apareció en el rostro del filipino. Corrió al otro helicóptero y saltó a la cabina en el momento en que los rotores alcanzaban la velocidad de despegue. El aparato se elevó lentamente de los contenedores. Colgado del fuselaje había un cable con un gancho en el extremo. El helicóptero se dirigió a popa.

Sobrevoló el objeto envuelto en lona. Bajó hasta enganchar el lazo de cuerda en lo alto del objeto. Austin observó la maniobra desde una esquina de la superestructura.

En el breve tiempo que Austin había conocido a los asaltantes, había llegado a detestarlos con toda su alma. Agachado, corrió hacia el objeto y lo desenganchó del cable que lo sujetaba al helicóptero. Pasó el cable alrededor de un bolardo y lo sujetó con el gancho.

Corría en busca del refugio de la superestructura cuando sintió como si le hubiesen clavado un hierro al rojo entre las costillas. Alguien le disparaba y lo habían alcanzado. Sin hacer caso del dolor, Austin se lanzó sobre la cubierta y rodó varias veces sobre sí mismo.

Un segundo antes de que se lanzase por una escotilla como un perro de la pradera que se mete en su agujero, miró hacia arriba y vio el segundo helicóptero. El cañón de un arma sobresalía de la portezuela abierta.

Con tanta confusión, el piloto del primer helicóptero no se había dado cuenta de que su aparato estaba sujeto a la cubierta. Intentó ganar altura y aceleró los rotores para compensar el peso. El helicóptero llegó a tensar el cable, se detuvo con una tremenda sacudida y comenzó a girar como una cometa al final del cordel.

El cable se cortó tras engancharse en las palas de los rotores. El aparato voló sobre las olas girando como una peonza y cayó al mar con un impacto que levantó un monumental surtidor.

Austin espió por la escotilla. El otro helicóptero volaba alrededor del círculo de burbujas. El hombre asomado a la puerta miró a Austin, y por un momento cruzaron sus miradas. Una sonrisa apareció en el rostro de querubín. Un segundo más tarde, el helicóptero se desvió para alejarse del barco.

Kurt salió a cubierta y comprendió por qué el helicóptero no se había preocupado en hacer otra pasada. La plataforma *Great Western* se alzaba delante del barco.

Con el viento azotándole las prendas, miró hacia el puente, animando en silencio al capitán. Podía imaginar la desesperada lucha en la cabina del piloto mientras el capitán intentaba evitar una catástrofe. El portacontenedores aún se movía a plena potencia. Austin se puso en el lugar del capitán. Incluso si Lange detenía los motores, el barco continuaría avanzando por la inercia. Desearía mantener, al menos, el mínimo control que pudiesen darle los motores.

El barco continuaba acercándose a la plataforma, pero Austin vio una desviación de unos pocos grados a estribor. Por fin comenzaba a virar. Necesitaría mucho espacio para sortear el obstáculo. Sabía que un barco del tamaño del *Ocean Adventure* no maniobraba como gira una peonza.

Se inclinó sobre la borda y vio a los tripulantes que dejaban la plataforma como hormigas en una hoja flotante. Un par de embarcaciones de servicio tiraban de las amarras sujetas a la estructura. Unos dedos de hielo se cerraron sobre su corazón mientras se imaginaba el inevitable choque.

Alguien llamaba a Austin desde muy lejos. Comprendió que la voz provenía del auricular de la radio que se había soltado en algún momento. Se lo colocó en la oreja.

—¿Kurt, me escucha? ¿Está bien?

Austin cortó el frenético monólogo de Dawe.

—Mejor que nunca. ¿Qué está pasando con la plataforma?

—Acaban de desenganchar la última ancla.

Las palabras apenas habían salido de la boca del capitán cuando Austin vio la espuma que el ancla de la plataforma acababa de dejar al ser levada. El agua que hervía alrededor de las patas de la plataforma y las olas que se formaban detrás indicaban que se movía.

La acción evasiva de la plataforma no sería suficiente. Golpearían contra la pata delantera derecha en cuestión de segundos. Austin se preparó para el impacto.

En el último instante, la proa del barco se movió apenas algo más hacia estribor. Se escuchó el terrible sonido del roce de metal contra metal cuando un costado del barco rozó la pata. La plataforma estaba libre de las anclas, y en lugar de resistirse, cosa que habría significado su condena, cedió a la fuerza del impacto.

Se sacudió con el golpe, luego se estabilizó poco a poco y continuó apartándose de la zona de peligro.

La sirena de un barco sonaba enloquecida. El *Leif Eriksson* le había hecho compañía.

La voz de Zavala sonó en el auricular.

—Es una manera de limpiar los percebes del casco. ¿Cómo piensas superar la hazaña?

—Es fácil —respondió Austin—. Tengo una cita para cenar con una mujer hermosa.

13

La bibliotecaria adjunta en la sección de archivos de la Sociedad Filosófica Americana en Filadelfia era una joven delgada llamada Angela Worth. Un día sí y otro también de acarrear cajas con documentos y archivos le habían dado una musculatura que habría sido la envidia de un luchador profesional.

Con muy poco esfuerzo Angela deslizó un pesado cajón de plástico de un estante y lo colocó en un carro. Llevó el carro afuera de la sala de documentos y se dirigió con él a la sala de lectura. Un hombre de unos treinta años estaba sentado a una de las largas mesas, escribiendo en un ordenador portátil. La mesa estaba cubierta con archivos, hojas de papel y documentos.

Angela dejó la caja sobre la mesa.

—Seguro que usted no sabía que hubiese tanto material histórico sobre las alcachofas.

—A mí ya me está bien —respondió el hombre, un escritor llamado Norman Stocker—. Mi contrato exige un manuscrito de cincuenta mil palabras.

—No sé mucho del negocio editorial, pero ¿acaso alguien querrá leer tanto acerca de las alcachofas?

—Eso cree mi editor. Estos libros históricos monotemáticos sobre las cosas más comunes están de moda en el mundo editorial. Bacalao. Sal. Tomates. Setas. Lo que usted quiera. El truco es mostrar cómo un tema determinado cambió al mundo y salvó a la humanidad. Pero ha de mezclarse con un poco de sexo.

—¿Alcachofas sexys?

Stocker abrió una carpeta que contenía copias de viejos manuscritos.

—Europa en el siglo dieciséis. Solo a los hombres se les permitía comer alcachofas porque se consideraba que aumentaban la potencia sexual. —Abrió otra carpeta y sacó una fotografía de una hermosa joven rubia con un traje de baño—. Marilyn Monroe. Mil novecientos cuarenta y siete. La primera Reina del Alcachofa en California.

Angela sacó la caja del carro y la dejó en la mesa. Se apartó del rostro un largo mechón de pelo rubio.

—No veo la hora de ir al estreno de *Alcachofa: la película*.

—Le conseguiré una entrada para el estreno en Hollywood.

Angela sonrió y dijo a Stocker que le avisase cuando quisiera que retirase los archivos. Stocker abrió el cajón y rebuscó en el contenido.

Escribir libros sobre productos alimenticios no habría sido su primera elección, pero la paga no estaba mal, el trabajo podía acabar siendo interesante y los libros le servían para promocionarse. Mientras escribiese, no tendría que dar clases para pagar las facturas. Era algo que había interiorizado, y las alcachofas eran mejor que los kumquat.

Stocker había ido a la Sociedad Filosófica Americana en busca de aquellas oscuras anécdotas que podían dar un poco de gracia a un tema tan árido. El edificio de estilo georgiano estaba a la vuelta de la esquina de Independence Hall y la biblioteca contaba con una de las colecciones de manuscritos sobre muchas disciplinas científicas de 1500 al presente más grandes del país.

La institución había sido fundada en 1745 por un científico aficionado llamado Benjamin Franklin. Franklin y sus amigos querían hacer de Estados Unidos una nación independiente en los campos de la fabricación, el transporte y la agricultura. Entre los primeros miembros de la sociedad figuraban médicos, abogados, clérigos y artesanos, además de los presidentes Jefferson y Washington.

Stocker estaba buscando dentro del cajón cuando sus dedos tocaron una superficie dura. Sacó un sobre que contenía una caja forrada en piel marrón y dorada. Dentro de esta había un grueso paquete de papel atado con una cinta negra que en algún momento había estado lacrada. El sello de cera se había roto. Desató la cinta y quitó la página blanca de cubierta para ver las palabras escritas en una caligrafía apretada que identificaba el contenido como un tratado sobre el cultivo de las alcachofas.

El texto no era más que un aburrido recitado de los tiempos de siembra, abono y cosecha, con algunas recetas dispersas entre las páginas. Una hoja de pergamino estaba marcada con varias equis, líneas onduladas y un montón de palabras escritas en un lenguaje desconocido. En el fondo del paquete había una gruesa hoja de cartón perforada con docenas de pequeños agujeros rectangulares.

La bibliotecaria pasaba en aquel momento junto a la mesa con una nueva carga de libros, y el escritor aprovechó para llamarla.

—¿Ha encontrado algo interesante en la última caja? —preguntó la joven.

—No sé si es interesante, pero desde luego es antiguo.

Angela observó la caja forrada en piel y luego pasó las páginas de arriba abajo. La letra le resultaba conocida. Se acercó a una estantería y volvió con un libro de la guerra de la Independencia. Lo abrió en la página donde había una foto de la Declaración de Independencia y sostuvo una de las hojas junto a la página. La similitud de la caligrafía apretada en ambas era notable.

—¿Ve algo? —preguntó Angela.

—La caligrafía es prácticamente idéntica —contestó Stocker.

—Debería serlo. Estos documentos fueron escritos por la misma persona.

—¿Jefferson? No puede ser.

—¿Por qué no? Jefferson era un terrateniente, un científico, y muy aficionado a llevar archivos. Mire aquí, en la esquina de la página de título. Estas letras pequeñas son TJ.

—¡Esto es fantástico! No hay mucho aquí que pueda interesar al lector medio, pero el hecho de que un documento de Jefferson sobre las alcachofas acabase con todas estas otras cosas es digno por lo menos de un par de párrafos.

Angela frunció el entrecejo.

—Ha debido de acabar aquí por error.

—¿Cómo alguien podría archivar mal un original de Jefferson?

—La sociedad tiene un sistema de archivos increíble. Pero tenemos casi ocho millones de manuscritos y más de trescientos mil volúmenes y periódicos encuadernados. Creo que alguien vio el título, no se dio cuenta de que él había escrito el tratado y lo metió con el resto del material de agricultura.

El escritor le pasó el diagrama.

—Esto estaba en el archivo, parece un jardín diseñado por un borracho.

La bibliotecaria miró el diagrama, luego cogió el cartón perforado y sostuvo ambos bajo la luz. Se le ocurrió una idea.

—Avíseme cuando haya terminado. Quiero asegurarme de que esto vaya con el resto del material de Jefferson.

Volvió a su mesa. Mientras trabajaba, miraba impaciente de vez en cuando a la mesa del escritor. Ya era casi la hora de cerrar cuando él se levantó, se desperezó y guardó el portátil en el maletín. La mujer se apresuró a acercarse.

—Lamento el desorden —se disculpó Stocker.

—No se preocupe. Yo me encargaré de todo.

La bibliotecaria esperó a que se marchasen los demás lectores y se llevó el archivo de Jefferson a la mesa. A la luz de la lámpara colocó el cartón sobre la primera página escrita. Letras sueltas aparecieron por los pequeños rectángulos.

Angela era un fanática de las palabras cruzadas y había leído muchos libros de códigos y claves. Estaba segura de que lo que tenía en la mano era una plantilla de cifrado. La plantilla se colocaba sobre una página en blanco. El mensaje se escribía en los agujeros letra a letra. Frases de aspecto inocente se redactaban incluyendo aquellas letras. La persona que lo recibía colocaría una plantilla idéntica sobre el mensaje y aparecerían las palabras.

Probó suerte en varias páginas, pero lo único que consiguió era algo ilegible. Sospechó que había otro nivel de cifrado que estaba más allá de su capacidad de aficionada. Volvió su atención al pergamino con las líneas onduladas y las equis. Miró las palabras que acompañaban a las curiosas marcas y luego buscó una página web en su ordenador. De vez en cuando utilizaba la página de búsqueda para hacer trampas y encontrar palabras muy poco usuales que se empleaban en los crucigramas.

Angela escribió las palabras del pergamino en la ventana de búsqueda de la página web y apretó la tecla de intro. No consiguió una traducción inmediata, pero la página la dirigió a la sección de lenguajes antiguos. Pidió de nuevo una traducción y esa vez el programa respondió con una respuesta que la dejó sorprendida e intrigada.

Puso en marcha la impresora y la imprimió, junto con los textos de Jefferson. Dejó las copias en su cajón, recogió los archivos originales y fue por el pasillo hasta el despacho de su supervisora.

La jefa de Angela era un mujer de mediada edad llamada Helen Woolsey. La miró desde la mesa y sonrió al ver a su joven protegida.

—¿Trabajando hasta tarde?

—No. Encontré algo curioso y creí que podría interesarte. —Le entregó el paquete. Angela le explicó su teoría sobre el presunto autor mientras su jefa leía los documentos.

La supervisora silbó por lo bajo.

—Me emociono solo con tocar algo que Jefferson tuvo en su mano. Este es un hallazgo increíble.

—Creo que lo es —afirmó Angela—. Tengo la idea de que Jefferson cifró un mensaje en estos documentos. Era un experto criptógrafo. Algunos sistemas que inventó se utilizaron décadas después de su muerte.

—Es obvio que se trataba de un texto delicado que no quería que se hiciese público.

—Hay más —dijo Angela. Le entregó la hoja que había descargado de la página web.

La bibliotecaria observó el documento un instante.

—¿Esa página web es fiable?

—Siempre me ha dado buen resultado.

La bibliotecaria dio varios golpecitos en el paquete con una de sus largas uñas.

—¿Tu amigo escritor sabe el significado de este material?

—Sabe que guarda relación con Jefferson —contestó Angela—. Pero cree que es lo que parece, un manual sobre el cultivo de alcachofas.

La bibliotecaria sacudió la cabeza.

—No es esta la primera vez que se extravían los documentos de Jefferson. Perdió algún material etnológico relacionado con los indios norteamericanos, y muchos de los documentos que legó a diversas instituciones se esfumaron sin más. ¿Se te ha ocurrido siquiera alguna sugerencia de lo que está aquí?

—Ni una sola. Se necesita un programa que descifre códigos y un experto en claves que sepa cómo usarlo. Tengo un amigo en la Agencia Nacional de Seguridad que quizá podría ayudarme.

—Fantástico —dijo la bibliotecaria—. Pero antes de que lo llames prefiero consultarlo con la junta de directores. Por el momento guardaremos el secreto del descubrimiento. Esto podría significar mucho para la sociedad si es auténtico, pero no deseo que pasemos vergüenza si resulta ser una falsificación.

Angela estaba de acuerdo con la necesidad de mantener el secreto, pero sospechaba que su jefa buscaba la oportunidad de adjudicarse todo el mérito si el material resultaba ser una bomba histórica. La bibliotecaria no era la única que albergaba ambiciones. Angela no quería ser una ayudante durante el resto de su vida.

—Haré todo lo posible para respetar el aparente deseo de discreción del señor Jefferson.

—Muy bien —dijo la supervisora. Abrió un cajón de la mesa, guardó el archivo en el interior y cerró el cajón—. Esto queda guardado aquí bajo llave hasta que pueda hablar con la junta. Si recibimos el visto bueno, me ocuparé de que se te atribuya el mérito del hallazgo, por supuesto.

«Por supuesto —pensó Angela—. Aprovecharás toda la fama a menos que sea un fraude, y si es así, seré yo quien cargue con la culpa.»

La sonrisa de Angela disimuló sus sediciosos pensamientos. Se levantó.

—Gracias, Helen.

La bibliotecaria sonrió y volvió a su trabajo. La conversación había concluido. Mientras Angela le daba las buenas noches y salía, la supervisorta abrió de nuevo el cajón y sacó el archivo. Buscó en su agenda un número de teléfono. Se sintió excitada mientras lo marcaba. Era la primera vez que lo utilizaba. El número se lo había dado un miembro de la junta de directores, ya fallecido, que había reconocido su ambición y le había preguntado si quería ocuparse de un trabajo que él ya no podía hacer debido a su mala salud. Trabajaría para un excéntrico individuo que estaba fascinado por ciertos temas. Ella solo debía mantener los ojos y los oídos abiertos si escuchaba hablar de esos temas, y entonces tendría que hacer una llamada.

El pago era muy generoso por no hacer casi nada, y había empleado el dinero para arreglar su apartamento y comprarse un BMW de segunda mano. Le complacía poder ganarse por fin la paga. Se llevó una desilusión al escuchar el mensaje del contestador automático. Hizo un breve resumen del hallazgo del documento de Jefferson y colgó. Por un momento se asustó al darse cuenta de que la llamada podía acabar con sus servicios con su desconocido empleador. Pero tras un momento de reflexión se dijo con una sonrisa que el archivo de Jefferson podría significar para ella una nueva y lucrativa carrera.

No se habría sentido tan contenta de haber sabido que su llamada podía tener una repercusión letal. Ni tampoco de haber sabido que en otra parte del edificio de la Sociedad Filosófica Americana, su ayudante estaba sentada a su mesa haciendo su propia llamada.

14

Un oficial del *Ocean Adventure* que también era asistente técnico sanitario estaba vendando el tórax a Austin cuando se abrió la puerta de la enfermería y el capitán Lange entró del brazo de Carina.

—Encontré a esta joven dama vagando por el barco —dijo Lange a Austin, que estaba sentado en la camilla—. Dice que un caballero de resplandeciente armadura le salvó la vida.

—Mi armadura tiene algunas abolladuras —manifestó Austin. Además del roce de la bala en el costado, su rostro estaba cubierto de moretones y tenía los nudillos pelados del roce contra el casco cuando había tropezado por la escalerilla del práctico.

—Lamento mucho sus heridas —manifestó Carina.

También el rostro de la joven mostraba las huellas donde el tripulante llamado Juan le había dado un puñetazo. Incluso con la barbilla hinchada, Carina era toda una belleza. Delgada, de piernas largas y un físico que hacía volver la cabeza de los hombres. Su tez de un moreno claro resaltaba el azul brillante de los ojos debajo de unas cejas perfectas. Llevaba recogido en una coleta el pelo negro largo hasta los hombros.

—Gracias —dijo Austin—, no es más que un rasguño. La bala solo me rozó. Me preocupa más usted.

—Es muy amable. Me puse una compresa fría en la barbilla y eso redujo la hinchazón. Tengo pequeñas heridas en el interior de la boca, pero mis dientes están intactos.

—No sabe cuánto me alegro. Necesitará de todos sus dientes cuando cenemos juntos.

Carina le dedicó una sonrisa un tanto torcida.

—Aún no hemos sido presentados formalmente, señor Austin.

Austin le tendió la mano.

—Por favor, llámeme Kurt, señorita Mechadi.

—Muy bien, Kart. Llámeme Carina. ¿Cómo es que sabe mi nombre?

—Este caballero que está haciendo un excelente trabajo remendándome me comentó que es una pasajera, y que trabaja para Naciones Unidas. Más allá de estos escuetos detalles, es usted un misterio, Carina.

—No hay ningún misterio. Soy investigadora de la UNESCO. Mi trabajo es seguir la pista a las antigüedades robadas. Si alguien es un misterio, ese es Kurt Austin. Es usted quien surgió del mar como Neptuno y salvó al barco y la plataforma petrolífera, además de rescatarme.

—El capitán es quien merece los laureles. Desvió el barco de la plataforma. De haber estado yo al timón, todos estaríamos quitándonos petróleo de los dientes.

—Kurt es demasiado modesto —intervino Lange—. Nos liberó a mí y a mi tripulación. Mientras yo pilotaba el barco, él luchó con los dos asaltantes y salvó una pieza de su carga.

El rostro de Carina se iluminó de contento.

—¿Salvó *El Navegante*?

Austin asintió.

—Hay un gran objeto envuelto en lona en la cubierta. Quizá sea su estatua.

—Haré que la lleven de inmediato a un lugar seguro —dijo Lange. Llamó al puente y ordenó al primer oficial que reuniese a un grupo de trabajo.

El segundo le informó de que una embarcación de la guardia costera estaba de camino y de que los representantes de los propietarios volaban hacia el lugar. El capitán se excusó y el enfermero se marchó con él después de dar a Austin unos calmantes.

—Me pica la curiosidad —dijo Austin—. ¿Qué tiene de especial *El Navegante*?

—Eso es lo más curioso —respondió Carina con el entrecejo fruncido—. La estatua no tiene demasiado valor y quizá incluso sea una falsificación.

—En ese caso, hablemos de cosas de las que sabemos. Como nuestra cita para cenar.

—¿Cómo podría olvidar su inesperada invitación, sobre todo después de su súbita aparición? Pero primero dígame de dónde demonios llegó.

—No de esta tierra. Del mar. Estaba cerca... capturando icebergs.

Carina miró los anchos hombros de Austin. No habría mostrado sorpresa si le hubiese dicho que estaba luchando contra los icebergs. Supuso que bromeaba hasta que él le explicó lo que había estado haciendo a bordo del *Leif Eriksson*.

La joven había conocido a docenas de hombres memorables en el curso de sus viajes por el mundo. Pero Austin era de verdad único. Había arriesgado su vida para salvar a centenares de personas y propiedades que valían millones de dólares, luchado contra los asaltantes e incluso matado a uno de ellos para recatarla. Y estaba allí ligando como un impetuoso colegial. Su mirada recorrió el fuerte y bronceado cuerpo. Por el aspecto de las pálidas cicatrices que marcaban su piel broncínea, esa no era la primera vez que se había puesto en peligro y pagado por ello.

Carina tendió una mano para tocar una cicatriz circular en el abultado bíceps derecho de Austin. Iba a preguntarle si era una herida de bala, pero, entonces, se abrió la puerta y un hombre moreno y delgado entró en la enfermería.

Los ojos de Joe Zavala se abrieron por la sorpresa, y luego sus labios se curvaron en su característica media sonrisa. Había oído que a Austin le estaban curando las heridas. Nadie le había hablado de aquella preciosa joven que parecía estar acariciando el brazo de su amigo.

—Solo he venido para ver qué tal estás —dijo Zavala—. Por lo que se ve, lo estás haciendo muy bien.

—Carina, este caballero es Joe Zavala, mi amigo y colega. Ambos trabajamos para la Nacional Underwater and Marine Agency. Joe pilotaba la embarcación que me llevó hasta el barco. No se asuste por su aspecto de pirata. Es del todo inofensivo.

—Es un placer conocerla, Carina. —Zavala señaló el vendaje de Austin—. ¿Estás bien? Los dos parecéis un poco machacados.

—Sí, somos todo una pareja —dijo Carina. Se ruborizó ante la connotación de su comentario y apartó la mano del brazo de Austin.

Kurt acudió en su auxilio y llevó la conversación de nuevo a su persona.

—Me duelen un poco en las costillas. Tengo unos cuantos moretones, y rasguños en otras partes del cuerpo.

—Nada que un par de tragos de tequila no puedan solucionar —afirmó Zavala.

—Veo que está en buenas manos —manifestó Carina—. Si no le importa iré a ver que está haciendo la tripulación con mi estatua. Gracias de nuevo por todo lo que ha hecho.

Zavala miró la puerta después de que se hubo cerrado detrás de Carina y soltó una tremenda carcajada que era poco habitual para su discreción.

—Solo Kurt Austin podría encontrar a un ángel como la señorita Mechadi en el callejón de los Icebergs. Y después me llaman a mí Romeo.

Austin puso los ojos en blanco. Se bajó de la camilla, se puso una camisa azul de trabajo que le habían prestado y se la abrochó.

—¿Qué tal el capitán Dawe?

—Ha llegado al final de su repertorio de chistes y ha comenzado a reciclar los viejos.

—Lamento saberlo, compañero.

—Dice que permanecerá aquí un día más, pero que luego debe ir a perseguir a Moby-Berg. Así que todavía no estás a salvo.

—¿Cómo es que has subido a bordo? Si mal no recuerdo la escalerilla del práctico estaba cortada.

—Tenían una de recambio. Lo pasaste muy mal subiendo. ¿Qué pasó?

—Te contaré toda la sórdida historia mientras tomamos un café.

Fueron al comedor, donde se sirvieron dos tazas de café y devoraron un par de sándwiches de pastrami. Austin comenzó por la aventura de subir al *Ocean Adventure*, y siguió con un relato detallado de sus proezas en el portacontenedores.

—Alguien ha invertido un montón de dinero y tiempo para robar la estatua —comentó Zavala después de silbar por lo bajo.

—Eso parece. Hace falta mucho dinero para comprar helicópteros y organizar un asalto en el mar. Por no hablar de los contactos necesarios para poner a un par de topos a bordo que diesen la bienvenida a los piratas.

—Podrían haberse limitado a robar la estatua y marcharse —señaló Zavala—. ¿Qué necesidad había de destruir el barco y la plataforma?

—Si hundían el barco, eliminaban las pruebas y los testigos. La plataforma no era más que un medio para conseguir un fin. Hay una cierta limpieza clínica. El mar lo reclama todo.

Zavala sacudió la cabeza.

—¿Qué mente sería capaz de tramar algo tan sangriento como eso?

—Una muy fría y calculadora. Los helicópteros debieron de venir de alguna otra plataforma flotante. Estamos al alcance del radio de vuelo de los helicópteros, pero la costa es bastante escarpada. No me los imagino volando una gran distancia con un gran peso colgado al extremo de una cuerda.

—Un ataque lanzado desde el agua a un blanco en movimiento tiene más sentido —admitió Zavala.

—Lo que significa que quizá estamos perdiendo el tiempo. Aún podrían estar en la zona.

—Por desgracia, no hay apoyo aéreo en este barco —comentó Zavala.

Austin ladeó la cabeza mientras pensaba.

—Recuerdo que el capitán Dawe dijo que un helicóptero venía camino de regreso a la plataforma. Veamos si ha llegado.

Se tragó un calmante con el último sorbo de café y salió del comedor. El capitán Lange le dio la bienvenida al puente. Austin pidió prestados unos prismáticos y miró hacia la plataforma. Vio al helicóptero posado.

—Este es un punto de observación muy ventajoso —dijo Austin—. ¿Vio en qué dirección volaron los asaltantes?

—Desafortunadamente no. Todo ocurrió muy rápido. —El rostro de Lange enrojeció de furia al recordarlo.

—¿Qué sabe de los dos tripulantes filipinos que trabajaban con los asaltantes?

—Fueron contratados por el sistema habitual. No había nada en sus antecedentes que indicase que fuesen unos malhechores.

—Es posible que los hombres que subieron a bordo no fuesen los verdaderos propietarios de los documentos —señaló Zavala.

—¿A qué se refiere?

—Bien pudieron robar los documentos a los verdaderos tripulantes o haberlos matado —añadió Zavala.

—En ese caso, podremos agregar otros dos asesinatos a la lista de crímenes de esa pandilla —manifestó Austin.

El capitán maldijo por lo bajo en su idioma nativo.

—¿Saben?, a veces cuando estás aquí arriba, comandando este gran barco a través del océano, te sientes como el rey Neptuno. —Movió los carrillos—. Entonces ocurre algo como esto y te das cuenta de lo impotente que eres. Prefiero mucho más enfrentarme al mar que a los monstruos de mi propia especie.

Austin sabía por experiencia propia de qué hablaba el capitán, pero tendrían que posponer su debate filosófico para mejor ocasión.

—Me pregunto si no le importaría ponerse en contacto con la gente de la plataforma —dijo. Habló al capitán de lo que Zavala y él tenían en mente.

Lange llamó por radio de inmediato. Los jefes de la plataforma titubearon en un primer momento en decidir el envío del helicóptero, pero cambiaron de opinión en cuanto Lange les dijo que la petición la formulaba el hombre que había salvado la plataforma y a su tripulación.

Veinte minutos más tarde, el helicóptero despegó de la plataforma y voló la corta distancia hasta el portacontenedores. El aparato se posó en la cubierta de proa. Austin y Zavala corrieron agachados por debajo de los rotores de movimiento. El helicóptero despegó un segundo más tarde. Apenas había acabado de colocarse los auriculares cuando el piloto preguntó:

—¿Adónde vamos, caballeros?

Los asaltantes llevaban una gran ventaja, y eso significaba que era poco probable que estuviesen en algún lugar cercano al barco. Austin pidió al piloto, que se llamaba Riley, que fuese en cualquier dirección en un radio de cinco millas, y después comenzase a volar en una espiral cada vez más grande con el barco como centro.

Riley levantó el pulgar y llevó al helicóptero en dirección oeste a una velocidad de unos ciento sesenta kilómetros por hora.

—¿Qué buscamos? —preguntó Riley.

—Cualquier cosa lo bastante grande para recibir a dos helicópteros —respondió Austin.

Riley levantó otra vez el pulgar.

—Comprendido.

Al cabo de unos minutos viró para iniciar la espiral. La niebla se había despejado y la visibilidad era entre dos y tres millas. Vieron un puñado de barcos pesqueros y grandes montañas de hielo, incluida una que bien podía haber sido Moby-Berg. El único buque grande era un carguero, pero la cubierta era demasiado pequeña para acoger a dos helicópteros y estaba obstruida por las grúas, que habrían hecho el despegue y el aterrizaje imposibles.

Austin pidió al piloto que realizase otras dos vueltas. En la segunda, vieron un gran navío recortado contra el resplandor del océano.

—Un transporte de minerales —dijo Zavala desde el asiento trasero.

El helicóptero bajó a una altura de unos pocos centenares de metros y se puso a la par del barco de casco negro. Las escotillas rectangulares que cubrían las bodegas estaban repartidas regularmente en la larga cubierta entre la superestructura en la popa y la alta proa en el otro extremo.

—¿Qué le parece? —preguntó Austin al piloto.

—Demonios. Sería muy fácil aterrizar con un helicóptero en esa cubierta —dijo Riley—. Es como un portaaviones.

—Si quieres esconder algo, hay lugar más que suficiente en esas bodegas —añadió Zavala.

—Solo habría que modificar unas pocas cosas —manifestó Riley—. Nada importante.

Austin pidió al piloto que comprobase el nombre del barco.

El helicóptero voló sobre la estela de la nave, para tener una visión clara de las grandes letras blancas en el espejo de popa: *SEA KING*.

El barco estaba registrado en Nicosia, Chipre. Había un logo de lo que parecía la cabeza de un toro junto al nombre.

Austin había visto suficiente.

—Volvamos a casa.

El helicóptero viró y el barco se perdió en la bruma.

A medida que el ruido de los rotores se alejaba, unos ojos redondos y claros miraron desde el puente hasta que el helicóptero se redujo al tamaño de un mosquito. Adriano bajó los prismáticos con una tensa sonrisa en los labios. El helicóptero se había acercado lo suficiente para permitirle ver un rostro en la ventanilla de la cabina.

El cazador se había convertido en la presa.

En el momento en que el helicóptero se acercaba al portacontenedores vieron una embarcación de la guardia costera, anclada un poco más allá. El piloto aterrizó en la cubierta del *Adventure*. Cuando Austin y Zavala bajaron del aparato, el capitán Lange los esperaba. Dijo que estaba a bordo un equipo de investigadores de los guardacostas para interrogar a los testigos.

Austin se movía por pura voluntad nerviosa. Tenía el cerebro fundido. Le dolían los costados del tórax. Lo que menos le apetecía era tener que soportar un tedioso interrogatorio. Dormir el máximo de horas sería preferible. Sabía que la guardia costera daría una nueva perspectiva a los enloquecidos acontecimientos del día, pero en aquel preciso momento estaba agotado.

El teniente de los guardacostas que dirigía la investigación en la sala de descanso era un hombre práctico y eficaz. Tomó las declaraciones de Austin y los demás, y dijo que ya seguiría con el resto de la tripulación. Austin debía de haber hecho algún gesto de dolor más de una vez porque el teniente le sugirió que se hiciese tratar la herida en un hospital. El capitán añadió que el helicóptero podía llevarlo a tierra firme por la mañana.

Carina preguntó si podía acompañarlo. Dijo que quería asistir a una recepción en Washington al día siguiente y que no le preocupaba la seguridad de la carga con un navío de la guardia costera escoltando al barco. Zavala quería marcharse para continuar con la preparación de su viaje a Estambul. Austin llamó al capitán Dawe y le dijo que tendría que disculparlos de la caza del Moby-Berg.

—Me desilusiona —respondió Dawe—; tenía preparados unos cuantos chistes nuevos para cuando volviesen.

—No puedo esperar —declaró Austin.

15

Viktor Baltazar había escuchado en silencio cuando Adriano le explicaba el fallido secuestro. El mal humor le iba en aumento a medida que escuchaba cada detalle del fracasado intento de robar la estatua fenicia. Si bien no mostró ninguna manifestación exterior de su furia excepto por los latidos de una vena en la frente, la cólera de Baltazar era como la lava en un volcán a punto de entrar en erupción. Cuando Adriano le dijo que el barco que transportaba mineral había sido perseguido por un helicóptero donde viajaba el mismo hombre de pelo blanco que había evitado el robo de la estatua, Baltazar no pudo aguantar más.

—Suficiente —gruñó.

Baltazar apretó el móvil en el guantelete, los gruesos dedos de acero se cerraron como una prensa hasta que sintió el satisfactorio crujido del plástico y el metal. Arrojó el móvil destrozado a un mozo que sujetaba las riendas de un enorme corcel gris. Cogió el yelmo de acero de manos del escudero y se lo colocó sobre el acolchado sujeto a la cabeza.

Con su robusto físico encerrado en una resplandeciente armadura de pies a cabeza, Baltazar se parecía a un enorme autómata sacado de una película de ciencia ficción. No obstante era mucho más ágil que cualquier monstruo metálico. Vestido con la armadura que pesaba treinta y cinco kilos montó sin ayuda en la silla de respaldo alto.

El escudero le entregó la lanza de madera de cinco metros

de largo. Era una lanza de cortesía porque tenía la punta de acero roma que la distinguía de una puntiaguda lanza de guerra, pero así y todo el arma podía ser letal cuando era propulsada por la fuerza y el poder del gran caballo belga. Baltazar había criado al animal de una larga descendencia de grandes corceles que eran conocidos con el nombre de *destriers* en tiempos medievales. El animal doblaba en tamaño a un equino normal, y pesaba más de una tonelada sin contar el peso de las protecciones,

Baltazar apoyó la lanza sobre el grueso y arqueado cuello. El ayudante le entregó un escudo terminado en punta por abajo. La cabeza de un toro aparecía dibujada en negro sobre el fondo blanco. El mismo dibujo decoraba la túnica del jinete y la tela que cubría el cuerpo del caballo.

Con la lanza en ristre, Baltazar se inclinó hacia delante hasta que pudo ver por el *occularium*, la estrecha hendidura horizontal del yelmo a la altura de los ojos. A su izquierda había una barrera baja. Al otro lado de la barrera, en su extremo más apartado, esperaba un jinete con armadura montado en otro enorme corcel.

Baltazar había escogido al hombre de entre sus tropas mercenarias. Su oponente en la justa de práctica tenía un físico robusto y era un experto jinete.

Lo mismo que el compañero de entrenamiento de un boxeador profesional, le tocaba perder en las justas con su patrón. Se le pagaba una gratificación para compensar los golpes y los moretones. Por lo general. Baltazar no maltrataba a su oponente, no porque fuese un gesto de deportividad sino porque no quería tomarse la molestia de entrenar a un nuevo caballero de práctica. Pero después de haberse enterado del fracaso del robo, lo dominaba un humor asesino.

Miró a su inocente rival con los ojos inyectados en sangre. Se había contenido de descargar su tremenda ira en Adriano. El joven español al que había librado de una acusación de asesinato era del todo leal. A pesar del tamaño y la fuerza de

Adriano, el sicario era en algunos aspectos tan delicado como un reloj de precisión. Cualquier reproche o amenaza le habría provocado una profunda depresión, algo que quizá lo habría empujado a buscar remedio en una autodestructiva y torpe matanza.

Baltazar apretó las mandíbulas y sujetó con fuerza la lanza. Un heraldo vestido con un colorido traje medieval se llevó una trompeta a los labios y tocó una única nota. La señal de cargar. Baltazar levantó la lanza y clavó las largas espuelas de oro en los flancos del caballo.

El enorme animal hundió los cascos en el fango y se movió con un paso engañoso y relajado. El suave trote facilitaba al jinete la acción con la lanza que apuntaba a la izquierda en un ángulo de treinta grados. Cada hombre mantenía la cabeza sesenta centímetros por encima de la barrera y la mano derecha a un metro. El brazo izquierdo estaba protegida por el escudo alzado.

Los caballos aceleraron con un retumbe de los cascos. Los caballeros chocaron a medio camino. El oponente fue el primero en acertar. La lanza golpeó en el centro del escudo de Baltazar. El diseño del escudo permitía que la cabeza de la lanza se deslizase, disminuyendo la fuerza del impacto, pero el mástil se partió incluso antes de desviarse a un costado. La lanza de Baltazar encontró su marca segundos más tarde, la punta roma chocó contra el hombro izquierdo del rival.

A diferencia del arma del oponente, la lanza de Baltazar continuó intacta, y el golpe llevaba la fuerza de un ariete.

El impulso del caballo y el jinete en movimiento concentrados en un único punto arrancó al caballero de los estribos. Chocó contra el suelo con el sonido de una pila de chatarra que se desmorona.

Baltazar dio la vuelta con el caballo y arrojó la lanza a un lado. Se apeó de la montura y desenvainó la espada. El cuerpo de su rival estaba tumbado de espaldas, retorcido en un ángulo antinatural. Sin hacer caso de los gemidos de dolor, se puso sobre el hombre con las piernas separadas y levantó la espada en alto con las dos manos. La punta apuntaba hacia abajo. Disfrutó del momento y después clavó la espada en el suelo a unos centímetros del cuello del hombre.

Con una exclamación de disgusto, dejó la espada clavada en el suelo y se alejó hacia una tienda donde en la tela se repetía el diseño de la cabeza de toro. El equipo médico que había estado de guardia se apresuró para ir en socorro del caballero herido.

El escudero ayudó a Baltazar a quitarse la armadura. Debajo de la cota de malla vestía un chaleco de Kevlar. Su rival había llevado el tradicional jubón de nudillos acolchado que ofrecía muy poca protección. A Baltazar siempre le gustaba tener la ventaja. Su lanza llevaba una médula metálica que impedía que se rompiese como la lanza de madera del otro caballero.

Baltazar se sentó al volante de un descapotable Bentley GTC rojo oscuro y se alejó del campo de torneos. Aceleró el motor de doce cilindros y doble turbo de cero a noventa kilómetros en menos de cinco segundos. El coche podía llegar a los trescientos veinte kilómetros por hora, pero lo mantuvo a la mitad de esa velocidad. Siguió por la carretera a lo largo de tres kilómetros antes de desviarse por un camino particular que pasaba entre unos inmaculados prados para llegar a un enorme edificio de piedra de estilo español.

Aparcó el Bentley delante de la mansión y fue hasta la puerta principal. Una casa tan grande como aquella habría necesitado de una numerosa servidumbre, pero solo empleaba a un único sirviente, un mayordomo de máxima confianza que también era un excelente cocinero. Baltazar ocupaba unas pocas habitaciones Si necesitaba que se hiciesen tareas domésticas, llamaba a los miembros de su ejército privado, que vivían en un cuartel cercano cuando no estaban vigilando los terrenos de la enorme finca.

El mayordomo lo recibió en la puerta. Pese a su aspecto inofensivo, era un maestro de artes marciales y guardaespaldas experto en el manejo de las armas. Baltazar fue hasta la piscina y se desnudó. Nadó ochocientos metros en la piscina olímpica y después se metió en el jacuzzi, dejando que la furia saliese por sus poros. Tras el baño, se puso un albornoz con capucha blanco similar a los que vestían los monjes.

Incluso vestido con la holgada prenda, su aspecto era imponente. El albornoz ocultaba los musculosos brazos y piernas, pero no había manera de disimular los anchos hombros. La cabeza parecía haber sido esculpida en granito que, por algún milagro de la alquimia, se había transformado en carne y sangre.

Dijo a su mayordomo que no debía molestarlo y se encerró en la galería de retratos. Las paredes de la enorme estancia estaban cubiertas por imágenes de sus antepasados que se remontaban a centenares de años. Baltazar se sirvió una copa de coñac, hizo girar el licor y bebió un sorbo. Dejó la copa a un lado y se acercó a un retrato al óleo del siglo XVIII de una joven matrona, que estaba en la pared cerca de la gigantesca chimenea de piedra. Acercó el rostro al retrato hasta que los ojos quedaron a nivel y colocó las manos en los paneles de madera tallados a cada lado de la pintura.

Los diminutos sensores instalados detrás de los ojos de la matrona fotografiaron las retinas y las compararon con las guardadas en la base de datos. Unos escáneres en los paneles compararon las huellas de manos y las digitales Se escuchó un suave chasquido y una parte de la pared se deslizó para dejar a la vista una escalera.

Bajó la escalera y llegó a una puerta de acero que se abría con un teclado electrónico. Al otro lado de la puerta había una sala con armarios de cristal. Los armarios herméticos tenían la temperatura y la humedad controlada para proteger los centenares de gruesos volúmenes ordenados por fechas.

Los libros contenían la historia de la familia Baltazar que se remontaba a más de dos mil años atrás. Las crónicas hablaban del origen de la familia en Palestina, su traslado a la isla de

Chipre, donde habían prosperado como constructores de barcos. La familia había suministrado las embarcaciones para la Cuarta Cruzada. En el sangriento saqueo de Constantinopla habían robado todo el oro que pudieron cargar en sus naves.

Tras el saqueo, la familia ligó su fortuna a los cruzados. Fueron a Europa occidental y se unieron a un grupo que utilizó el oro robado para crear un imperio minero. Desde entonces, cada nacimiento, muerte, y casamiento, que se remontaban a la llegada a Chipre, había sido registrado. Los tratos comerciales. Los feudos. Los diarios. Cada detalle, no importaba lo sórdido, vergonzoso, o criminal que fuese, estaba anotado entre las tapas de los volúmenes con grabados de oro.

Baltazar había leído hasta la última palabra de cada libro, y era la relación con los cruzados lo que había despertado su interés por las justas y todo lo vinculado a la caballería. Una pantalla táctil en la pared se utilizaba para hacer entradas y servir como guía de referencia.

Había un ídolo de piedra sobre una peana en el centro de la sala. Era la figura de un hombre, con las manos abiertas, los brazos flexionados un tanto hacia abajo, como si estuviese esperando que le cargasen algo. El rostro era redondo y barbado, y los labios se separaban en una sonrisa que le faltaba muy poco para ser una mueca. Dos cuernos sobresalían de la frente. El dios Ba'al merecía un lugar particular porque había dado su nombre a la familia Baltazar, que había buscado su favor y solicitado su protección para que vigilase su fortuna desde el primer momento.

El ídolo había sido utilizado para indescriptibles ritos de sacrificios humanos. En origen había estado colocado en el borde de un pozo en llamas. Los pies de piedra aún se veían ennegrecidos por el humo y el calor. En momentos difíciles, los sacerdotes de Ba'al sacrificaban a los niños, colocándolos en los brazos del ídolo desde donde rodaban para acabar en las llamas. En lugar de una hoguera el espacio delante del ídolo estaba ocupado por un altar. Sobre el altar había un cofre de madera oscura decorado con docenas de gemas preciosas.

Baltazar levantó la tapa y sacó del interior otro más pequeño y sencillo. Dentro de este último había varias hojas de pergamino que colocó en el altar. Su padre le había mostrado el contenido cuando la base de operaciones de la familia había sido Europa. Los manuscritos relataban la historia de los Baltazar antes de que escapasen de Chipre. Pero no había sido hasta la mayoría de edad y cuando había estudiado arameo que fue capaz de comprender los oscuros secretos que los habían enviado al exilio.

Mientras leía las instrucciones dejadas por sus antepasados sintió el peso de los siglos sobre sus hombros. Después de un momento guardó los pergaminos en los receptáculos gemelos y cerró la tapa.

Alzó la mirada de sus ojos casi incoloros y vio la mirada ebria de Ba'al. Fue como si el antiguo dios le mirase a las profundidades del alma. El poder parecía emanar de la estatua y entrar en el cuerpo de Baltazar. Bebió las invisibles emanaciones como un sediento peregrino hasta que creyó que iba a reventar.

Corrió la puerta y subió de nuevo la escalera para volver a su despacho. Aún sacudido por la experiencia, se acabó el coñac para calmar los nervios. Luego cogió el teléfono. Marcó un número, y su llamada fue retransmitida a Adriano a través de una serie de conexiones destinadas a ocultar el origen.

Ansiaba conocer los detalles del robo fracasado. Quería saber la identidad del hombre que había frustrado sus planes. Quienquiera que hubiera sido recibiría el mismo destino de otros muchos centenares que habían provocado la ira de los Baltazar: la promesa de una larga y dolorosa muerte.

16

Para ser un organismo gubernamental supersecreto, la Agencia Nacional de Seguridad es del todo visible para el mundo en general. El cuartel general de la ANS está en Fort Meade, Maryland, entre Baltimore y Washington, en dos edificios de pisos, con la fachada de cristal azul negro, como si hubiesen sido creadas por un cubista en un día deprimido.

Los edificios de oficinas son una ilusión. Las estructuras representan solo una parte de gran complejo que se dice que ocupa una hectárea y media de instalaciones bajo suelo. La ANS es quien tiene en plantilla al mayor número de matemáticos de Estados Unidos y quizá del mundo, y entre los veinte mil o más empleados de la agencia están los mejores expertos criptoanalistas del país.

Angela Worth, la bibliotecaria adjunta de la Sociedad Filosófica Americana, pasó por delante del complejo de la ANS y entró en el aparcamiento del Museo Nacional de Criptografía. Se había levantado muy temprano, había llamado para decir que estaba enferma y había salido de Filadelfia en dirección sur. Encontró una plaza de aparcamiento, recogió un viejo maletín del asiento del pasajero y fue hacia la puerta principal del museo.

Preguntó a la recepcionista en el vestíbulo si podía ver a D. Grover Harris. Unos minutos más tarde, se presentó un joven muy delgado vestido con vaqueros. Estrechó la mano de Angela.

—Hola, Angela —dijo con una gran sonrisa—. Es muy amable de tu parte haber venido hasta aquí.

—Ningún problema, Deeg. Gracias por recibirme.

Angela había conocido a Deeg en una convención de aficionados a los crucigramas. Se habían caído bien de inmediato. Ambos eran unos fanáticos. Deeg era agradable, apuesto y muy inteligente. Como Angela, estaba en los primeros peldaños de la escalera institucional. La llevó a su atestado despacho y le acercó una silla. El espacio era poco mayor que un armario, y confirmaba el bajo estatus de Harris en la cadena alimentaria de la entidad.

Harris se sentó detrás de una mesa cubierta de papeles que habría sido considerada como una trampa mortal en caso de incendio por cualquier inspector competente.

—Parecías muy alterada cuando hablamos por teléfono. ¿Qué está pasando?

Angela abrió el maletín. Sacó las copias del archivo de Jefferson y se las dio a Harris sin comentarios. Él echó una ojeada a las páginas y encontró la plantilla perforada al fondo de la pila. La sostuvo a la luz, y luego colocó la plantilla sobre una página.

—Esto no será una plantilla de cifrado ¿verdad?

—Esperaba que tú me lo dijeras —respondió Angela—. Tú eres el experto en códigos y claves.

—Solo soy un aspirante a experto que ha asistido a algunos cursos en la Escuela Nacional de Criptografía.

—A mí ya me basta —dijo Angela. La escuela de ANS formaba en análisis de criptografía a personas de todos los departamentos gubernamentales.

—No te vendas tan barato. Tú eres la que ha encontrado esto —afirmó Deeg—. ¿Qué puedes decirme al respecto?

—Creo que lo archivaron mal por error. Tendría que haber ido con los archivos de Thomas Jefferson.

Deeg se irguió en la silla.

—¿Jefferson?

—Ajá. Estoy segura de que la escritura es suya. La he comparado con la Declaración y hay una pequeña TJ en la esquina inferior derecha de la página de cubierta.

Él levantó la página y soltó un silbido silencioso.

—Jefferson. Eso tiene sentido.

—Me alegra que lo digas —manifestó Angela con un suspiro de alivio—. Me preocupaba hacerte perder el tiempo.

—¡Demonios, no! —Harris sacudió la cabeza—. La mayoría no sabe que Jefferson era un gran criptólogo. Utilizaba textos cifrados para comunicarse con James Madison y otras personalidades del gobierno. Se hizo un experto en códigos y claves cuando era embajador en Francia. —Se levantó de la silla—. Ven, te mostraré una cosa.

La llevó a una de las salas, se detuvo delante de una vitrina donde había un cilindro de madera montado sobre un huso. El cilindro tenía unos cinco centímetros de diámetro y veinte centímetros de largo y estaba formado por una serie de discos. En los bordes de los discos había letras.

—Esto lo encontraron en una casa cerca de Monticello —explicó Harris—. Creemos que es una rueda de cifrado que Jefferson inventó cuando era secretario de Estado en Washington. Escribes el mensaje y haces girar los discos para mezclar las letras. La persona que recibe el mensaje lo descifra utilizando un aparato similar.

—Parece algo sacado de *El Código Da Vinci*.

Harris se rió.

—El viejo Leonardo se habría sentido fascinado por la siguiente evolución de la rueda de cifrado.

La llevó a otra vitrina donde había varios artilugios que parecían grandes máquinas de escribir. La muchacha leyó la placa.

—Máquinas de cifrado Enigma —dijo en voz alta con un brillo en los ojos—. He oído hablar de ellas.

—Fueron uno de los secretos mejor guardados de la Segunda Guerra Mundial. Estaban dispuestos a matar por conseguir uno de estos aparatos. No son más que versiones glorificadas de la rueda de cifrado de Jefferson. Estaba muy avanzado para su tiempo.

—Es una pena que no podamos utilizar uno de estos trastos para descifrar uno de sus escritos —dijo Angela.

—Quizá no sea necesario.

Volvieron al despacho de Harris, donde él se sentó de nuevo detrás de la mesa. Se echó hacia atrás en la silla y formó una pirámide con los dedos.

—¿Cómo te has metido en los códigos y claves? —preguntó.

—Soy buena en matemáticas. Hago las palabras cruzadas, y me gustan los acrósticos desde que era una niña. Mi pasión en los acertijos me llevó a leer libros sobre el tema. Es ahí donde me enteré de las plantillas de cifrado y el interés de Jefferson por las claves.

—La mitad de los criptólogos que hay en el mundo me habrían dado la misma respuesta —comentó Harris—. Fue ese interés el que te permitió intuir la posibilidad de un mensaje oculto en estas páginas.

La bibliotecaria se encogió de hombros.

—Algo me pareció curioso.

—Las cosas curiosas son las que tratamos normalmente en la ASN. Jefferson se habría sentido como en casa en la agencia.

—¿Dónde encaja su rueda de cifrado?

—No encaja. Jefferson abandonó las máquinas de cifrado al final de su carrera. Yo creo que solo utilizó la plantilla para crear un esteganógrafo y así ocultar que el escrito sobre las alcachofas contenía un mensaje secreto. Habría escrito el mensaje en las aberturas y construido frases a su alrededor.

—Me he fijado en que la sintaxis en el texto parece forzada e incluso extraña en algunas frases.

—Buena observación. Vamos a suponer que Jefferson lo utilizó como una capa de encubrimiento adicional. Primero, tendremos que copiar las letras que quedan a la vista en los agujeros de la plantilla.

Angela sacó una libreta del maletín y se la dio.

—Eso ya lo he hecho.

Harris miró las líneas de letras al parecer no relacionadas.

—¡Fantástico! Eso nos ahorrará mucho tiempo.

—¿Dónde empezamos?

—Unos dos mil años atrás.

—¿Perdón?

—Julio César utilizó un cifrado de sustitución para enviar un mensaje a Cicerón durante la guerra de las Galias. No hizo más que sustituir las letras griegas por romanas. Mejoró más adelante el sistema. Cogía el texto sencillo y creaba un alfabeto de cifrado cambiando las letras tres lugares. Colocas un alfabeto sobre el otro y puedes sustituir las letras de una fila por las de las otras.

—¿Es eso lo que tenemos aquí?

—No del todo. Los árabes descubrieron que si calculabas la frecuencia de la aparición de una letra en el lenguaje escrito, podías deducir el cifrado de sustitución. María, reina de los escoceses, perdió la cabeza después de que los descifradores de la reina Isabel de Inglaterra interceptasen los mensajes utilizados en el complot Babington. Jefferson desarrolló una variante de un sistema conocido como el método Vigenere.

—Que es una ampliación de la sustitución de César.

—Correcto. Creas una serie de alfabetos de cifrado cambiando un número equis de letras sobre cada una. Las colocas en filas para formar una matriz de Vigenere. Luego escribes una palabra clave varias veces en la parte superior de la matriz. Las letras en la palabra clave te ayudarán a ubicar las letras en la palabra cifrada, algo así como los puntos en un gráfico.

—Eso significa que las letras en un texto sencillo estarían representadas por letras diferentes.

—Esa es la belleza del sistema. Evita el uso de las tablas de secuencia de letras.

Harris se volvió hacia el ordenador y, después de escribir a toda velocidad durante varios minutos, creó columnas de letras dispuestas en un formato rectangular.

—Esta es la matriz estándar de Vigenere. Solo hay un problema. No sabemos la palabra clave.

—¿Qué te parece utilizar «alcachofas»?

Harris se echó a reír.

—¿*La carta robada* de Poe a plena vista? «Alcachofa» era la palabra clave que Jefferson y Meriwether Lewis utilizaron para descifrar el código que acordaron para la expedición por el territorio de Luisiana.

Escribió la palabra «alcachofa» varias veces en lo alto de la matriz e intentó descifrar el mensaje oculto en las letras copiadas en los huecos de la plantilla. Probó con el plural y sacudió la cabeza.

—Quizá esto es demasiado obvio —señaló Angela. Probaron con Adams, Washington, Franklin e Independencia, todos con el mismo decepcionante resultado.

—Podríamos pasarnos todo el día haciendo esto —dijo Angela.

—En realidad podríamos pasarnos décadas. La palabra clave ni siquiera necesita tener sentido.

—¿Así que no hay manera de resolver una clave Vigenere?

—Se puede resolver cualquier código. El Vigenere fue abierto en el siglo diecinueve por un tipo llamado Babbage, un genio que ha sido llamado el padre de los ordenadores. Su sistema buscaba secuencias de letras. Una vez que las tenía, podía deducir la palabra clave. Algo que supera mis habilidades. Por fortuna, estamos a un paso de los grandes descifradores de códigos del mundo.

—¿Conoces a alguien en la ANS?

—Llamaré a mi profesor.

El profesor estaba dando clase, así que Harris le dejó un mensaje. Con el permiso de Angela copió los documentos. Había estado tan atento al texto escrito que había prestado poca atención al dibujo.

Angela lo vio observar las líneas y las equis.

—Esa es otra parte del misterio —manifestó—. Al principio creí que se trataba del plano de un huerto. —Le dijo lo que ella había encontrado en la página web de lenguajes antiguos.

—Fascinante, pero por ahora vamos a concentrarnos en el texto del mensaje principal.

Harris acabó de copiar las hojas. Angela guardó los documentos originales en el maletín. Harris la acompañó hasta la puerta y le prometió llamarla para decirle lo que había averiguado. Dos horas más tarde, recibió la llamada de su profesor. Comenzó a explicarle el problema del cifrado. Solo había llegado hasta el nombre de Jefferson cuando el profesor le dijo que fuese a su despacho de inmediato.

El profesor Pieter DeVries lo esperaba al otro lado del control de seguridad. El profesor casi lo arrastró a su despacho en la prisa por ver al archivo.

DeVries era la encarnación máxima del brillante pero despistado matemático. Le gustaban los trajes de mezclilla, incluso en los meses cálidos, y tenía el hábito de tirarse de la barbita blanca cuando estaba sumido en sus pensamientos, que era la mayor parte del tiempo.

Echó un vistazo al archivo de las alcachofas.

—Dice que esto se lo trajo una joven que trabaja en la Sociedad Filosófica.

—Así es. Trabaja en la biblioteca de investigación.

—No le echaría una segunda mirada sino fuese por la plantilla. —Cogió la plantilla perforada que Angela había dejado a Harris, la miró con desdén y la dejó a un lado—. Me sorprende que Jefferson pudiese haber utilizado algo tan burdo.

—Todavía no estoy convencido de que el texto encierre un mensaje —comentó Harris.

—Hay una manera de saberlo.

Escaneó las columnas de letras en el ordenador y estuvo tecleando unos minutos. Las letras se movieron una y otra vez en la pantalla hasta que apareció una palabra.

ÁGUILA.

Harris miró la pantalla y se rió.

—Tendríamos que haberlo sabido. Águila era el nombre del caballo favorito de Jefferson.

El profesor sonrió.

—Babbage habría vendido su alma por tener un ordenador con la décima parte de capacidad de aquella máquina.

Escribió la letra clave en la pantalla y luego puso en marcha el programa informático para descifrar el mensaje que había escaneado antes.

La carta que Jefferson había escrito a Lewis en 1809 apareció en texto sencillo.

Harris se inclinó sobre el hombro del profesor.

—No puedo creer lo que estoy leyendo. Esto es una locura. —Harris sacó el papel con los extraños dibujos—. Angela cree que estas palabras son fenicias.

—Eso coincide con lo que la fuente de Jefferson en Oxford dijo en su carta.

Harris se sintió dominado por un gran cansancio.

—Tengo la sensación de que podemos haber tropezado con algo demasiado grande.

—Por otro lado, este cuento de hadas podría ser un fraude, el producto de una astuta imaginación.

—¿De verdad lo cree, señor?

—No. Creo que el documento es real. La historia que cuenta es otra cosa.

—¿Cómo vamos a ocuparnos de esto?

El profesor se tiró de la barbilla con tanta fuerza que fue una maravilla que no se la arrancase.

—Con mucho cuidado —respondió.

17

El tráfico era denso en la calle P, donde la República de Irak tenía su embajada en la histórica Boardman House edificada en el siglo XIX. Una hilera de limusinas y coches de lujo pasaban por delante del edificio de inspiración románica de tres pisos cerca de Dupont Circle, y se detenían para descargar hombres con esmoquin y mujeres con vestidos de fiesta ataviados para una recepción de gala.

El portero llamó a un taxi para que ocupase el lugar de una limusina con matrícula diplomática que salía y abrió la puerta del pasajero. Carina Mechadi se apeó del vehículo, su esbelta figura enfundada en un vestido de terciopelo largo hasta los tobillos, cuyo color marrón oscuro hacía juego con el pelo largo hasta los hombros sujeto con un moño. El escote llegaba hasta donde era apropiado y sexy. Un chal blanco bordado cubría sus hombros desnudos y resaltaba su suave bronceado.

Le dio las gracias al portero de mediana edad con una sonrisa que le hizo subir la temperatura a unos niveles poco saludables y siguió a los otros invitados a través de la arcada principal. Un joven empleado de la embajada leyó la tarjeta de invitación con bordes dorados y buscó su nombre en la lista.

—Gracias por venir a nuestra recepción, señorita Mechadi. La embajada de Irak le da la bienvenida como nuestra invitada.

—Gracias a usted —respondió Carina—. Me complace mucho estar aquí.

El vestíbulo resonaba con el murmullo de las conversaciones de docenas de invitados. Carina echó un vistazo con sus atrevidos ojos azules, sin saber muy bien si quedarse allí o ir a alguna de las salas contiguas. A medida que los otros invitados tomaban conciencia de su presencia, se volvían hacia ella, haciendo que disminuyese el nivel de las voces.

Carina no era una persona alta, pero sin embargo tenía una imponente presencia física que parecía exigir atención. Las otras mujeres presentes notaron su magnetismo femenino y por instinto sujetaron los brazos de sus acompañantes, y solo se relajaron después de que un hombre alto y de mediana edad se separase de la multitud y fuese hacia la recién llegada.

El hombre hizo sonar los tacones y se inclinó galantemente.

—Carina Mechadi, el Ángel de las Antigüedades, si no estoy equivocado.

Un anónimo escritor de titulares había dado a Carina el rimbombante título en un artículo publicado por la revista *Smithsonian*. Ella sonrió amablemente y se hizo con el control de la conversación.

—Nunca me ha gustado esa descripción, señor...

—Perdóneme, señorita Mechadi. Mi nombre es Anthony Saxon, y le ofrezco mis más sinceras disculpas si la he ofendido. —Hablaba con un vago acento británico que una vez había estado de moda en las exclusivas escuelas privadas de Estados Unidos.

—En absoluto, señor Saxon. —Le tendió la mano—. ¿Cómo me ha reconocido?

—Su foto ha aparecido en un gran número de revistas y periódicos. Es un gran placer conocerla en persona. —Le cogió la mano y se la besó.

Con su distinguida figura y su barroca manera de hablar además de su impecable esmoquin, Saxon parecía un embajador de finales de siglo. Medía más de un metro ochenta y era muy delgado. Llevaba el pelo castaño canoso peinado hacia atrás y un pico de viuda que casi le llegaba a la separación de las gruesas cejas. Un delgado bigote del estilo utilizado por los gigolós y los galanes de cine de los años cuarenta decoraba su labio superior. Su rostro resplandecía con el moreno del desierto.

—¿Está usted en el cuerpo diplomático en Washington, señor Saxon?

—En absoluto. Soy un aventurero por vocación, un escritor y productor de películas por necesidad. Quizá haya leído mi último libro, *En busca de la reina* —dijo con un tono ilusionado.

—Me temo que no. —Como no quería herir los sentimientos de Saxon se apresuró a añadir—: Es que viajo mucho.

—Dicho con una gentil sinceridad. —Saxon volvió a chocar los tacones—. No importa si ha oído mi nombre, porque yo sí he oído el suyo, sobre todo relacionado con la recuperación de antigüedades robadas del Museo Arqueológico de Bagdad.

—Es usted muy amable, señor Saxon. —Ella miró en derredor—. Supongo que no sabrá dónde puedo encontrar a Viktor Baltazar.

Las cejas de Saxon bajaron.

—Baltazar está a punto de hacer su presentación en la sala principal. Será un placer acompañarla.

Los labios de Carina se separaron en una animada sonrisa.

—Es usted la viva imagen del caballero victoriano —comentó, al tiempo que aceptaba el brazo que le ofrecía.

—Me veo más como un isabelino. Espadas y sonetos. Pero le agradezco el cumplido.

La guió entre la multitud hasta una gran sala decorada con cortinas marrones y doradas. En un extremo, había una tarima rodeada por focos, cámaras de televisión y micrófonos. Una gran foto ampliada del Museo Arqueológico iraquí colgaba en la pared detrás de la tarima. Filas de cómodas sillas estaban dispuestas delante del escenario.

Saxon se dirigió hacia un sofá en uno de los laterales. Le explicó en un susurro conspirador que desde el sofá verían bien a los invitados que entraban y permitía una fácil huida si los oradores eran demasiado aburridos.

Carina reconoció a varios funcionarios menores del Departamento de Estado, políticos y periodistas. También conocía a varios de los hombres y mujeres que representaban un sector de los eruditos de Oriente Medio. Se entusiasmó cuando el profesor Nasir entró en la sala.

Se puso de pie y agitó una mano. El profesor cruzó la sala, con una gran sonrisa en el rostro.

—Señorita Mechadi, qué alegría verla.

—Esperaba encontrarlo aquí, profesor. —Se volvió hacia Saxon—. Profesor, el señor Anthony Saxon. Señor Saxon, el profesor Jassim Nasir.

Saxon se irguió en toda su estatura; le sacaba una cabeza al iraquí.

—Me siento honrado por estar en su presencia, doctor Nasir. Conozco muy bien su trabajo en el museo.

Nasir no disimuló su placer.

—Por favor, si nos disculpa —dijo Carina a Saxon—. El doctor Nasir y yo tenemos mucho de que hablar. Ha pasado mucho tiempo desde la última vez que nos vimos.

—Por supuesto —respondió Saxon. Con un fluido movimiento, cogió dos copas de champán de una bandeja que portaba un camarero y le dio una a Carina—. Por favor, hágamelo saber si puedo ayudarla en alguna otra cosa.

Nasir observó a Saxon que se alejaba entre la muchedumbre.

—No es mucha la gente que sepa que existo fuera de Irak —comentó, impresionado—. ¿Cuánto hace que conoce al señor Saxon?

—Unos cinco minutos. Me abordó en la entrada. Lo que es más importante, ¿cuánto ha pasado desde que usted y yo nos vimos por última vez? ¿Tres años?

—¿Cómo podría olvidarlo? Fue en Bagdad, en el museo. Unos momentos terribles.

—Lamento no haberme mantenido en contacto con usted con toda la frecuencia que habría debido.

—Hemos ordenado el lugar, y, gracias a personas como usted, el esfuerzo de recuperación continúa. Llega dinero, pero nuestros gastos son elevadísimos. Además con la continuada inestabilidad en nuestro país, pasará mucho tiempo antes de que los autocares de los turistas se detengan ante nuestra entrada.

—Razón de más por lo que esta recepción debe ser una muestra de aliento.

—Oh, sí —dijo el profesor, que se animó de nuevo—. Me sentí entusiasmado cuando llamó para decirme que había recuperado gran número de piezas. La idea de esta gira es algo genial. Nunca imaginé que estaría aquí con tantos de mis respetados colegas. Allí está uno de ellos ahora. ¿Recuerda a la doctora Shalawa?

La fornida mujer que ocupaba el podio era una de las grandes expertas en arqueología asiria. La doctora Shalawa vestía con el tradicional traje musulmán hasta los tobillos. Un pañuelo le cubría la cabeza. Carraspeó para llamar la atención y, cuando el público guardó silencio, se presentó.

—Quiero dar las gracias a la embajada por esta recepción y a nuestros invitados por su apoyo financiero y moral. Nuestro primer orador es un ejemplo del espíritu de generosidad que será fundamental para que nuestro museo sea de nuevo una de las grandes instituciones culturales del mundo. Me honro en presentarles a Viktor Baltazar, presidente de la fundación del Museo Arqueológico de Bagdad.

Mientras la doctora Shalawa encabezaba los aplausos, un hombre se levantó de la primera fila y subió a la tarima para estrechar su mano.

Carina no tenía idea del aspecto de Baltazar, quien tenía un talento especial para mantener sus fotos fuera de la circulación pública. No había sabido qué esperar, pero no a aquel hombre de físico imponente, con un esmoquin a medida que ocupó su lugar en el podio. La enorme cabeza le recordó a un mastín. Mientras lo miraba, Baltazar sufrió una transformación, la fiera sonrisa se convirtió en otra cálida y la mirada de sus ojos claros pareció llegar a todas las personas en la sala.

Cuando por fin cesaron los aplausos, Baltazar habló con voz profunda y melodiosa.

—Soy yo quien se siente honrado por haber sido invitado a hablar ante esta augusta concurrencia. Son ustedes parte del esfuerzo internacional para recuperar las antigüedades robadas del Museo Arqueológico Nacional en Bagdad.

Agradeció una segunda ronda de aplausos, y continuó.

—Mi fundación no fue más que un eslabón en la cadena. Gracias a ustedes, continúan recuperándose muchas piezas. El museo está rehaciendo el laboratorio de conservación, preparando al personal y creando una base de datos. Más fondos vendrán gracias a esta gira, patrocinada por la Fundación Baltazar. Lamento tener que marcharme antes de poder dar las gracias a cada uno de ustedes, pero espero seguir trabajando con todos en esta noble causa.

Le sopló un beso a la audiencia, se bajó de la tarima y fue hacia la puerta. Carina se apresuró a seguirlo y lo alcanzó en el vestíbulo.

—Perdón, señor Baltazar. Sé que tiene prisa, pero me preguntaba si podría robarle un minuto de su tiempo.

Los labios de Baltazar se abrieron en una encantadora sonrisa.

—Sería una descortesía, y también una tontería, rechazar una simple demanda de una mujer tan encantadora, señorita...

—Es muy amable de su parte. Mi nombre es Carina Mechadi.

Una impresión pensativa apareció en el rostro de Baltazar.

—¡Señorita Mechadi! Qué extraordinaria sorpresa. Por lo que había oído de su persistencia, la había imaginado como

una mujer baja y robusta de mediana edad, quizá con bigote.
—Se pasó el índice por el labio superior.

—Lamento desilusionarlo.

—No es ninguna desilusión, excepto por el hecho de que debo marcharme. ¿En qué puedo ayudarla?

—Solo quería añadir mis gracias a usted y a la Fundación Baltazar por ayudar a mis esfuerzos.

—Es usted bienvenida. Ahora lamento no haberla conocido antes y que solo hubiésemos podido comunicarnos a través de intermediarios. Mis negocios y la fundación son muy exigentes.

—Me hago cargo.

—Entonces me tranquilizo. Por lo que parece es usted todo un sabueso. ¿Perteneció quizá a la policía?

—Era periodista. Hice reportajes de algunos robos de arte en Italia que acabaron en museos europeos y norteamericanos. Me enfadé todavía más cuando supe cómo las instituciones académicas y los museos se habían convertido en parte del tráfico ilegal. No pasó mucho tiempo antes de que empezase a dedicarme a encontrar piezas robadas en lugar de escribir sobre ellas.

—Tengo entendido que su trabajo no es algo carente de peligros. Me enteré a través de Benoir del asalto e intento de robo de un objeto. ¡Algo del todo escandaloso! Es un milagro que no resultase herida.

—No estaría aquí hablando con usted de no haber sido por Kurt Austin.

—No conozco el nombre.

—El señor Austin está con la National Underwater and Marine Agency. Prefiere permanecer fuera de las candilejas, pero es el responsable de salvar mi vida, el barco y los objetos iraquíes perdidos. Uno de los asaltantes lo hirió de un disparo. Por fortuna, solo fue una herida menor.

—Austin parece ser un notable caballero —comentó Baltazar—. ¿Cómo es que estaba a bordo del barco?

—Por puro accidente. Se encontraba en otro barco que estaba cerca cuando escuchó el SOS.

—Notable. Me gustaría tener la ocasión de conocerlo en algún momento para poder darle las gracias.

—Me encantará arreglarlo.

—Me sorprende que fuese capaz de recuperar tantas antigüedades iraquíes. ¿Cómo lo hizo?

Carina pensó en la gran red de informadores que había creado, los sobornos que había pagado a diestra y siniestra y los funcionarios que había tenido que presionar sin piedad hasta que habían accedido a sus peticiones para librarse de ella.

—Es una larga historia —respondió y se encogió de hombros—. Buena parte de mi éxito se debe a un accidente de nacimiento. Tengo raíces en Europa y África, algo que facilita mi capacidad para hacer contactos en ambos continentes.

—¿Ha dicho África? Su padre es italiano, ¿no?

—También mi abuelo. Estaba con el ejército de Mussolini cuando invadió Etiopía, y allí fue donde conoció a mi abuela. Mi madre nunca supo su nombre, solo que su padre era italiano. Cuando se trasladó a Italia, donde nací, me dio su nombre de soltera, Mekada, un giro italiano.

—¿Mekada? Es un nombre precioso.

—Gracias. Tengo entendido que es bastante común en Etiopía.

Baltazar pensó un momento antes de volver a hablar.

—Dígame, señorita Mechadi, ¿cuáles son sus planes inmediatos?

—Estaré muy ocupada organizando la gira. Los objetos están en el Smithsonian bajo vigilancia. Corre a mi cargo facilitar los datos de proveniencia y la información de antecedentes que acompañarán a las piezas. Tengo concertadas una serie de entrevistas con personas que han ofrecido su ayuda. Mañana iré a Virginia para ver a Jon Benson, un fotógrafo de *National Geographic* que estuvo presente en la excavación de una estatua conocida como *El Navegante*. Quizá pueda usted hacernos una visita y ver la estatua y otras piezas de la colección.

—Parece una muy buena idea. Soy un tanto novato en temas de arqueología, lo admito, pero poseo unas cuantas piezas. Todo legal, por supuesto. Estaría encantado de enseñárselas durante la comida o la cena.

—Será un placer, señor Baltazar.

—Espléndido. Llame a la fundación cuando tenga un momento libre. Ellos tienen mi agenda.

Se estrecharon las manos, y Baltazar se detuvo para despedirse del embajador y otros funcionarios diplomáticos. Carina se volvió para regresar a la recepción y se encontró con Saxon. El hombre mostraba una expresión risueña.

—La he visto hablando con el señor Baltazar.

—El señor Baltazar es el motivo principal por el que he venido a la recepción. Es un hombre encantador.

—¿Sabe usted el origen del dinero que está repartiendo?

—Solo que es propietario de compañías mineras.

—Así es, hasta donde se pueda creer. Baltazar está al frente de un grupo minero que incluye al más grande conglomerado de minas de oro en el mundo. Es un personaje muy controvertido. Sus compañías han sido acusadas de destruir el medioambiente y de hacer la vida imposible a los habitantes de media docena de países. Lo que mucha gente no sabe es que es dueño de una de las compañías de seguridad más grandes del mundo. Mercenarios.

Carina se había encontrado con los informes desfavorables referentes a Baltazar cuando había buscado sus antecedentes, pero llevada por su interés de recibir la ayuda de la fundación les había quitado importancia.

—Lo que sé es que ha sido muy generoso con el Museo Arqueológico de Bagdad.

—Comprendo. No importa de dónde venga el dinero cuando se trata de un bien mayor, y todo eso.

—No necesito que me de una lección de ética —replicó Carina, con los ojos que echaban chispas.

Saxon sintió el calor de sus palabras.

—No, es verdad. De nuevo, le pido disculpas. En realidad quería hablar con usted de las antigüedades recuperadas, en particular de una estatua llamada *El Navegante*.

Carina se preguntó si Saxon había espiado su conversación con Baltazar, pero recordó que había estado demasiado lejos.

—¿Conoce la existencia de la estatua?

—Sé que es de bronce, casi de tamaño natural, que fue recuperada en una excavación hace algunas décadas en Siria. Representa a un marinero y se cree que es fenicia, pero hay dudas y por eso la estatua fue enviada a los sótanos del Museo Arqueológico de Bagdad. Languideció allí durante años, hasta que los ladrones robaron la estatua durante la invasión estadounidense en dos mil tres. Desde entonces había estado en paradero desconocido, hasta que usted la encontró con otras antigüedades robadas.

—¡Es asombroso! ¿Cómo es que sabe tanto de la estatua?

—He estado buscando a ese esquivo tipo desde la primera vez que oí hablar de él durante mis investigaciones sobre Salomón. Casi le tenía puestas las manos encima en El Cairo, pero usted se me adelantó. Por cierto, mis felicitaciones.

—¿Por qué tiene tanto interés en esa estatua en particular?

Él levantó una mano.

—¡Ajá! Si hubiese leído mis libros, no habría hecho la pregunta.

—Me ocuparé de poner sus libros en mi lista de lectura. —Carina no disimuló su disgusto ante la presunción de Saxon.

—Valdrá la pena —manifestó el escritor con una sonrisa.

Carina ya tenía suficiente de la actitud complaciente de Saxon.

—Si me perdona...

—Por supuesto. Pero preste atención a mi advertencia. Tenga cuidado en sus tratos con Baltazar.

Carina no hizo caso del comentario y fue a hablar con el profesor Nasir.

Saxon la observó marchar. Había una sonrisa en su rostro, pero la preocupación en sus ojos era inconfundible.

Cuando Baltazar salió de la embajada iraquí, una limusina Mercedes negra se detuvo junto al bordillo. El chófer se apeó y apartó al portero para abrir la puerta del coche. El portero era un ex marine que no se asustaba fácilmente. Furioso ante la pérdida de una propina, iba a protestar, pero el fornido chófer le dirigió una mirada de tanta malevolencia que las palabras nunca salieron de su boca. Un segundo más tarde la limusina arrancó con un chirrido de neumáticos.

—Buenas noches, señor Baltazar —dijo el chófer—. ¿La recepción ha ido bien?

—Sí, Adriano. Tan bien que casi he olvidado el fallo de Terranova.

—Lo siento mucho, señor Baltazar. No tengo excusas para mi fracaso.

—Quizá pueda darte una, Adriano. Su nombre es Kurt Austin. Está con la NUMA. Austin es el caballero que hizo fracasar el asalto.

—¿Cómo es que el tal Austin conocía nuestros planes?

—No los conocía. Fue una lamentable coincidencia que estuviese cerca. Para tu pesar, el tal señor Austin es muy intrépido, aunque afortunado. Tu disparo solo le causó una herida leve.

Adriano recordó el rápido atisbo de Austin por encima de la mira del arma y más tarde en la cabina del helicóptero que había seguido al carguero.

—Me gustaría hablar con el señor Austin.

—No me cabe duda —manifestó Baltazar con una risa malvada—. Pero tenemos que ocuparnos de asuntos más importantes. Me he enterado de que hay un fotógrafo de *Natio-*

nal Geographic que tiene algunas fotos que no deben ver la luz del día. Quiero que consigas esas fotos.

—¿Quiere que elimine al fotógrafo?

—Únicamente si es necesario. Que parezca un accidente. Preferiría que solo te llevases las fotos.

—¿Qué hay de la mujer?

Baltazar pensó en el destino de Carina. Era un hombre capaz de acabar con una vida humana cuando le convenía, pero había más en Carina de lo que se veía a simple vista.

—La mantendremos viva mientras nos sea útil. Quiero una profunda investigación de sus antecedentes.

—¿Luego podré ocuparme de Austin? Tenemos algo pendiente que solucionar entre nosotros.

Baltazar exhaló un sonoro suspiro. La crueldad no le preocupaba en lo más mínimo. La suya era la clásica personalidad del psicópata, y, como tal, carecía de empatía. Las personas existían para ser utilizadas y descartadas. Pero la sugerencia de Adriano significaba un pensamiento independiente por parte de un empleado cuando lo que exigía era obediencia. Al mismo tiempo, se hacía solidario de la necesidad de revancha de Adriano. Él también tenía una cuenta pendiente con Austin.

—Quiero averiguar lo que Austin sabe, Adriano. Podrás ocuparte de él más tarde. Te lo prometo.

Adriano cerró los ojos y movió los gruesos dedos.

—Más tarde —repitió, como si saborease las palabras.

18

El profesor Pieter DeVries pensaba en el contenido del archivo de Jefferson mientras esperaba en la recepción de la Secretaría de Asuntos de Oriente Próximo del Departamento de Estado. Había leído cada línea y no había encontrado ninguna incongruencia.

La recepcionista cogió el teléfono interno e intercambió unas pocas palabras con la persona que la había llamado.

—El señor Evans lo verá ahora, profesor DeVries —dijo con una sonrisa—. La tercera puerta a la derecha.

—Gracias.

DeVries guardó las páginas en un portafolio, se lo metió debajo del brazo y caminó por un pasillo. Llamó a la puerta con los nudillos y entró en el despacho. Un hombre alto, de unos treinta y tantos años, y rostro alargado, lo recibió con un apretón de manos.

—Buenos días, profesor DeVries. Mi nombre es Joshua Evans. Soy analista de la secretaría. Por favor, siéntese.

DeVries se sentó.

—Gracias por recibirme.

Evans acomodó su cuerpo larguirucho detrás de una mesa, cuyo impecable orden sugería una personalidad compulsiva.

—No es habitual que reciba una visita de la ANS —comentó Evans—. Tienen fama de ser personas muy reservadas. ¿Qué lo ha traído aquí?

—Como le expliqué por teléfono, soy uno de los criptógrafos de la agencia. He encontrado cierta información que podría ser de interés para su sección y decidí acudir yo mismo al Departamento de Estado en lugar de seguir los canales de la ANS. Este es un asunto un tanto delicado.

—Tiene toda mi atención —manifestó Evans.

El profesor abrió el portafolio y le entregó la carpeta con las copias del original de Jefferson y el texto descifrado. Le hizo un breve resumen del contenido y de cómo había llegado a sus manos.

—Menuda historia —exclamó Evans con una ligereza de tono que sugería que había escuchado un cuento de hadas. Miró el gastado traje y la perilla del visitante—. Todavía no veo claro por qué cree que es algo de interés para la secretaría.

El criptógrafo separó las manos.

—Fenicia estaba en el área geográfica que es responsabilidad de su sección.

—Fenicia —repitió Evans con una débil sonrisa.

—Así es. Fue uno de los grandes imperios marítimos de todos los tiempos. Se extendió desde su territorio original hasta las costas de España y más allá de las Columnas de Hércules

Evans se echó hacia atrás en su silla y entrelazó las manos en la nuca.

—Puede ser, doctor DeVries, pero Fenicia ya no existe.

—Así es, pero los descendientes de los fenicios todavía habitan en el Líbano y en Siria.

—A diferencia de esos dos países, Fenicia no fue miembro de Naciones Unidas, hasta donde yo sé —señaló Evans con una risita indulgente.

DeVries mostró una sonrisa. Era un viejo veterano del procedimiento burocrático. Sabía que debía abrirse paso por el organigrama a través de funcionarios autocomplacientes como Evans.

—Soy un matemático, no un diplomático como usted —manifestó, dispuesto a dar a Evans un poco de coba—. Pero a mí me parece que cuando hablamos de una zona tan inestable, cualquier asunto que sacuda unas creencias muy enraizadas se merece una seria consideración.

—Me disculpo por parecer poco interesado. Pero ¿alcachofas? ¿Códigos secretos? ¿Un archivo de Jefferson perdido tiempo a? Debe admitir que la historia es fantástica.

DeVries soltó una corta carcajada.

—Sería el primero en admitirlo.

—Además, ¿cómo sabemos si algo de esto es verdad?

—No podemos autenticar el contenido, pero la traducción del mensaje cifrado a texto sencillo es acertada. El hecho de que el texto que tiene en su mano fue escrito por el tercer presidente de Estados Unidos y autor de la Declaración de Independencia debe darle algún peso.

Evans sopesó las hojas de papel como si estuviesen en una balanza.

—¿Ha verificado a Jefferson como la fuente de este material?

—Los expertos calígrafos de la ANS lo han analizado. No hay ninguna duda de que Jefferson lo escribió.

Una mirada de desconcierto apareció en el rostro de Evans. DeVreis había visto la misma expresión de miedo en los burócratas cuando se les pedía que se desviasen de sus funciones habituales, que era poner trabas al funcionamiento del gobierno. La peor pesadilla de Evans se había hecho realidad. Quizá tendría que tomar una decisión. El profesor ofreció a Evans una salida.

—Comprendo que el material que le he traído pueda parecerle algo fuera de lo normal. Por eso confiaba en la asesoría del Departamento de Estado. ¿Quizá podría usted hablar con su superior de esta conversación?

Pasar la pelota era una estrategia que Evans comprendía. Una expresión de alivio apareció en el rostro del joven.

—Lo hablaré con mi jefe, Hank Douglas. Es el director de asuntos culturales de la secretaría. Le llamaré a usted después de hablar hablado con él.

—Es muy amable de su parte. ¿Podría llamar al señor Douglas mientras estoy aquí? Así no tendré que molestarlo de nuevo.

Evans vio que DeVries no hacía ningún gesto de levantarse de la silla. Cogió el teléfono y marcó el número de Douglas. Esperaba que su superior no estuviese en el despacho y se molestó cuando este atendió la llamada.

—Hola, Hank, aquí Evans. Me preguntaba si podrías dedicarme unos minutos.

Douglas respondió que disponía de una hora antes de su próxima cita y lo invitó a pasar por su despacho.

—De acuerdo. —Evans colgó y dijo a DeVries—: Ahora mismo, Hank está ocupado. Lo veré esta tarde.

DeVries se levantó y le tendió la mano.

—Gracias. Si alguna vez necesita algo de la ANS estoy seguro de que lo trataremos con la misma cortesía. Lo llamaré más tarde.

Después de que el visitante se hubo marchado, Evans miró la puerta cerrada un momento, exhaló un suspiro y recogió la carpeta con los textos de Jefferson. Pasar la pelota tenía sus riesgos. Al salir del despacho, pensó que debería tener cuidado en cómo manejaba aquella patata caliente.

Douglas era un risueño afroamericano en la cincuentena, con una calva circular que le hacía parecer un monje tonsurado. Se había licenciado en historia en la Universidad Howard con notas sobresalientes. Los estantes del despacho estaban cargados con libros que abarcaban la historia del ser humano desde los tiempos de los cromañones.

Era una de las personas más respetadas en la secretaría. Respaldaba sus capacidades diplomáticas con el conocimiento práctico, por haber pasado varios años en Oriente Próximo y Medio. Era un experto en la política y religión de la zona, las dos a menudo entrelazadas, y hablaba hebreo y árabe.

Evans había planeado una aproximación que le permitiese salvar la cara. Hinchó los carrillos cuando entró en el despacho.

—No te creerás la extraña conversación que acabo de tener.

Le ofreció una descripción bastante ajustada de su charla con DeVries. Douglas lo escuchó con atención mientras Evans hacía lo posible para presentarse como la víctima de un encuentro con un profesor chiflado. Douglas le pidió ver el archivo que había dejado DeVries. Leyó las páginas durante unos minutos.

—A ver si entiendo lo que tu profesor sostiene —dijo Douglas cuando acabó de leer la última página—. Un experto en claves en la ANS ha descifrado la correspondencia secreta entre Thomas Jefferson y Meriwether Lewis. El texto sugiere que los fenicios visitaron América del Norte.

—Lamento ocupar tu tiempo con esto. —Evans sonrió—. Me pareció que encontrarías la historia divertida.

Douglas no rió ni sonrió. Cogió la copia del plano del huerto de alcachofas y leyó las extrañas palabras. A continuación leyó las traducciones hechas hacía tanto tiempo por el profesor amigo de Jefferson. Pronunció la primera en voz alta.

—Ofir.

—Sí. ¿Qué significa?

—Ofir era la legendaria ubicación de las minas del rey Salomón.

—Siempre creí que eso era algo que alguien se había inventado.

—Quizá —admitió Douglas—. El hecho es que Salomón reunió grandes cantidades de oro durante su vida. El origen del oro siempre ha sido un misterio.

—Por lo que dices, y según estos textos, Jefferson creía que Ofir estaba en América del Norte. ¿No es una locura?

Douglas no respondió. Leyó la segunda traducción.

—Reliquia sagrada.

—Más locuras. ¿Qué se supone que eso significa?

—No estoy seguro. La reliquia más sagrada relacionada con Salomón sería el Arca de la Alianza.

—¿Estás diciendo que el objeto bíblico de Jefferson es el Arca?

—No necesariamente. La reliquia sagrada podría ser el calcetín de Salomón. —Douglas jugueteó con un bolígrafo—. Señor, cuánto desearía poder fumar mi pipa en momentos como este.

—¿Qué pasa, Hank? Jefferson o no, este asunto sobre el Arca suena a cuento chino. Lo más probable es que no haya ni una palabra de verdad en todo esto.

—Da lo mismo que sea verdad o no. Todo esto va de símbolos.

—No lo entiendo. ¿Qué es tan importante?

—Es un problema lo mires por donde lo mires. ¿Recuerdas lo que pasó en el monte del Templo en mil novecientos sesenta y nueve y de nuevo en mil novecientos ochenta y dos?

—Por supuesto. Un fanático religioso australiano incendió la mezquita en la montaña y más tarde detuvieron a un grupo religioso por intentar volarla.

—¿Qué habría sucedido de haber conseguido su propósito de limpiar el monte para hacer lugar y reconstruir el tercer templo de Salomón?

—Sus acciones habrían provocado como mínimo una reacción muy fuerte.

—Ahora imagínate la reacción si el descubrimiento de la reliquia más sagrada de Salomón es utilizada como una excusa para construir un nuevo templo y encima se sabe que esa reliquia está en Estados Unidos.

—Dada la naturaleza paranoica de aquella parte del mundo, algunas personas dirían que es otra conspiración estadounidense contra el islam.

—Así es. Nos veríamos acusados de querer borrar del monte del Templo cualquier presencia musulmana. Los extremistas de todas las grandes religiones participarían en ese follón.

—¡Maldita sea! —exclamó Evans—. ¡Esto es una bomba!

—Trabajo para los artificieros —afirmó Douglas.

Evans palideció.

—¿Qué vamos a hacer con esto?

—Tendremos que ir al secretario de Estado. ¿Quién más sabe del archivo de Jefferson?

—El profesor DeVrie y su estudiante del museo del ANS. Después está la bibliotecaria de la Sociedad Filosófica Americana. La gente de la ANS sabe mantener la boca cerrada.

—No hay nada que se mantenga en secreto más de seis meses en Washington —afirmó Douglas—. Tenemos que pensar en la manera de quitar validez a la historia de forma tal que cuando salga a la luz, este país tenga una negativa plausible.

—¿Cómo lo hacemos? La ANS dice que el material es auténtico.

—La ANS es una organización secreta. Puede decir que nunca ha tenido noticias de este asunto. Yo digo que ataquemos la premisa básica. Que sería imposible que una nave fenicia hubiese hecho el viaje desde el Mediterráneo oriental hasta América del Norte. Los conocimientos de navegación y la tecnología de aquel entonces no lo habrían posibilitado.

—¿Lo sabemos a ciencia cierta?

—No. Necesitaremos una fuente que nos ayude a buscar los fundamentos para nuestra sugerencia.

—¿Qué te parece la Nacional Underwater and Marine Agency? La NUMA tiene expertos, la base de datos, y saben ser discretos. Tengo allí algunos contactos.

—Tú ocúpate de eso. Pediré una cita con el subsecretario. Llámame dentro de una hora.

En cuanto Evans se hubo marchado, Douglas abrió el cajón de la mesa, sacó la pipa y la bolsa de tabaco. Aunque en su despacho estaba prohibido fumar, llenó la cazoleta con tabaco y la encendió. Con el humo flotando alrededor de su cabeza, se reclinó en la silla y dejó volar los pensamientos.

Todo parecía demasiado fantástico. Quizá se trataba de un fraude, como había dicho Evans. Volvió a coger el archivo de Jefferson, y esta vez leyó todas las palabras.

Como la mayoría de los afroamericanos, Douglas era ambivalente respecto a Thomas Jefferson. Admitía el genio y la grandeza del hombre pero le costaba reconciliar eso con el hecho de que había tenido esclavos. Mientras releía el archivo, no pudo menos de identificarse con su autor en el aspecto humano. Aunque la correspondencia de Jefferson con Lewis lo mostraba como una persona serena y competente, no había duda de que estaba preocupado.

A Douglas se le podía perdonar si las manos que sujetaban las páginas le temblaban.

El potencial para el caos en el mundo presente era mucho más grande de lo que Jefferson habría podido imaginar.

19

Austin estaba en su despacho delante de una pantalla de 24 pulgadas dedicado a cazar a los piratas que habían atacado el buque portacontenedores. La alfombra mágica que lo llevaba sobre el mar virtual era un sistema de imágenes de satélites de la NUMA. Bautizado como NUMASat, el sofisticado sistema había sido desarrollado por los científicos y técnicos de la agencia para facilitar imágenes instantáneas de los océanos del mundo. Los satélites se hallaban a seiscientos cuarenta kilómetros de altura sobre el planeta en órbitas que permitían a sus cámaras y otros equipos de sensores remotos transmitir información desde cualquier punto del globo.

Los satélites enviaban fotos digitales e infrarrojas de la temperatura de la superficie del agua, corrientes, fitoplancton, clorofila, formaciones de nubes, información meteorológica y otros datos vitales. El sistema estaba disponible, libre de cargo para cualquiera con un ordenador, y era muy utilizado por científicos y aficionados de todo el mundo.

Austin vestía una camisa hawaiana, pantalón corto y sandalias. Se tomó un par de aspirinas con la cerveza y apretó la tecla de INTRO. Una imagen de la escarpada costa de Terranova apareció en la pantalla.

—Vale, Joe —dijo en su micro—. Estoy mirando Saint Jones y señala al este.

—Recibido. —Zavala tenía la misma imagen en la pantalla en su despacho de la NUMA—. Amplío la imagen.

Un resplandeciente recuadro blanco azulado apareció en la pantalla de Austin, superpuesto a una sección del océano Atlántico. Zavala aumentó el tamaño del cuadrado. Aparecieron unos diminutos puntos negros. Los puntos crecieron en tamaño y comenzaron a tomar las formas alargadas de las naves. La hora y la fecha en la esquina superior izquierda de la pantalla indicaba que la foto había sido tomada varios días antes.

—¿Hasta dónde puedes acercarte? —preguntó Austin.

—Escoge un objetivo.

Austin puso el cursor en uno de los puntos y apretó el ratón. La cámara pareció lanzarse sobre el objetivo. Centenares de peces saltando llenaron la pantalla. Luego la cámara se apartó para mostrar una bodega y una cubierta con las grúas y los pescantes de un pesquero de altura.

—Impresionante —manifestó Austin.

—Yeager utilizó a Max para inyectar hormonas a la función de búsqueda normal del NUMASat. Dice que puede informar del color de los ojos de una mosca.

Hiram Yeager era el genio informático de la NUMA y director de un vasto complejo de ordenadores que llamaba Max y que ocupaba todo el décimo piso de la torre de cristal verde que miraba al río Potomac.

—Sus ojos son azules —dijo Austin.

—¿De verdad?

—Era una broma. Pero la resolución es mejor que cualquiera que haya visto.

—Antes de que Yeager perfeccionase el sistema, lo mejor que podíamos tener era un metro cuadrado en blanco y negro y de cuatro metros en color. Ahora ha conseguido llegar a un metro cuadrado en color. Lo que estás viendo en la pantalla ha sido aumentado con la información que llega de otros satélites y de los sistemas de inteligencia militar.

—Todo hecho muy legal, por supuesto —dijo Austin con una sonrisa.

—Casi. Yeager lo considera un toma y daca, porque los militares aprovechan mucho el NUMASat. Han llegado a un acuerdo para borrar las imágenes cuando hay en marcha operaciones militares. Le dije que no quería saberlo, y respondió que por él no había problemas.

—No estamos en posición para criticarlo —le contestó Austin. El equipo de misiones especiales algunas veces actuaba bajo la pantalla de la tradicional ignorancia del gobierno—. ¿Has encontrado a nuestro amigo del transporte de minerales?

—¡Mira! —dijo Zavala.

La imagen se alejó poco a poco. Los barcos aparecieron de nuevo como puntos. Zavala marcó un objetivo dentro de un rectángulo. Austin apretó la tecla del ratón. La imagen de un enorme barco llenó la pantalla. Austin se inclinó hacia delante.

—Es el transporte de minerales que vimos desde el helicóptero. Ahí, en el casco, está ese extraño logo de la cabeza de un toro.

—He buscado en los archivos las referencias del barco. Pertenece a una compañía llamada PeaceCo. En su página web se presentan como asesores en pro de la paz y la estabilidad.

Austin soltó una carcajada.

—Ese el nuevo nombre de los mercenarios.

—No ocultan que el barco fue antes un transporte de minerales. Lo anuncian como la plataforma de una fuerza móvil. Afirman que pueden desembarcar tropas aerotransportadas en cualquier lugar del mundo en cuarenta y ocho horas. También garantizan que el barco llegará con toda una unidad completa en un plazo de veintiún días.

—¿Quién está detrás de PeaceCo?

—Difícil saberlo. Tiene una larga lista de militares norteamericanos y británicos retirados en la junta. Los dueños están ocultos detrás de varias sociedades tapadera en varios países de conveniencia. Tengo a Yeager trabajando para desenredar la madeja.

—Parece una pista, pero lo que necesitamos es una pistola humeando.

—¡Caray, Kurt, tenemos un cañón cargado! He montado con las imágenes de los archivos una secuencia que comienza poco antes del asalto. Estas fotos están tomadas a intervalos, así que no cubren todos los minutos.

Las imágenes pasaron por la pantalla entrecortadas, como los fotogramas en una vieja moviola. Unas figuras se movían alrededor de las escotillas de una bodega. Retiraron las tapas hasta que la bodega apareció como un cuadrado negro. Una plataforma subió desde el interior como en los portaviones. Había dos helicópteros en la plataforma. Los hombres subieron a los helicópteros y despegaron.

—¿Quién dice que el viaje en el tiempo es imposible? —preguntó Austin—. Esta es la prueba concluyente del lanzamiento.

—Ahora te mostraré el portacontenedores.

La imagen cambió para mostrar la cubierta del *Ocean Adventure*. Los helicópteros aparecieron como por arte de magia posados en lo alto de contenedores. Las figuras saltaron de los aparatos. Hubo pocos cambios en las imágenes siguientes hasta que el satélite mostró a uno de los helicópteros sobrevolando en círculos el lugar donde el otro acababa de estrellarse. Zavala volvió al transporte de minerales. Un único helicóptero regresó para aterrizar en la plataforma. Las figuras se bajaron del aparato, que volvieron a meter en la bodega, y la escotilla se cerró sobre la abertura. Una de las figuras que era más alta que los demás podría haber sido el hombre que disparó a Austin, pero estaba de espaldas a la cámara.

—Eso es concluyente —señaló Austin—. ¿Dónde está el barco ahora?

—Los registros marítimos que comprobé lo muestran saliendo de Nueva York, unos pocos días antes del asalto, al parecer con destino a España. Hizo una pequeña vuelta en el momento del asalto, y luego continuó viaje a través del Atlántico. Puedo pasar todo esto a la guardia costera con solo apretar un botón.

—Tentador —dijo Austin—. Está en aguas internacionales, incluso si la guardia costera lo captura ahora, lo mejor que podremos conseguir es a algún don nadie. Quiero al cerebro del asalto.

—Continuaré husmeando. Por cierto, ¿cómo te encuentras?

—Un poco agarrotado, pero el incidente me ha dado una buena lección.

—¿Que debes evitar a los hombres armados?

—No. Que debo moverme más rápido. Mantenme informado si encuentras algo más antes de marcharte a Estambul. —Austin escuchó que llamaban a la puerta—. Tengo que dejarte. Alguien llama.

—¿Tienes compañía?

—De la mejor calidad. *Ciao*.

La conexión italiana no pasó desapercibida por Zavala.

—*Ciao*? Eh...

—*Buona notte*, Joe —se despidió Austin. Se reía cuando colgó y fue a abrir la puerta.

Carina Mechadi esperaba en la escalera. Levantó la botella de vino que llevaba en la mano.

—Creo que tenía una mesa reservada para esta noche.

—Su mesa está preparada y la espera, *signorina* Mechadi.

—Usted dijo informal. Espero haber acertado con el vestuario.

Carina vestía vaqueros con flores bordadas y una blusa sin mangas color turquesa. El atuendo enfatizaba sus curvas femeninas de la forma más halagüeña posible.

—Ni una reina estaría mejor vestida.

—Gracias —susurró Carina. Miró a Austin con ojos complacidos. Vestía un pantalón corto blanco que realzaba sus piernas morenas y musculosas, y sus anchos hombros tiraban contra la camisa de seda con estampados de flores—. Se le ve del todo espectacular con esa camisa.

—Gracias. Elvis Presley llevaba el mismo modelito en la película *Amor en Hawai*. Por favor, pase.

Carina entró en la casa, y su mirada se posó en el cómodo mobiliario de estilo colonial en madera oscura que resaltaba gracias a las paredes blancas donde había colgadas pinturas originales de los artistas locales que a Austin le gustaba coleccionar. Había unas cuantas cartas marítimas y herramientas de construcción naval, una foto del velero de Austin y un modelo a escala de su hidroplano de competición.

—Creí que vería viejas anclas y peces espadas en las paredes. Quizá algún viejo casco de buzo o reproducciones de barcos dentro de botellas.

Austin se desternilló de risa.

—Solía beber margaritas en el bar de buceadores de Key West que encaja con esa descripción.

—Ya sabe a lo que me refiero —dijo Carina con una sonrisa—. Trabaja para la agencia oceanográfica más famosa del mundo. Esperaba más pruebas de su amor por el mar.

—Supongo que su despacho en París tiene poco que indique a un visitante cuál es su trabajo.

—Tengo algunas reproducciones de obras de arte clásicas, el resto es del todo tradicional. —Hizo una pausa—. Entiendo lo que me quiere decir. Es saludable tener un poco de espacio fuera del trabajo.

—Aún no estoy preparado para ir a Kansas, pero el mar es un patrón muy exigente. Por eso los viejos capitanes suelen construir sus casas tierra adentro.

—En cualquier caso, esto es muy bonito.

—No diría que se merezca un reportaje fotográfico en una revista de interiorismo, pero es un magnífico retiro para un viejo lobo de mar entre misiones. Cuando compré este edificio, había que arreglarlo, pero era una propiedad con vistas al río y cerca de Langley.

Carina pilló la relación con Langley.

—¿Trabajaba en la CIA?

—En inteligencia submarina. Sobre todo, espiar a los rusos. Cerramos el negocio cuando se acabó la Guerra Fría, y me fui a la NUMA, donde trabajo como ingeniero.

A pesar de la negativa de Austin, su afinidad con el mar era evidente de una forma sutil en las estanterías llenas con las aventuras marítimas de Joseph Conrad y Herman Melville. Había docenas de libros de ciencias oceanográficas e históricas. Los libros más manoseados eran los de filosofía. Ella sacó un volumen muy hojeado.

—Aristóteles. Una lectura muy pesada —comentó.

—Estudiar a los grandes filósofos me provee con citas sesudas que me hacen parecer más inteligente de lo que soy.

—Aquí hay más que palabras bonitas. Estos libros se ven muy leídos.

—Es muy observadora. Utilizaré una analogía marítima. La sabiduría de esas páginas me mantiene anclado cuando derivo por aguas poco claras.

Carina pensó en el contraste entre la calidez de Austin y la frialdad con la que había liquidado a su atacante. Dejó el libro en el estante.

—Pero no hay nada poco claro en las pistolas que tiene sobre la repisa de la chimenea.

—Acaba de descubrir mi debilidad por el coleccionismo. Tengo alrededor de doscientas pistolas de duelo, la mayoría de ellas guardadas en una caja a prueba de incendios. Me fascina su historia además del arte y la tecnología que hay en ellas. Estoy intrigado por lo que dicen sobre el papel del azar en nuestros destinos.

—¿Es un fatalista?

—Soy un realista. Sé que nunca puedo hacer lo que quiera con mi suerte. —Sonrió—. Pero puedo hacerle su cena. Debe de estar hambrienta.

—Incluso si no lo estuviese, los deliciosos olores que llegan de su cocina me harían creer que estoy famélica. —Le dio la botella de vino.

—Un Barolo —dijo Austin—. Lo descorcharé para que el vino respire. Cenaremos al fresco.

Austin fue a ocuparse de descorchar el vino, y Carina salió a la terraza. La mesa estaba iluminada con lámparas de aceite cuyos cristales de colores daban un toque festivo. Las luces brillaban a lo largo del Potomac, y había un leve olor húmedo, pero no desagradable, que llegaba del río. Austin puso un disco de su gran colección de jazz, y las suaves notas del piano de Oscar Peterson sonaron en un par de altavoces Bose.

Austin apareció con dos vasos fríos de *prosecco*. Bebieron el espumoso vino italiano con un entrante de *prosciutto di Parma* y melón verde. Austin se disculpó para ir a la cocina y volvió con los platos de *fettucini* con una salsa de crema y mantequilla. Carina casi babeó cuando él cubrió los platos con láminas de trufas blancas.

—¡Dios bendito! ¿Dónde encontró trufas como estas en Estados Unidos?

—No las encontré. Un colega de la NUMA ha estado yendo y viniendo de Italia.

Carina devoró los *fettucini*, y el segundo plato: chuleta de ternera salteada y una ensalada de queso y champiñones, de nuevo con trufas blancas. Se acabaron la botella de vino. No dejó de comer hasta que llegaron al postre. Probó la copa de Ben & Jerry's Cherry Garcia.

—*Magnifico* —afirmó más o menos por décima vez durante la cena—. Acaba de añadir el título de maestro cocinero a su panoplia de logros.

—*Grazie* —respondió Austin. Se había sorprendido por el apetito de Carina, pero no disgustado. Una entusiasta pasión por la comida a menudo revelaba apetito en otras cosas. Remataron la cena con pequeñas copas de *limoncello*.

En el momento de chocar las copas en un brindis, Austin comentó:

—Nunca me ha explicado cómo es que estaba haciendo de niñera de una vieja estatua en su viaje a Estados Unidos.

—Es una larga historia.

—Tengo tiempo, y otra botella de *limoncello*.

La joven se rió por lo bajo y miró el río para poner en orden sus pensamientos.

—Nací en Siena. Mi padre, médico, era un arqueólogo aficionado, fascinado con los etruscos.

—Comprensible. Los etruscos eran un pueblo misterioso.

—Por desgracia, su arte estaba en gran demanda. En mi infancia, vi un yacimiento que había siso saqueado por los *tombaroli*, ladrones de tumbas. Había un brazo de mármol que yacía en el suelo. Más tarde, fui a la Universidad de Milán, luego a la London School of Economics, y me metí en periodismo. Mi interés por las antigüedades renació por la investigación que hice para un artículo en una revista de la relación de los museos y los marchantes con el robo de obras. La imagen de aquel brazo de mármol siguió conmigo. Me uní a la UNESCO y me hice investigadora. Robar la historia de un país es una de las peores cosas que puede hacerse. Quería atacar a los ladrones de frente.

—Eso es una pretensión muy alta.

—Como no tardé en descubrir. El tráfico ilegal de antigüedades está en el tercer puesto en términos monetarios internacionales, detrás del narcotráfico y la venta de armas. Naciones Unidas ha intentado poner coto al tráfico a través de tratados y resoluciones, pero los desafíos son formidables. Sería imposible detener la venta de todos los cartuchos o tablillas.

—Es evidente que ha tenido un gran éxito.

—Trabajo con una serie de agencias internacionales como Interpol y gobiernos que intentan rastrear ciertos artículos muy importantes, sobre todo a través de las casas de subastas, marchantes y museos.

—¿Es eso lo que la llevó a Irak?

Carina asintió.

—Semanas antes de la invasión, nos llegaron rumores de que los traficantes ilegales estaba en contacto con vendedores de arte internacionales y diplomáticos sin escrúpulos. Recibían encargos de determinadas piezas. Los ladrones ya se encontraban en el lugar dispuestos a entrar en acción en cuanto la guardia republicana abandonase el museo.

—¿Dónde encaja *El Navegante* en todo esto?

—Ni siquiera sabía de su existencia. No figuraba en la lista de piezas que intenté recuperar a través de un traficante llamado Alí. Fue asesinado, lo que no es ninguna pérdida para el mundo, pero él sabía dónde estaban los objetos. Salí del país después de haber recibido la advertencia de que iban a intentar secuestrarme. Poco tiempo más tarde me llamó un representante de la Fundación Baltazar.

—¿Es esa la organización que patrocina la gira?

—El señor Baltazar es un hombre rico que se quedó horrorizado ante el expolio del museo. Lo conocí en persona en la recepción de anoche. Su fundación me provee de los fondos necesarios para buscar los objetos que no recuperé en Bagdad. No hace mucho, una fuente egipcia dijo que las piezas iraquíes estaban a la venta en El Cairo. Volé a Egipto y compré todo el lote. *El Navegante* era parte del paquete.

—¿Qué sabe de la estatua?

—Debieron de llevársela del museo al mismo tiempo que el otro lote. El profesor Nasir, el director del museo, recuerda que la estatua estaba guardada en el sótano. La consideraba una curiosidad.

—¿En qué sentido?

—Parece ser un marinero fenicio, pero lleva una brújula. Me han dicho que no hay ninguna prueba de que los fenicios conociesen la brújula.

—Así es. Los chinos tienen el mérito de haberla inventado.

—El profesor Nasir dedujo que podría haber sido una copia del tipo de productos que vendían los fenicios. Algo así como las estatuas clásicas que se venden como recuerdo en Egipto o Grecia.

—¿Su profesor amigo sabe dónde encontraron la estatua?

—Provenía de un yacimiento hitita cerca de la montaña Negra en el sudeste de Siria en la década de los años setenta. Se la llevaron a Bagdad donde se puso en duda su autenticidad. He hablado con un fotógrafo de *National Geographic* que estuvo en la excavación.

—Es curioso que de pronto sea de interés para ladrones, y más tarde para unos piratas, después de haber estado todo el tiempo en el sótano del museo.

—Solo unas pocas personas lo sabían, y por eso me sorprendió mucho que el señor Saxon me la mencionara en la recepción de la embajada iraquí.

Austin se puso atento al escuchar el nombre.

—¿Anthony Saxon?

—Sí. Parecía saber bastante de la estatua. ¿Lo conoce?

—He leído sus libros y asistí a una de sus conferencias. Es un aventurero y escritor con unas opiniones de la historia nada convencionales que no son aceptadas por los científicos.

—¿Podría tener algo que ver con el asalto?

—No me lo imagino. Pero podría valer la pena saber porqué tiene tanto interés en la estatua. Yo mismo siento una gran curiosidad por ver *El Navegante*.

—Estoy invitando a un pequeño grupo a ver la estatua. Se encuenta en un almacén del Smithsonian en Maryland. ¿Quiere venir mañana por la mañana?

—Ni que me atasen podría impedírmelo.

Carina se acabó el *limoncello*.

—Ha sido una velada maravillosa.

—Me ha parecido escuchar un pero en sus...

La joven se rió.

—Lo lamento. Me encantaría quedarme, pero tengo mucho trabajo que hacer debido a la gira.

—Estoy desconsolado, pero lo comprendo. La veré por la mañana.

A Carina se le ocurrió una idea.

—Estoy intentando arreglar una cita con el fotógrafo del *National Geographic*. Vive en Virginia. ¿Quiere venir?

—Estoy de baja, pero una salida al campo haría maravillas en el proceso de recuperación.

La joven se levantó.

—Muchísimas gracias, Kurt. Por todo.

—Ha sido un placer, Carina.

La acompañó hasta el coche. Austin esperaba recibir el habitual beso europeo en las dos mejillas, que fue lo que ocurrió. Pero Carina también le dio un cálido y largo beso en los labios. Le dirigió una sonrisa por encima del hombro, subió al coche y se marchó.

Austin tenía una expresión risueña mientras observaba cómo desaparecían por el camino los faros traseros del coche. Luego entró en la casa y fue a la terraza para recoger los vasos. Apagó las lámparas y se le ocurrió mirar hacia el río. Había una silueta recortada contra el reflejo del cielo nocturno en el agua. Conocía cada palmo de la ribera y estaba seguro de que no se trataba de un árbol o un arbusto.

Comenzó a silbar una canción y llevó los vasos al interior. Dejó la bandeja a un lado y se acercó a un armario donde guardaba el Bowen. El revolver Colt de acción simple era uno de los varios modelos fabricados artesanalmente por Hamilton Bowen que coleccionaba junto con las pistolas de duelo.

Cargó el arma, cogió una linterna y bajó desde la sala de estar hasta el primer nivel, donde guardaba su lancha de carreras y el pequeño hidroplano. Abrió la puerta que se deslizó sobre los bien engrasados rodillos y salió a la rampa de las embarcaciones.

Esperó a que sus ojos se habituasen a la oscuridad y caminó a lo largo de la casa, para luego cruzar el prado donde Zavala lo había encontrado probando las nuevas pistolas de duelo. Se detuvo y miró al espacio entre los dos grandes árboles. La figura había desaparecido. Decidió no hacer una búsqueda por su cuenta y volvió a la casa con mucho sigilo, desde donde llamó a la policía para denunciar la presencia de un intruso.

El coche de la policía se presentó ocho minutos más tarde. Dos agentes llamaron a su puerta. Hicieron una búsqueda a fondo alrededor de la casa. Austin encontró la huella de un zapato en el barro cerca del río, que ayudó a convencer a los policías de que no había imaginado cosas. Dijeron que volverían más tarde a seguir con la búsqueda de rastros.

Austin se aseguró de que las puertas de la casa estuviesen cerradas con llaves y la alarma conectada. En lugar de dormir en su dormitorio de la torre se acostó vestido en el sofá de la sala de estar. Estaba seguro de que la persona que había estado vigilando su casa se había marchado. Pero mantuvo su Bowen cerca de la mano.

20

A la mañana siguiente Austin se levantó temprano y se puso un pantalón corto y una camiseta. Se calzó un par de sandalias, fue hasta el borde del río y se arrodilló junto a la huella en el fango. La pisada todavía era visible. Midió el tamaño comparándolo con su pie. Un hombre grande.

Austin permaneció por unos instantes sumido en sus pensamientos, con la mirada puesta en el reflejo plateado del sol en el Potomac. Había muy poco que pudiese hacer; el curioso se había marchado hacía mucho. Se encogió de hombros y caminó de nuevo hacia la casa. Austin quizá no se habría sentido muy complacido de haber mirado por encima de su cabeza y visto un transmisor con una antena sujeto a una rama de un roble.

Se dio una ducha rápida y se puso pantalón largo y un polo. Llenó un termo con el café de Jamaica que le gustaba, se sentó al volante de un jeep Cherokee color turquesa del parque móvil de la NUMA, y se dirigió a los suburbios de Maryland.

Llegó a los almacenes del Smithsonian treinta minutos antes de la hora convenida con Carina. Quería disponer de unos instantes a solas con la estatua que había causado tanta conmoción. El guardia en la puerta comprobó su nombre en la lista y le permitió la entrada en el recinto. A todo lo largo del almacén había hileras de estanterías con cajas etiquetadas que contenían las piezas no expuestas de las enormes colecciones de la institución.

Un hombre delgado estaba trasteando con una cámara montada en un trípode junto a una estatua de bronce. El fotógrafo apartó la mirada del visor y frunció el entrecejo.

Austin le tendió la mano.

—Anthony Saxon, supongo.

Saxon enarcó una gruesa ceja.

—¿Nos conocemos?

—Mi nombre es Kurt Austin. Estoy con la NUMA. Asistí a su conferencia sobre las ciudades perdidas hace un par de años en el Club de los Exploradores. Lo he reconocido por la foto en la solapa de su último libro, *La búsqueda de la reina*.

El ceño de Saxon desapareció y estrechó la mano de Austin como si fuese la palanca de una bomba de agua.

—Kurt Austin. Usted encontró a Cristóbal Colón. Estoy honrado de conocerlo.

Austin matizó la respuesta.

—Solo fui parte de un equipo que encontró al viejo Cristóbal haciendo la siesta.

—Sin embargo, su descubrimiento de la momia de Colón en un barco fenicio hallado en una tumba maya estableció la base científica para el contacto precolombino en el Nuevo Mundo.

—Muchas personas no lo aceptan como un hecho.

—¡Son unos filisteos! Utilicé su hallazgo como fundamento de mis teorías. ¿Qué opina de mi libro?

—Ameno a la par que informativo. Los conceptos son muy originales.

Saxon soltó un bufido.

—Cuando las personas dicen que mi trabajo es original, lo que quieren decir es que es una locura. Comparan mis obras con aquellos libros que introdujeron en el debate a los OVNI, las mutilaciones de vacas y alienígenas.

—No creo que su libro sea disparatado en absoluto. Su teoría de que los fenicios llegaron a través del Pacífico, y también por el hemisferio occidental es fascinante. Cuando metió a la reina de Saba en el mismo saco, estaba destinado a causar controversia. Presentó un razonamiento muy claro de que ella es la clave que desentrañará el viejo enigma de Ofir.

—La reina dejó las huellas de sus bonitas pisadas a lo largo de siglos de registros históricos. He estado siguiendo sus pasos desde hace años.

—No sería el primer caso de *cherchez la femme*. Fue una verdadera lástima que un incendio destruyese la réplica de su nave fenicia antes de poder demostrar su teoría.

La furia brilló en los ojos de Saxon.

—Aquello no fue un accidente.

—No lo entiendo.

—Fue intencionado. Pero ya es pasado. —Reapareció la encantadora sonrisa—. He descartado la idea de cruzar el Pacífico, demasiado costoso y complicado. Estoy intentando montar una expedición más modesta. Me gustaría navegar desde el Líbano hasta América y volver por la ruta de España, como pudieron hacer las viejas naves de Tarsis.

—Yo no calificaría de modesto un viaje de ida y vuelta a través del Atlántico, pero buena suerte.

—Gracias. ¿Qué lo ha traído aquí, Austin? —Señaló la estatua con un gesto.

—La señorita Mechadi me invitó a que viniese a ver al caballero. ¿Y usted?

—Me enteré a través de mis fuentes de que el Smithsonian tenía al muchacho en la ciudad. Decidí venir a saludarlo.

A juzgar por todo el montaje de la cámara, el interés de Saxon por la estatua era algo más que simple curiosidad. Austin tocó el brazo metálico del *Navegante*.

—La señorita Mechadi dice que usted sabe mucho de la estatua. ¿Qué antigüedad tiene?

Saxon se volvió hacia *El Navegante*.

—Más de dos mil años.

Austin miró con curiosidad la estatua verde oscuro que

casi había costado la vida a centenares de personas. La figura tenía alrededor de un metro ochenta de alto con el pie izquierdo calzado con una sandalia un tanto adelantado. Vestía un faldellín con un complicado bordado sujeto en la cintura con una ancha faja. Sobre el hombro derecho llevaba una piel de animal. El pelo, peinado en trenzas, asomaba por debajo de un sombrero cónico. La sonrisa en el rostro barbado tenía la paz de Buda. Los ojos quedaban en parte ocultos por los párpados entrecerrados.

La mano derecha sujetaba un objeto como una caja a la altura de la cintura. La izquierda en alto, un tanto cerrada como Hamlet contemplando el cráneo de Yorick. Un gato esquelético y de cabeza pequeña estaba acurrucado alrededor de las piernas. El artista había utilizado con mucha habilidad las patas del animal para añadir estabilidad a la escultura.

—Si no me hubiesen dicho que es fenicia —comentó Austin—, me costaría trabajo señalar una cultura o un período específico.

—Eso es porque el arte fenicio no tiene ningún estilo particular. Estaban demasiado ocupados con el comercio para crear grandes obras de arte. Fabricaban productos de consumo para vender, así que imitaban el arte de los países que eran su mercado. La postura de la estatua es egipcia. La cabeza es siria, casi oriental en su estilo. La caída natural de los pliegues del faldellín está tomada de los griegos. El tamaño se aparta de la norma. Los bronces fenicios tendían a ser pequeños.

—El gato es un detalle poco habitual.

—Los fenicios llevaban gatos a bordo para cazar las ratas y para venderlos. Les gustaban los machos con rayas naranja en el pelo.

Austin observó con atención el objeto con forma de caja en la mano derecha de la estatua. Medía quince centímetros de ancho. En la tapa había una depresión circular de poco más de un centímetro de profundidad. Había una estrella de ocho puntas tallada en el fondo. Una de las puntas era más grande que las demás. Una gruesa línea, con puntas en los dos extremos, cruzaba de un lado al otro de la estrella.

Saxon se fijó en la expresión atenta del rostro de Austin.

—Interesante, ¿verdad?

—Carina mencionó la paradoja de la brújula. Se supone que los chinos la inventaron siglos después del apogeo del comercio fenicio.

—Esa es la creencia común. ¿Usted qué opina?

—Mantengo una postura abierta. El imperio fenicio se extendía a lo largo de la costas mediterráneas y más allá. Necesitaban mantener un contacto constante con sus colonias. Tenían que navegar grandes distancias. Desde Tiro hasta el extremo occidental del Mediterráneo hay más de dos mil millas. Eso presupone unas grandes dotes para la navegación, buenas cartas e instrumentos náuticos.

—¡Bravo! No tengo ninguna duda de que esas personas inteligentes e inquisitivas conocían las curiosas propiedades de la piedra imán. Contaban con la capacidad técnica para montar una aguja magnética en una rosa de los vientos como esta. *Voilà!* Una brújula.

—Entonces ¿la estatua es auténtica?

—Supongo que fue realizada alrededor de ochocientos cincuenta antes de Cristo, cuando el imperio fenicio estaba en su máximo esplendor.

—La aguja parece señalar el rumbo este-oeste.

Saxon enarcó una ceja.

—¿Qué más ve?

Austin se centró en el rostro de bronce. La nariz se veía aplastada como si hubiese recibido un golpe de martillo. Excepto por ese daño, se parecía mucho a un joven con barba. Aquello que en un primer momento había interpretado como una sonrisa bien podía ser una mueca. Tenía los ojos entrecerrados. Se colocó detrás de la estatua para mirar la mano alzada.

—Creo que mira al sol, como si estuviese navegando con un astrolabio o una cruz geométrica.

Saxon soltó una carcajada.

—Amigo mío, me asusta.

El objetivo de la cámara apuntaba a la cintura de la estatua, donde un motivo se repetía en la faja. A lo largo del dibujo aparecía varias veces una línea horizontal, con una zeta invertida en cada extremo.

—Esta marca aparece en su libro.

Austin se fijaba en el detalle y no vio la expresión de sorpresa del aventurero.

—Así es. Creo que simboliza una nave de Tarsis.

—Encontró motivos similares en Sudamérica y en Tierra Santa.

Una expresión furtiva se vio por un segundo en los ojos grises de Saxon.

—Mis detractores afirman que es una coincidencia.

—Son filisteos —aseveró Austin.

Austin observó el medallón colgado alrededor del cuello de la estatua. Tenía grabados la cabeza de un caballo y una palmera con las raíces al aire.

—Esto también estaba en su libro. El caballo y la palmera.

—El caballo era el símbolo de Fenicia y la palmera simbolizaba una colonia establecida.

Austin pasó los dedos como alguien que lee en Braile por varias de las protuberancias que había debajo de la palmera. Se escuchó una voz femenina, que interrumpió la pregunta que iba a formular.

—¿Cómo ha entrado aquí?

Carina estaba en el umbral, con una expresión de incredulidad en el rostro.

Saxon intentó calmar su furia con una sonrisa.

—No la culpo por estar enfadada, señorita Mechadi. Por favor, no la tome con el guardia. Le mostré mis credenciales del Club de Exploradores. Por cierto, son auténticas.

—No me importa si las tiene tatuadas en el trasero —replicó Carina—. ¿Cómo ha sabido que la estatua estaba aquí?

—Tengo fuentes que saben de mi interés.

La joven se acercó a la cámara.

—Las fotos de la estatua serán incluidas en un libro que venderemos durante la gira. No tiene ningún derecho a tomar fotos no autorizadas.

Saxon miró más allá de Carina y su expresión sufrió un brusco cambio. La sonrisa desapareció. Mostró los dientes como un feroz sabueso y gruñó una única palabra:

—Baltazar.

El magnate minero había entrado en el almacén. Lo seguía un joven con un maletín de cuero. Baltazar se acercó a Carina.

—Me alegro de volver a verla, señorita Mechadi. —Tendió la mano a Saxon—. Viktor Baltazar. No creo haber tenido el placer.

Saxon mantuvo la mano pegada al cuerpo.

—Tony Saxon. Usted intentó comprar la nave que había construido para cruzar el Pacífico.

—Oh, sí —respondió Baltazar, sin preocuparse por el desaire—. Quería donarla a un museo. Oí decir que se había quemado. Una verdadera pena.

Saxon se volvió hacia Carina.

—Mis disculpas, señorita Mechadi. Espero que recuerde nuestra conversación en la embajada.

Saxon plegó el trípode y se lo cargó al hombro. Con una última mirada feroz a Baltazar, se dirigió hacia la puerta y abandonó el almacén.

Carina sacudió la cabeza en una muestra de enfado.

—Lamento si me excedí en mi reacción. Ese hombre es la persona más irritante que he conocido. Bueno, ya está bien de preocuparse por él. Kurt, quiero presentarle a Viktor Baltazar cuya fundación patrocina la gira.

—Estoy encantado de conocerlo, señor Austin. La señorita Mechadi me explicó cómo gracias a su valentía consiguió frustrar el asalto. Muchas gracias por salvar a esta extraordinaria joven y preservar la colección.

—Carina me ha hablado de la generosidad de su fundación —manifestó Austin.

Baltazar descartó el comentario con un gesto y volvió su atención a la estatua.

—Por fin. *El Navegante*. Algo notable. Aplaudo su decisión de hacerla la pieza central de la exposición, señorita Mechadi.

—Era la elección natural —señaló Carina—. Incluso con el rostro dañado, proyecta dignidad e inteligencia. Después está su aire de misterio.

Baltazar asintió.

—¿Qué opina de nuestro mudo amigo, señor Austin?

Austin pensó en la conversación con Saxon.

—Quizá estaría mejor dispuesto a hablar si le formulásemos las preguntas correctas.

Baltazar dirigió a Austin una mirada un tanto extraña y otra vez miró a la estatua. Caminó alrededor del *Navegante*, y sus ojos escudriñaron cada centímetro cuadrado de bronce.

—¿Ha hecho que un experto examine la estatua? —preguntó a Carina.

—Todavía no. La llevarán al Smithsonian donde la prepararán para la gira.

—Me preocupa un tanto la seguridad a la vista del intento de robo —manifestó Baltazar—. Como demuestra la visita no autorizada del señor Saxon, la seguridad deja que desear. La estatua podría ser vulnerable cuando la trasladen. Me he tomado la libertad de llamar a una compañía de transporte para que venga esta mañana y se lleve la estatua bajo custodia. No tardarán en llegar. Si a usted no le importa, desde luego.

Carina consideró la oferta. Cuantas más personas supiesen dónde estaba *El Navegante*, menos segura estaría.

—Es muy amable de su parte —contestó Carina—. Acepto su oferta con mucho gusto.

—Bien. Hecho. Sé que es un poco temprano, pero sugiero que celebremos nuestro éxito con un brindis.

Hizo un gesto al acompañante que había dejado el maletín en un estante y abrió la tapa. En el interior había una botella de Moët. Descorchó la botella, sirvió tres copas de champán y las repartió.

Brindaron, y Baltazar sostuvo su copa en alto.

—Por *El Navegante*.

Austin observó al patrocinador de Carina por encima del borde de la copa. Parecía como si estuviese tallado en piedra. Debajo del traje a rayas oscuro, Baltazar tenía el poderoso cuerpo de un luchador. Incluso con los anchos hombros, la cabeza que descansaba en el grueso cuello seguía pareciendo demasiado grande para el resto.

Baltazar no se dio cuenta del escrutinio de Austin. No podía mantener los ojos apartados de Carina y parecía estar vigilando cada movimiento. Austin había detectado una velada hostilidad detrás de la cálida sonrisa. Se preguntó si Baltazar estaría interesado en Carina, y le molestaba la amistad de Austin con la adorable italiana.

El secretario comenzó a recoger las copas vacías. Los demás estaban centrados en la estatua y nadie se fijó cuando cogió la copa de Carina y la guardó en una bolsa de plástico, que metió en el maletín. Luego fue a susurrarle algo al oído a su patrón. Un momento más tarde, Baltazar consultó su reloj y dijo que tenía que marcharse.

Carina lo acompañó hasta la puerta. Cuando volvió, se disculpó con Kurt por interrumpir la visita, pero dijo que debía preparar la estatua para los transportistas. Acordaron mantenerse en contacto a través del móvil y encontrarse más tarde para su viaje a Virginia y ver al fotógrafo de *National Geographic*.

Un Yukon negro con los cristales tintados estaba aparcado cerca del jeep de Austin. Una mirada a la matrícula indicó a Austin que era un vehículo del gobierno. Su conclusión se confirmó cuando se abrió la puerta trasera del Yukon y un hombre con un traje azul oscuro y gafas de sol se apeó y le mostró una insignia.

Sin cerrar la puerta, el hombre le dijo:

—Alguien quiere hablar con usted.

Austin no era de aquellos que aceptan de buena gana las órdenes de desconocidos descorteses.

Sonrió.

—Si no aparta esa insignia de juguete de mi cara, acabará comiéndosela.

Austin esperaba una reacción hostil, pero, para su sorpresa, el hombre se rió y luego habló a alguien en el vehículo.

—Tenía razón. Su compañero es un tío duro.

Del interior del vehículo se escuchó una sonora carcajada. Una voz que Austin no había escuchado en mucho tiempo dijo:

—No se acerque demasiado o lo morderá.

Austin miró al interior del Yukon y vio a un hombre fornido sentado al volante. Fumaba un puro y tenía una gran sonrisa en su rostro ancho.

—Oh, demonios, tendría que haber sabido que eras tú, Flagg. ¿Qué te ha traído aquí desde Langley?

—Unos mandamases del gobierno me pidieron que viniera a recogerte. Sube. Jake nos seguirá en tu coche de la NUMA.

Austin arrojó las llaves del jeep al otro hombre y subió al Yukon. Había trabajado con John Flagg en varias misiones de la CIA, pero no había visto a su antiguo colega en años. El indio wampanoag de Martha's Vineyard era de aquellos que trabajaban entre bambalinas dedicados a solucionar problemas y pocas veces se dejaba ver.

Se estrecharon la mano.

—¿Adónde vamos? —preguntó Austin.

—Vas a salir a dar una vuelta en barco —contestó Flagg con una sonrisa.

21

El camión de mudanzas llegó al almacén del Smithsonian veinte minutos después de que Austin se hubiese marchado en el Yukon. Carina se tranquilizó al ver el camión sin señales de identificación aparcado frente al almacén. Había visto de primera mano el ingenio y la decisión de los asaltantes del barco.

Se abrieron las puertas traseras y dos hombres vestidos con los típicos uniformes grises y gorras a juego saltaron al suelo. Uno puso en marcha la plataforma trasera y el otro descargó una carretilla eléctrica y una gran caja de madera. El conductor se apeó de la cabina y se acercó con un cuarto hombre.

—Usted debe de ser la señorita Mechadi —dijo el cuarto tipo con un lento tono sureño—. Me llamo Ridley. Estoy al mando de esta banda de gorilas. Lamento llegar tarde.

Ridley era un hombre fornido con el pelo rubio corto. Él y sus subordinados llevaban armas y radiotransmisores portátiles enganchados en los bolsillos.

—No tiene por qué disculparse —dijo Carina—. Ahora mismo acabo de embalar la estatua para el transporte.

Los llevó al interior del almacén. Ridley se rió cuando vio la figura envuelta de pies a cabeza con un grueso acolchado y atada con cuerdas.

—¡Caray! Parece una salchicha gigante.

Carina sonrió ante la apropiada comparación.

—La estatua tiene más de dos mil años de antigüedad. Ya ha sufrido daños, y quiero hacer todo lo posible para protegerla.

—No la culpo por ello, señorita Mechadi. Nosotros la cuidaremos bien.

Ridley se metió el pulgar y el índice entre los labios y soltó un agudo silbido. Sus hombres entraron en el almacén, colocaron el cajón en la carretilla y lo forraron con más acolchado. Con unas correas para mantener la estatua sujeta, la metieron en la caja y salieron del almacén. La plataforma mecánica subió la carga hasta la caja del camión y los hombres la colocaron dentro.

Dos de los transportista subieron a la parte de atrás. Uno cogió un fusil y se sentó en la caja, como si fuese el guardia de una diligencia. El otro cerró la puerta, y Carina escuchó el chasquido de los cierres. El conductor se sentó al volante y Ridley se acercó con una carpeta sujetapapeles, que entregó a Carina.

—Tendrá que firmar este formulario, para que todo sea legal.

Carina garrapateó su firma al pie del formulario y se lo devolvió a Ridley.

—Allí está mi coche —dijo—. Lo seguiré al Smithsonian.

—No es necesario, señorita Mechadi. Sabemos dónde tenemos que ir. Nosotros nos cuidaremos de la estatua, y usted puede continuar ocupándose de lo suyo.

—Esta es mi ocupación —replicó ella con su característica firmeza.

La mirada de Ridley se endureció mientras miraba a Carina caminar hacia su coche. Maldijo por lo bajo y subió a la cabina del camión donde hizo una rápida llamada con el móvil. Habló un solo instante. Se volvió hacia el conductor, y le ordenó:

—¡En marcha!

Escoltado por el coche de Carina, el camión salió de los almacenes y entró en la carretera. Los vehículos circulaban hacia las zonas suburbanas de Maryland. Carina comenzó a relajarse. Ridley y sus hombres parecían competentes, casi militares. Si bien no le gustaban las armas, la tranquilizaba que los hombres fuesen armados. A diferencia de los indefensos tripulantes del portacontenedores, podrían oponer resistencia.

Carina conocía Washington, pero los barrios dormitorios eran una desconcertante mezcla de zonas comerciales y de viviendas. El camión pasó por delante de centros comerciales, gasolineras y parques. Esperaba que en algún momento entrarían en el cinturón de ronda o alguna otra autovía, que llevase hacia la ciudad y se sorprendió cuando el camión se detuvo delante de una tienda.

Ridley se bajó y se acercó al coche.

—¿Qué tal va, señorita Mechadi?

—Estoy bien. ¿Hay algún problema?

—Acabo de escuchar en la radio que hay un atasco en la entrada de la autovía —respondió Ridley—. Ha volcado un camión y hay una cola de varios kilómetros. Vamos a dar un rodeo para entrar. Es un poco complicado, así que he preferido avisarle.

—Es muy amable de su parte. Me aseguraré de mantenerme cerca.

Ridley volvió al camión como si tuviese todo el tiempo del mundo y subió a la cabina. El camión salió del aparcamiento, con Carina muy cerca. No había escuchado ningún informe de accidente o de retenciones, pero quizá había estado distraída. Apagó la radio y dedicó toda su atención al camión.

El vehículo salió a una carretera secundaria bordeada por una sucesión de centros comerciales y restaurantes de comida rápida. El intenso tráfico se detenía cada cien metros o poco más ante los semáforos. Después de tres kilómetros de parar y arrancar, Carina agradeció que los intermitentes del camión señalaran el giro a la derecha.

Se sintió menos contenta cuando pasaron a través de un barrio de ruinosas casas de apartamentos y centros comerciales que parecían remontarse a la Gran Depresión. Había pintadas en todas la paredes; la basura se amontonaba junto a las alcantarillas. La gente de aspecto siniestro que vio parecían estar drogados, algo muy probable, dado el entorno.

Minutos más tarde, pasaron por un sector que parecía una zona de guerra. Lo que había sido una vez una activa zona comercial ahora era un barrio fantasma de tiendas abandonadas, garajes cerrados y almacenes con candados en las puertas. Las parcelas vacías estaban cubiertas de hierbajos y papeles arrastrados por el viento.

Carina lamentó no poder comunicarse con el camión. Hizo sonar la bocina. Ridley sacó su musculoso brazo por la ventanilla y lo agitó, pero el camión no dio ninguna señal de detenerse. Buscaba un lugar más ancho en la carretera donde pudiese ponerse a su costado, cuando el camión se metió en el aparcamiento lleno de baches de un restaurante. La palabra PIZZA apenas si se leía en el despintado cartel en la fachada del ruinoso edificio.

Carina esperaba que Ridley se acercase para decirle que se habían perdido. Cuando no lo hizo, se enfadó, y luego se enfureció. Sujetó el volante como si quisiese arrancarlo. El camión continuaba allí. Pensó en bajarse, pero una mirada al desolado entorno le indicó que estaba en un lugar muy poco recomendable.

Tendió la mano para apretar el cierre de seguridad de las puertas. En aquel instante, una figura apareció de detrás de un viejo contenedor, abrió la puerta trasera del coche y se sentó.

—Hola —dijo el hombre con voz suave.

Carina miró por el espejo retrovisor. Vio los ojos redondos en un rostro de bebé. Estaba mirando al asaltante que había visto cuando yacía atada en el portacontenedores. La dominó el miedo, pero tuvo la presencia de ánimo necesaria para acercar la mano a la manija de la puerta. Sintió frío en el cuello y escuchó un siseo suave. Perdió el conocimiento, y su cabeza cayó sobre el pecho.

El hombre se apeó del coche y se acercó a la parte de atrás del camión. Llamó a la puerta, que se abrió al cabo de un segundo. Los guardias en el interior no ofrecieron ninguna resistencia cuando subió para inspeccionar el cajón. Llamó por la radio. Un momento más tarde, otro camión con el cartel de REPARTO RÁPIDO apareció por detrás del local del restaurante. La estatua fue descargada de inmediato y cambiada por cuatro cuerpos inertes que habían sacado del segundo camión.

El hombre con el rostro de bebé se acercó a Carina, y pensó en lo hermosa y tranquila que parecía. Flexionó los dedos que podían acabar con los latidos de su corazón en un instante y cerró los ojos, al tiempo que respiraba profundamente. Con el impulso homicida más o menos controlado, subió a la trasera del camión. El vehículo salió del aparcamiento, con el camión de reparto casi pegado al parachoques.

22

El Yukon entró en un aparcamiento de un club náutico del Potomac y Austin se apeó. El segundo agente que los había seguido en el jeep de la NUMA aparcó el vehículo, arrojó a Austin las llaves y se subió al todoterreno.

Flagg se asomó por la ventanilla.

—A ver si cualquier día de estos quedamos para comer en Langley. Podremos aburrir a Jake con historias de la Guerra Fría.

—Por aquel entonces éramos bastante tontos —replicó Austin con una sacudida de cabeza.

Flagg se echó a reír.

—También muy afortunados. —Arrancó y se alejó.

Austin caminó a lo largo de la hilera de embarcaciones. Salvo por la presencia de unas cuantas personas, la ribera estaba tranquila. Se detuvo para contemplar una lancha de crucero antigua.

La embarcación de madera con el casco blanco tenía quince metros de eslora, y los acabados de caoba resplandecían con un brillo cegador. En el espejo de popa estaba el nombre escrito con letras de latón: LOVELY LADY. Había un hombre sentado en una silla leyendo un ejemplar del *Washington Post*. Vio a Austin, dejó el periódico a un lado y se levantó.

—¿Qué le parece? —preguntó.

A Austin le encantaban los yates clásicos y su discreto aire de lujo, que contrastaban tanto con las chillonas exhibiciones de mal gusto que se veían en algunos de los yates modernos amarrados en el club.

—Su nombre lo dice todo.

—Desde luego que lo es.

—Sé que no es correcto preguntar la edad de una dama, pero ¿cuántos años tiene?

—No le preocupe ofender a la vieja dama, amigo mío. Sabe que es tan hermosa como el día que nació en mil novecientos treinta y uno.

Austin observó las gráciles líneas de la motora.

—Diría que salió de los astilleros Stephens de California.

El hombre enarcó una ceja.

—Está en lo cierto. Stephens la construyó para uno de los Vanderbilt menos conocidos. ¿Quiere subir a bordo para echarle una ojeada, señor Austin?

Los labios de Austin se abrieron en una sonrisa tensa. No era casual que Flagg lo hubiese dejado cerca de la embarcación. Subió por la corta pasarela y estrechó la mano del hombre que se presentó a sí mismo como Elwood Nickerson.

Era alto y nervudo, con el físico de un jugador de tenis. Su rostro bronceado casi no tenía arrugas, y podía tener sesenta o setenta años. Vestía unos viejos pantalones cortos marrones, viejos zapatos náuticos y una camiseta con la leyenda GEORGETOWN UNIVERSITY, que casi era un harapo. El pelo blanco corto y las uñas bien cuidadas, además del acento de escuela de clase alta, sugerían que no era un marinero vagabundo.

Miró a Austin con unos ojos grises duros como el pedernal.

—Es un placer conocerlo, señor Austin. Gracias por venir. Lamento todo este misterio. Le ofrecería un ron Barbancourt con hielo, pero puede que sea demasiado temprano.

Nickerson conocía la bebida favorita de Austin. Si no había estado husmeando en su bar, es que tenía acceso a los archivos personales del gobierno.

—Nunca es demasiado temprano para un buen ron, pero

me conformaría un vaso de agua y una explicación —dijo Austin.

—El agua puedo dársela de inmediato. La respuesta a su pregunta llevará un poco más.

—Tengo tiempo.

Nickerson llamó al patrón y le dijo que estaban listos para zarpar. El patrón puso los motores en marcha y el marinero soltó las amarras. La embarcación enfiló el centro del río para navegar corriente abajo. Nickerson llevó a Austin al gran salón de cubierta donde destacaba una mesa de caoba rectangular que había sido pulida hasta darle un acabado de espejo.

Invitó a Austin a que se sentase a la mesa. Luego sacó una botella de agua mineral de la nevera y le sirvió un vaso.

—Pertenezco a la Secretaría de Oriente Próximo del Departamento de Estado, donde soy un jefe plasta y factótum general—dijo Nickerson—. Esta salida tiene la bendición de mi jefe, el secretario de Estado. Consideró prudente no involucrarse en este momento.

—Ha estado hurgando en mi archivo personal, y eso indica una autorización a un nivel más alto que el departamento.

—Cuando llevamos este asunto a la atención de la Casa Blanca —añadió Nickerson—, el vicepresidente Sandecker sugirió que acudiésemos a su jefe, el director Pitt. Él nos dijo que se lo encargásemos a usted.

—Ha sido muy generoso por parte del director —manifestó Austin. Típico de Pitt, pensó. Le gustaba que las decisiones las tomasen aquellos que se verían más afectados por sus consecuencias.

Nickerson captó la ironía en la voz de Austin.

—El señor Pitt se mostró muy receptivo a nuestros deseos. Tiene la máxima confianza en sus capacidades. Fue decisión mía verificar sus antecedentes. Tengo fama de ser cuidadoso.

—Además de aficionado al misterio.

—Su expediente dice que tiene poca paciencia con la charla baladí. Por lo tanto iré al grano. Hace dos días, mi sección recibió la visita de Pieter DeVries de la ANS. DeVries es uno de los más respetados expertos criptógrafos del mundo. Nos trajo una información de una naturaleza sorprendente.

Durante los siguientes veinte minutos, Nickerson describió con todos los detalles el descubrimiento del archivo de Jefferson en la Sociedad Filosófica Americana y el descifrado del mensaje secreto que contenía.

Nickerson acabó con las explicaciones y esperó a la reacción de Austin.

—A ver si lo he entendido bien —dijo Austin—. La bibliotecaria de una organización fundada por Ben Franklin encontró un archivo perdido que contiene la correspondencia en clave entre Thomas Jefferson y Meriwether Lewis. Jefferson escribió a Lewis para decirle que creía que los fenicios habían visitado América del Norte y ocultado una reliquia sagrada en las minas de oro del rey Salomón. Lewis dice a Jefferson que irá a verlo. Lewis muere de camino.

Nickerson exhaló un sonoro suspiro.

—Lo sé. Suena como algo del todo fantástico.

—Por favor, tenga un poco de paciencia y le explicaré mis motivos. —Le entregó una gruesa carpeta—. Aquí están las copias de los textos de Jefferson y los mensajes descifrados. La información ha sido autentificada.

Austin abrió la carpeta y echó una ojeada a la apretada caligrafía de Jefferson. Después de leer varias páginas, preguntó:

—¿Está seguro de que es auténtico?

—El documento de Jefferson es auténtico. La exactitud histórica es algo a determinar.

—Incluso así, este descubrimiento desafía todas las suposiciones —señaló Austin—. ¿Alguna idea respecto a la naturaleza de la reliquia?

—Algunos de los analistas que han visto esto sugieren que podría ser el Arca de la Alianza. ¿Usted qué cree?

—Hay una muy buena posibilidad de que el Arca fuese destruida durante la ocupación de Jerusalén por los babilonios. También he oído decir que está sepultada bajo toneladas de roca en una mina africana. Los etíopes aseguran que ellos la tienen, pero pocos la han visto. Se trate del Arca o no, este hallazgo será una bomba histórica.

—Tiene razón. Lo más probable es que el Arca sea ya un montón de astillas. Sabemos que aquello que ocultaron en Norteamérica fue un motivo de gran preocupación para Jefferson.

—Usted también parece preocupado.

—Lo estoy. La metáfora de la bomba histórica es desafortunada pero exacta.

—¿Le preocupan los buscadores de tesoros?

—No. Nos preocupa una conflagración que podría empezar en Oriente Medio y extenderse a Europa, Asia, y América del Norte.

Austin puso una mano sobre la carpeta.

—¿Cómo podría esto desatar una guerra mundial?

—El hallazgo podría ser interpretado por determinados grupos como la señal de que debe construirse el tercer templo de Salomón para albergar la reliquia. Para edificarlo sería necesario derribar la mezquita que hay en el monte del Templo, el tercer lugar más sagrado del islam. El simple rumor del hallazgo podría provocar una violenta reacción de los musulmanes en el mundo entero. Verían la noticia del descubrimiento en Norteamérica como una conspiración estadounidense. Se acusaría a este país de incitar a las fuerzas enemigas del islam a destruir algo sagrado. Haría que todos los conflictos anteriores en la zona nos pareciesen una tarde en el circo.

—¿No estaremos haciendo una tormenta en un vaso de agua? Ni siquiera sabe cuál es esta reliquia.

—No tiene importancia. La percepción lo es todo. Hace unos años, nació en Israel un ternero rojo, y hubo quien lo consideró como el inicio de una cadena de acontecimientos que acabarían con el mundo. Por amor de Dios, ¡no era más que un maldito ternero!

Austin pensó en las palabras de Nickerson.

—Entonces ¿por qué se preocupa tanto?

—Ya son demasiadas las personas enteradas de la existencia de este archivo. Podemos hacer todo lo posible para evitar filtraciones, pero acabará por saberse. El Departamento de Estado pondrá en marcha las estrategias diplomáticas para suavizar el golpe si llega, pero debemos tomar otras medidas.

Austin sabía por experiencia que el gobierno tenía más filtraciones que un colador.

—¿En qué puedo ayudar? —preguntó.

—Comprendo por qué Dirk Pitt dejó este asunto en sus manos —manifestó Nickerson con una sonrisa—. Nuestra mejor defensa es la verdad. Debemos encontrar aquello que los fenicios trajeron a nuestras costas. Si se trata del Arca, la enterraremos por otros mil años. Si no lo es, podemos manipular la historia cuando salga a la luz, si sale.

—Encontrar una aguja en un pajar sería más fácil. La NUMA es una entidad de investigación oceánica. ¿No deberían utilizar a las agencias de inteligencia en tierra?

—Lo hemos intentado Sin más información es inútil. La NUMA está en una posición inmejorable para ayudar. Queremos concentrarnos en la nave y el viaje más que en el objeto. Su pasada experiencia con la tumba de Colón lo hace la persona idónea para dirigir la operación.

Austin entrecerró los ojos.

—Si pudiésemos trazar la ruta del viaje, eso reduciría el campo de búsqueda.

—Esperábamos que fuese más que una idea.

—Podemos intentarlo. Hablamos de un viaje que se realizó hace miles de años. Hablaré con mi colega Paul Trout. Es un experto en modelos informáticos y quizá pueda trazar la ruta.

Pareció como si a Nickerson le hubiesen quitado una pesada carga de sus estrechos hombros.

—Gracias. Diré al patrón que puede regresar.

Austin pensó en todo lo dicho. Había algo en Nickerson que le inquietaba. El hombre del Departamento de Estado parecía sincero, pero sus declaraciones eran demasiado relamidas, y parecía un tanto ladino para su gusto. Quizá ser retorcido era una herramienta para sobrevivir en los altos niveles del gobierno. Decidió apartar las dudas, pero dejándolas a mano, y concentrarse en el problema inmediato.

Otra vez los fenicios.

Parecía estar encontrándose con estos antiguos marineros en cada esquina. Comenzó a pensar en una estrategia. Llamaría a Trout y le diría que comenzase a trabajar en el asunto. Tony Saxon estaría contentísimo si supiese que sus descabelladas teorías del contacto precolombino en América acabarían por ser confirmadas por una crisis internacional. Quería echar otra mirada a *El navegante*, solo que esta vez llevaría a su propio experto en fenicios.

El móvil vibraba en su bolsillo. Aceptó la llamada.

—Kurt Austin.

—Soy el sargento Colby de la Policía del Distrito, señor Austin. Hemos encontrado su nombre en el billetero de la señorita Mechadi.

Los músculos de las mandíbulas de Austin se tensaron mientras escuchaba al sargento darle los detalles con el lenguaje monótono y eufemístico que es propio de la policía.

—Estaré allí en treinta minutos.

Se dirigió hacia el puente de mando a rogar al capitán que sacase el máximo de velocidad de los motores del *Lovely Lady*. En ese mismo momento, Nickerson estaba en el salón hablando por teléfono.

—Austin ha mordido el anzuelo —decía—. Ha aceptado la misión

—Por lo que sé de Austin, me habría sorprendido de no haberlo hecho —manifestó su interlocutor.

—¿Cree que este plan funcionará?

—Más nos vale. Se lo diré a los demás —respondió la voz.

Nickerson dejó el teléfono y miró al infinito. El secreto de tres mil años quizá se descubriría en su vida. La suerte estaba echada. Fue hasta el bar, sacó una botella de brandy y una copa. Al demonio su médico y la recomendación de que se mantuviese apartado de la bebida, pensó, y se sirvió una copa llena.

23

El sargento Colby esperaba a Austin en el puesto de enfermeras de la sala de urgencias del Hospital Universitario de Georgetown. El policía conversaba con un hombre vestido con la chaquetilla verde de los médicos. Colby se fijó en el paso decidido de Austin y dedujo que era el hombre que lo había asediado a preguntas en su conversación telefónica.

—¿El señor Austin?

—Gracias por llamarme, sargento. ¿Qué tal está la señorita Mechadi?

—Bastante bien. Una de nuestras patrullas recorría un barrio conflictivo y la encontró tumbada sobre el volante del coche.

—¿Alguien sabe lo que pasó?

—No tenía mucho sentido lo que dijo cuando recuperó el conocimiento —manifestó el sargento con una sacudida de cabeza—. Ahora mismo hablaba con el doctor Sid sobre las pruebas físicas.

Se volvió hacia Siddhartha Choudary. El doctor Sid era uno de los anestesistas residentes que había sido llamado a consulta.

—Al parecer por el análisis de sangre de su amiga le dieron una dosis de thiopental sódico, ya fuese por vía nasal o a través de la piel. Tuvo que dormirla en cuestión de segundos.

—No creemos que el robo fuese el motivo —manifestó Colby—. En la cartera tenía todo el dinero, junto con su tarjeta de identificación y su número de teléfono. Mandaremos a los técnicos de laboratorio que examinen el coche. Con toda sinceridad, no es algo que vaya a ser de inmediato. Los asesinatos tienen prioridad, y hay una lista de espera en la morgue.

—Me gustaría verla —dijo Austin.

—Ahora está despierta —manifestó el médico—. Se sentirá cada vez mejor a medida que la droga desaparezca del torrente sanguíneo. Es como haber bebido un Martini de más. Una leve resaca, mareo y tal vez náuseas. Puede marcharse en cuanto sienta que es capaz de caminar, siempre que tenga ayuda. Nada de conducir por un tiempo. La tercera puerta a la derecha.

Austin dio las gracias a los dos hombres y se alejó por el pasillo.

—Yo no me acercaría demasiado —le advirtió el policía—. Está hecha una furia.

Carina estaba sentada en el borde de la cama, intentando ponerse un zapato. Tenía problemas con la coordinación manos-ojos. Parecía más furiosa con su pie que con cualquier otra cosa.

Austin se detuvo en el umbral.

—¿Necesita que le echen una mano?

La profunda expresión de enfado en el rostro de Carina desapareció. Mostró una gran sonrisa, y soltó una exclamación de triunfo cuando consiguió calzarse. Intentó levantarse, pero le fallaron las piernas. Se caía cuando Austin entró en la habitación. La sujetó y la colocó en la cama.

—*Grazie*. Me siento como si hubiese bebido demasiado vino.

—El doctor dijo que el efecto de la droga no tardará en desaparecer.

—¿Droga? ¿De qué demonios habla? No tomé ninguna droga.

—Ya lo sabe. A usted la durmieron con un anestésico. Lo respiró o se lo inyectaron a través de la piel. ¿Puede decirme qué pasó?

Una expresión de miedo apareció en los ojos de la joven.

—Vi al asaltante del barco portacontenedores. Aquel gigantón con el rostro de un bebé malvado.

—Será mejor que comience por el principio.

—Buena idea. Ayúdeme a sentarme.

Austin cogió a Carina por la cintura, la levantó con mucha suavidad y después le sirvió un vaso de agua. Sentada en el borde de la cama, le relató la historia entre sorbo y sorbo.

—Los encargados del transporte vinieron a buscar al *Navegante*. Un hombre llamado Ridley estaba al mando. Seguí al camión en mi coche. Entraron en un barrio horrible. Se detuvo en un aparcamiento. Recuerdo el viejo cartel de una pizzería. Se abrió la puerta trasera. Vi al asaltante por el espejo retrovisor.

Austin recordó la pisada en la ribera del río cerca de su casa.

—Continúe.

—Escuché un siseo. Luego me desperté en este lugar. —Recordó una cosa más—. Se llevaron la estatua. Tendré que decírselo a la policía. —Se levantó y se apoyó en la cama—. Todavía estoy un poco mareada.

Austin le dio un beso en la frente.

—Hablaré con la policía mientras descansa.

Colby estaba acabando una conversación telefónica cuando se le acercó Austin.

—¿Le habló del camión y de la estatua desaparecida?

—Sí —respondió el sargento—. Creí que deliraba. Acabo de llamar a la comisaría. Un camión que concuerda con la descripción que nos dio volcó en la autopista y se incendió. Encontraron cuatro cadáveres incinerados a tal punto de quedar irreconocibles.

—¿Alguna señal de una estatua de bronce?

—No. El incendio fue tremendo. Es probable que su estatua se haya fundido.

Austin dio las gracias a Colby y volvió para informar a Carina. No le mencionó los cadáveres en el camión incendiado. La muchacha miró el reloj en la pared.

—Tengo que salir de aquí. Voy a perder mi cita con Jon Benson, el fotógrafo de *National Geographic* que le mencioné.

—¿A qué hora ha quedado con él?

—Dentro de una hora o poco más. —Carina le dijo la dirección—. ¿Cree que podremos llegar?

—Si nos marchamos ahora. Depende de cómo se sienta.

—Me siento bien. —Dio un par de pasos antes de tambalearse—. De todas maneras, no me importaría una ayuda.

Caminaron por el pasillo cogidos del brazo. Colby había dejado una nota en el puesto de las enfermeras para que lo llamasen cuando Carina estuviese en condiciones de ser entrevistada. Para cuando acabó de firmar los papeles de la salida, Carina parecía mucho más fuerte. La enfermera insistió en que cruzase el vestíbulo en una silla de ruedas. Apenas si se tambaleaba cuando salió por la puerta principal.

En el viaje a Virginia, Carina intentó llamar al fotógrafo. Nadie atendió la llamada. Se dijo que Benson había salido y que regresaría a la hora acordada.

Los efectos del anestésico desaparecieron del todo gracias al aire fresco y puro que entraba por la ventanilla del coche. Llamó a Baltazar para informarle del robo. Escuchó la respuesta del contestador automático y le dejó un mensaje.

—Usted no cree que Saxon tenga algo que ver con esto, ¿verdad? —preguntó tras un momento de reflexión.

—Saxon no parece de esa clase de tipo —contestó Austin—. Quizá pueda ser una ayuda. Podríamos utilizar las fotos que tomó del *Navegante* para anunciar su pérdida.

Carina buscó en su agenda y encontró la tarjeta que Saxon le había dado en la recepción de la embajada iraquí. Llamó al número escrito en la parte de atrás de la tarjeta y repondió alguien del hotel Willard. El recepcionista le informó de que el señor Saxon se había marchado. Carina se lo comunicó a Austin con una sonrisa presumida.

Diez minutos más tarde, Austin dejó la carretera principal y condujo por un camino de tierra hasta una granja de una sola planta. Aparcaron junto a una camioneta cubierta de polvo y subieron los peldaños de la galería. Nadie respondió a las repetidas llamadas a la puerta.

Miraron en el granero y después volvieron a la galería. Austin probó de abrir la puerta. Estaba sin llave. La abrió. Carina asomó la cabeza y llamó.

—¿Señor Benson?

Un leve gemido llegó desde el interior. Austin entró y fue por el pasillo hasta una cómoda sala de estar, donde cogió un atizador de la chimenea. En silencio, siguieron hasta el final del pasillo. Un hombre yacía boca arriba en el suelo de un gran estudio.

Carina se arrodilló a su lado. La sangre había dejado de manar de la herida abierta en la cabeza

El estudio parecía haber sido azotado por un tifón. Los cajones de los archivadores estaban abiertos. Las fotos desparramadas por el suelo. Habían destrozado la pantalla del ordenador. Solo las portadas de *National Geographic* colgadas en las paredes se habían salvado. Austin llamó a la policía y recorrió las otras instalaciones. El resto de la casa estaba desierto.

Cuando Austin regresó al estudio, Benson se había sentado con la espalda apoyada en la pared. Carina mantenía una toalla con cubitos de hielo apretada en la herida. Le había limpiado la baba de los labios. Tenía los ojos abiertos y al parecer estaba consciente.

Benson era un hombre fornido de mediana edad con la tez curtida por el sol en los lugares exóticos donde había trabajado. Llevaba el pelo gris recogido en una coleta. Vestía vaqueros, una camiseta y un chaleco de fotógrafo que era un anacronismo en la era de la fotografía digital.

Austin se arrodilló a su lado.

—¿Cómo se siente?

—Hecho una mierda —respondió Benson—. ¿Qué aspecto tengo?

—Un aspecto de mierda —respondió Austin.

Benson consiguió esbozar una sonrisa.

—Cabrones. Me estaban esperando cuando volví de mi paseo para encontrarme con la señorita de la UNESCO. ¿Es usted?

—Soy Carina Mechadi, investigadora de la UNESCO. El señor Austin está con la National Underwarter and Marine Agency.

Una luz de reconocimiento brilló en los ojos grises de Benson.

—Hice un par de reportajes de sus equipos hace algunos años.

—Díganos qué pasó cuando regresó de su paseo —le pidió Austin.

—Vi un coche aparcado delante. Un todo terreno negro, con matrícula de Virginia. Siempre dejo la puerta abierta. Estaban dentro buscando entre mis cosas. —Hizo una mueca—. Por si acaso me desmayo, digan a los polis que eran cuatro. Todos enmascarados y con armas. Uno era un tipo grandullón. Creo que era el jefe.

Austin y Carina intercambiaron una mirada.

—¿Dijo alguna cosa?

—Quería todos mis negativos. Le dije que se fuese al infierno. Me pegó con el cañón del arma. Supongo que debo estar agradecido que no me disparase. Solo mareado. Me hice el muerto. Lo vi a él y sus amigos buscar en mis archivos de negativos. Lo guardaron todo en bolsas de basura. ¿Se llevaron mi ordenador? El portátil.

Austin miró en derredor.

—Aquí no queda nada.

—Supusieron que había hecho copias de seguridad. Cada

foto que he tomado estaba en el disco. Veinticinco años de trabajo. —Benson se rió—. Imbéciles. Estaban tan ocupados pegándome que no descubrieron que había hecho una copia de seguridad de la copia. ¿Qué demonios buscaban?

—Creemos que buscaban las fotos que tomó en un yacimiento arqueológico en Siria —respondió Carina.

El fotógrafo frunció el entrecejo.

—Lo recuerdo. Los fotógrafos recordamos todas las fotos que hacemos. Mil novecientos setenta y dos. Reportaje de portada. Hacía un calor de mil demonios.

—La copia de seguridad. ¿Podemos tomarla prestada? —preguntó Austin.

—¿Ayudará a capturar a esos cabrones?

—Quizá. —Austin se levantó la camisa para mostrar el vendaje en el tórax—. No es usted el único que tiene una cuenta pendiente.

Benson abrió los ojos de par en par.

—Por lo que se ve, usted les debe caer muy mal. —Sonrió—. Vayan al establo. Tercera cuadra a la derecha. Hay una puerta de acero debajo del heno. La llave está colgada en la cocina y tiene una etiqueta en la que pone «puerta trasera».

—Había una gran estatua en aquel yacimiento arqueológico en Siria —dijo Carina—. Se llamaba *El Navegante*.

—Sí. Parecía un indio con un sombrero puntiagudo. No sé qué le pasó. —Los ojos se le pusieron en blanco como si fuese a desmayarse, pero se recuperó—. Vayan a mirar en el estante de la chimenea.

Austin encontró en la cocina la llave de la caja donde estaba guardado el disco de seguridad y fue a la sala de estar. La repisa de la chimenea estaba cubierta con trozos de roca y figurillas que Benson debía de haber coleccionado en sus viajes. Una figura llamó su atención. Cogió el modelo a escala del *Navegante* de unos diez centímetros de altura.

Se escuchó un ruido de neumáticos en el camino. Una ambulancia entraba, con las luces rojas y azules encendidas.

Austin se guardó la estatuilla en el bolsillo y fue a atender a los sanitarios. Eran dos médicos, un hombre y una mujer jóvenes. Austin los llevó al estudio.

La mujer echó una mirada al caos.

—¿Qué ha pasado aquí?

Carina la miró desde el suelo.

—Lo atacaron y destrozaron el estudio.

Mientras la mujer examinaba a Benson, su colega llamó a la policía. Después de comprobar las constantes vitales de Benson, y aplicarle una compresa, acomodaron al fotógrafo en una camilla y lo subieron a la ambulancia. Dijeron que Benson tendría dolor de cabeza durante un tiempo, pero, gracias a su excelente estado físico, no tendría otro problema.

Austin les informó de que Carina y él se quedarían para hablar con la policía. En cuanto la ambulancia se hubo marchado, fueron al establo. Apartaron el heno de la tercera cuadra para dejar a la vista una trampilla de metal. Un corto tramo de escalera llevaba a un cuarto con la temperatura controlada del tamaño de un armario grande. Las paredes estaban cubiertas con cajones marcados de acuerdo con los años. Austin encontró el disco con la etiqueta que decía: EXCAVACIÓN HITITA, SIRIA. 1972.

Se guardó el disco en el bolsillo. Carina y él volvieron a la casa. Minutos más tarde, llegó la policía. El hombre larguirucho que se apeó por la puerta del conductor parecía el palurdo perfecto. Se acercó a ellos con una andar lento y se presentó como el jefe Becker. Anotó sus nombres en una libreta.

—Los técnicos sanitarios dijeron que el señor Benson fue atacado.

—Eso fue los que nos dijo —manifestó Carina—. Volvió de dar un paseo y se encontró con cuatro hombres en la casa. Intentó evitar que le robasen las fotos y lo golpearon con un arma.

El jefe sacudió la cabeza.

—Sabía que era un gran fotógrafo de *National Geographic*, pero nunca habría imaginado que nadie cometería un asalto en pleno día para robar unas fotos. —Hizo una pausa mientras intentaba deducir qué pintaban allí la exótica mujer y su fornido compañero—. ¿Podrían decirme cuál era el asunto que tenían con el señor Benson?

—Yo pertenezco a la NUMA —respondió Austin—. La señorita Mechadi trabaja para la UNESCO, y se dedica a investigar el robo de antigüedades. El señor Benson tomó unas fotos hace unos años de un objeto desaparecido, y creíamos que podría ayudarnos a recuperarlo.

—¿Creen que tiene algo que ver con que le hayan dado una paliza?

El jefe era mucho más astuto de lo que parecía. Vigilaba sus reacciones con mucha atención.

Austin le dijo la verdad.

—No lo sé.

El jefe pareció satisfecho con la respuesta.

—¿Les importaría mostrarme dónde encontraron al señor Benson?

Austin y Carina lo llevaron a la casa. El policía silbó por lo bajo cuando vio los destrozos en el estudio.

—¿Tocaron alguna cosa? —preguntó

—No —contestó Austin—. ¿Habría supuesto alguna diferencia?

El jefe se echó a reír.

—Llamaré a la gente de la escena del crimen.

Apuntó la información personal de ambos en su libreta, y dijo que quizá los llamaría más tarde si tenía que hacerles nuevas preguntas.

Mientras Austin conducía hacia la carretera general, Carina comentó:

—No ha sido del todo sincero con el jefe.

—Habría complicado las cosas si le hablaba del asalto al barco y el robo de la estatua, y el hecho de que el común denominador es *El Navegante*.

Carina se relajó en el asiento.

—Me siento de alguna manera responsable de todo esto.

—No se culpe de nada. Las únicas personas culpables son los matones que han estado exhibiendo un comportamiento antisocial. ¿Quién más aparte de nosotros sabía lo de las fotos de Benson?

—Solo se lo dije a usted y al señor Baltazar. No creerá...

—Otro común denominador.

Carina se arrellanó en el asiento y miró al frente. Después de unos pocos minutos de reflexión, pareció animarse.

—Está bien. ¿Adónde vamos a partir de aquí?

Austin sacó el disco del bolsillo y se lo dio.

—Vamos a una excavación arqueológica.

24

Austin entró con el Jeep en su plaza de aparcamiento en el garaje subterráneo, y Carina abrió los ojos. Sin duda algún resto del anestésico le había quedado en el torrente sanguíneo porque se había dormido a los pocos minutos de salir de la casa de Benson. La última cosa que recordaba era la ondulante campiña de Virginia.

Miró en derredor, asombrada.

—¿Dónde estamos?

—En la guarida del rey Neptuno —respondió Austin con cara de póquer.

Se bajó del coche y abrió la puerta del pasajero. Tomó del brazo a Carina y la llevó al ascensor más cercano, que los subió al piso principal. Se abrieron las puertas, y salieron al vestíbulo que era la pieza central del imponente edificio de treinta y dos pisos de cristal verde de la NUMA en Arlington, Virginia.

Carina echó un vistazo al atrio, con sus cascadas y acuarios en las paredes y el enorme globo terráqueo en el centro del suelo de mármol verde mar. En el vestíbulo reinaba una gran actividad; la mayoría de las personas eran grupos de turistas con cámaras.

—Esto es maravilloso —comentó, asombrada.

—Bienvenida al cuartel general de la National Underwater and Marine Agency —dijo Austin con orgullo—. Este edificio alberga a más de dos mil científicos e ingenieros navales. Las personas que trabajan aquí dan apoyo a otros tres mil hombres y los barcos de la NUMA que navegan por los océanos del mundo.

Carina giró como una bailarina.

—Podría quedarme aquí todo el día.

—No es la primera que lo dice. Ahora pasaremos de lo sublime a lo prosaico.

Volvieron al ascensor que los llevó hasta otro piso. Allí salieron a un pasillo con una gruesa alfombra y lo siguieron hasta una puerta sin marcas. Austin la hizo pasar a su oficina con un gesto cortesano.

El modesto espacio de Austin era la antítesis de la gran vista abierta que recibía a los visitantes que cruzaban las puertas principales de la NUMA. Era lo que un vendedor inmobiliario habría descrito como pequeño pero acogedor. Había una alfombra verde oscuro en el suelo. El mobiliario consistía en dos sillas, un archivador y un pequeño sofá. Una estantería baja contenía libros dedicados en su mayor parte a temas técnicos marinos y filosofía.

La mesa podía haberse medido en centímetros cuadrados a diferencia de las enormes mesas de la mayoría de los despachos de Washington.

En la pared había fotos de Austin con un hombre mayor de aspecto curtido que podría haber pasado por su mellizo pero que sin duda era su padre y fotos de varios barcos de investigación de la NUMA.

Pese a sus muy modestas dimensiones, el despacho tenía una impresionante vista del río Potomac y de Washington.

—Mi diseñador de interiores está de vacaciones —se disculpó Austin.

Sacó dos botellas de agua mineral de una pequeña nevera, dio una a Carina y la invitó a sentarse. Se sentó a la mesa y levantó la botella de agua.

—Salud.

—*Santé* —respondió ella, y miró en derredor—. Esto no es prosaico en absoluto. Es muy funcional y hogareño.

—Gracias. Comparto una secretaria que toma mis recados. Paso mucho tiempo fuera y no estoy por aquí excepto para algunas tareas especiales, como esta.

Sacó el disco con las fotos y lo metió en el disquetera del ordenador. El logo de *National Geographic* apareció en la pantalla, seguido por un titular: «Cavando en el pasado de una civilización olvidada». El titular acompañaba a un artículo de la excavación en un yacimiento hitita. Austin buscó las fotos. La pantalla se llenó de inmediato con pequeños rectángulos ordenados en hileras.

Benson había hecho centenares de fotos. Austin marcó con el ratón en la orden de álbum para intervalos de tres segundo y giró la pantalla para que Carina viese las fotos.

Después de unos minutos, Carina señaló la pantalla.

—¡Ahí está!

La imagen en la pantalla mostraba a varios trabajadores cubiertos de polvo, de pie al borde de un pozo, con las palas en las manos. Cerca estaba el supervisor, un orondo europeo que llevaba un casco e iba vestido con un pantalón corto y una camisa impecables. En el fondo del pozo sobresalía un montículo con forma cónica.

Austin pasó la secuencia de unas dos docenas de fotos. Las series mostraban cómo desenterraban la cabeza de la figura, luego la limpieza de los hombros, hasta que los trabajadores pudieron pasar unas cuerdas por debajo de las axilas y levantarla del agujero. La tierra había desaparecido en las fotografías posteriores. Benson había tomado varios primeros planos de la cara, con la nariz aplastada, junto con tomas frontales, dorsales y laterales.

—Desde luego parece nuestra estatua —dijo Carina—. Por desgracia, es todo lo que tenemos. Una foto. Hemos llegado a un punto muerto.

Austin metió la mano en el bolsillo y sacó la estatuilla que se había llevado de la repisa de la chimenea de Benson.

Lo dejó en la mesa delante de Carina.

—Quizá no.

Carina respiró a fondo.

—Es una versión en miniatura del *Navegante*. ¿Dónde la encontró?

—En la casa de Benson.

Ella recogió la estatuilla.

—El hecho de que exista sugiere que fue hecha a partir del original. —Frunció el entrecejo—. Por lo que sabemos, la estatua fue enviada de Siria a Bagdad y nunca vio la luz del día. ¿Cuándo pudo haberse hecho esta copia?

Austin buscó su móvil.

—Vamos a preguntárselo al hombre que lo sabe.

Con la ayuda de información telefónica, encontró el nombre del hospital más cercano a la granja de Benson y marcó el número. El recepcionista pasó la llamada a la habitación de Benson. Austin conectó el móvil al altavoz. El fotógrafo respondió con un farfullado hola, pero se animó cuando Austin se identificó. Dijo que había sufrido una concusión y contusiones, pero ninguna fractura.

—Estaré fuera de aquí en un par de días. ¿Alguna noticia de esos cabrones?

—Nada concreto. Nos preguntábamos dónde encontró la estatuilla de la repisa. La miniatura de la estatua que fotografió en la excavación siria. ¿Alguien copió la estatua en el yacimiento?

—No. Esa se la llevaron de inmediato. Quizá alguien la copió de la otra estatua.

Austin y Carina intercambiaron una mirada de desconcierto.

—¿Qué otra estatua? —quiso saber la muchacha—. Creíamos que solo había un *Navegante*.

—Lo lamento. Iba a mencionárselo, pero, como ya saben, no me sentía muy bien cuando llegaron a casa. Había una segunda estatua. El tipo alemán que dirigía la excavación siria dijo que las estatuas podrían haber sido centinelas en la entrada de un edificio o tumba importante. Tomé algunas fotos, pero fue antes de la fotografía digital. La película se estropeó con el maldito calor.

—¿Qué pasó con la segunda estatua? —preguntó Austin.

—Me ha pillado. Me mandaron a otro trabajo. *National Geographic* quería fotos de mujeres nativas con los pechos desnudos así que me enviaron a Samoa. Hace un par de años estaba en Estambul haciendo un reportaje sobre el imperio otomano. Encontré la estatuilla en un mercado. El tipo que me la vendió era un ladrón, pero la compré de todas maneras.

—¿Recuerda cuál era el mercado?

—En algún lugar del Gran Bazar. La tienda tenía un montón de estatuas. Maldita sea. Se me está pasando el efecto del calmante. Tengo que llamar a la enfermera... Avíseme cuando encuentre a esos tipejos que me pegaron.

—Lo haré.

Austin le dio las gracias, le deseó una pronta recuperación y colgó.

Carina lo miró como si estuviese sentada sobre ascuas.

—¡Una segunda estatua! Tenemos que encontrarla.

Austin recordó la inmensa ciudad de Estambul tal como la había visto durante una misión en el mar Negro un par de años atrás. El Gran Bazar se extendía sobre un par de hectáreas en un desconcertante laberinto de tiendas. Recordó el plan de Zavala para el Subvette.

—Tenemos a un equipo de la NUMA que va a Estambul para ayudar en la exploración de un antiguo puerto. Joe Zavala podría ir al Gran Bazar por nosotros.

—Sí, pero ¿después qué? ¿Qué pasa si encuentra al vendedor? Nosotros estaremos aquí y él allí. ¿De qué nos servirá eso?

Carina tenía razón.

—Veré si encuentro un asiento en el avión.

—Que sean dos. —La joven levantó una mano para acallar la respuesta de Austin—. Puedo ser de gran ayuda. Conozco a alguien en Estambul que está muy vinculado al mercado de antigüedades. —Se encogió de hombros—. Es un contrabandista, pero solo de piezas poco importantes. Lo he utilizado varios veces para ir a por los peces grandes. Conoce a todos los tratantes ladrones de Estambul. Nos ahorrará tiempo. Solo trabajará a través de mí.

Austin dedicó un segundo a pensar en la propuesta. Sería agradable tener a la preciosa mujer italiana como compañía, pero había otras razones que no tenían nada que ver con la libido masculina. Le preocupaba la seguridad de Carina si se quedaba sola. Los problemas parecían perseguir a la joven. Se sentiría mejor si podía mantenerla vigilada. Su informante podría ahorrarle mucho trabajo. Carina había conseguido dar con *El Navegante* cuando otros habían fracasado.

Ella estaba haciendo una innecesaria muestra de persistencia, atosigando a Austin con otras razones para acompañarlo, y solo calló cuando él se llevó un dedo a los labios. Llamó a Zavala y le preguntó si tenía plaza para dos pasajeros. Después de una breve conversación, Austin colgó y miró a Carina, que había estado pendiente de cada palabra.

—Prepare las maletas. El avión sale a las ocho de esta noche. La llevaré a su hotel y la recogeré a las cinco.

Carina se inclinó y dio a Austin un largo beso que casi le erizó el vello.

—Iré más rápido si tomo un taxi. Lo estaré esperando.

Segundos más tarde, se había marchado, y él escuchó sus pisadas por el pasillo. Consultó su reloj. Siempre tenía una bolsa de viaje preparada. Lo único que tenía que hacer era ir a recogerla.

En el trayecto a su casa, llamó a la secretaria compartida y le dijo que estaría ausente unos días. Luego llamó a Elwood Dickerson y le dejó un mensaje similar. No entró en detalles. No le resultaba muy cómodo decir al subsecretario de Estado que la clave para solucionar una crisis internacional era una estatuilla que estaba a ocho mil kilómetros de distancia.

25

—Hoy es el día —anunció Paul Trout con férrea decisión.

Trout estaba de pie con las piernas bien separadas en el chinchorro, ocupado en pasar las cañas de pescar a su esposa Gamay, que estaba a bordo de la lancha de siete metros de eslora. Gamay colocó las cañas en un soporte y exclamó:

—Jajá. —Se llevó la mano a la boca abierta en un exagerado bostezo—. Recuerdo la misma vanagloria machista hace veinticuatro horas en este mismo lugar. Fue una fanfarronada, lo mismo que el día anterior.

Trout subió a la lancha con una sorprendente agilidad para un hombre con el físico de un jugador de baloncesto profesional. Aunque medía casi dos metros de estatura, se movía con una gracia felina conseguida durante los muchos años pasados en las embarcaciones junto a su padre pescador. Apretó el botón de arranque en la consola. El motor respondió con un ronco rugido y una nube de humo azul.

—No es ninguna fanfarronada. Cuando has nacido en una vieja familia de Cape Cod que ha capturado toneladas de pescado a lo largo de las décadas, de vez en cuando es normal que haya un día sin capturas. —Olisqueó el aire como un sabueso—. La madre de todas las lubinas estriadas está esperando en su agujero a que yo la pesque.

—Ahora sé por qué los pescadores tienen la reputación de contar los mayores embustes. —Gamay soltó la amarra.

Trout movió apenas la palanca del acelerador y guió la embarcación a velocidad moderada a través de Eel Pond hacia el puente levadizo de Water Street. Pasaron por delante de un bar cuya terraza sobresalía sobre el lago, y Paul soltó un chasquido.

—Ya noto el sabor de la cerveza fría .

—Vamos a aumentar la apuesta —propuso Gamay—. El perdedor también paga la cena.

—Trato hecho —aceptó Trout sin vacilar—. Las almejas fritas son el acompañamiento perfecto para la cerveza.

La lancha pasó a marcha lenta por debajo del puente levadizo y entró en el puerto, pasó por delante de la terminal de transbordadores de Martha's Vineyard y el buque de investigación *Atlantis*, amarrado al muelle de la famosa Woods Hole Oceanographic Institution, donde el interés de Trout por la oceanografía había sido estimulado cuando aún era un niño.

La lancha salió del puerto y Trout aceleró. La proa se alzó hasta planear y Paul puso rumbo a las islas Elizabeth, un archipiélago que formaba una cadena al sudoeste de Cape Cod. Gamay se movía por la cubierta preparando el equipo de pesca.

En opinión de Trout había pocas cosas mejores que planear sobre las olas con la brisa salada en el rostro y la perspectiva de todo un día de pesca. Para que la salida fuese perfecta de verdad solo le faltaba pescar un pez más grande que Gamay. Estaba habituado a la competición amistosa con su mujer, pero le había molestado bastante que hubiese capturado más piezas que él en los últimos dos días.

Gamay, que se había criado en las costas del lago Michigan, no se quedaba atrás cuando se trataba de embarcaciones y pesca. Si bien era una mujer muy atractiva, retenía algo de la chicaza que había sido una vez. Sus bromas bienintencionadas ante la falta de éxito de Trout estaban en abierta oposición a la natural discreción de los nativos de Nueva Inglaterra. Apretó los dientes. Más valía que ese fuese el día, o nunca conseguiría superarlo.

Cerca del archipiélago estaba la isla Naushon. Trout llevó la embarcación hacia la nube de aves marinas que se zambullían en el agua a la búsqueda de los peces, que eran perseguidos hasta la superficie por los peces más grandes en la cadena alimentaria. Amorfas manchas amarillas aparecían en la pantalla del sonar de pesca. Percibió olor a pescado en el aire. Apagó el motor y la embarcación se detuvo.

Gamay dio a Trout una caña de pesca y cogió el timón. Era habitual que el ganador en la última salida dejase que el perdedor lo intentase primero. Trout se acomodó en el sillón giratorio y soltó el sedal. Comenzó a manipular la caña a un lado y otro para mantener el cebo moviéndose casi a flor de agua.

—¡Pescado! —gritó.

Recogió el sedal y sacó una lubina estriada de ochenta centímetros. Después de medirla, la arrojó al agua. Gamay pescó una de setenta centímetros un segundo más tarde. De nuevo devolvieron el pez al mar. Uno y otro continuaron pescando lubinas más o menos del mismo tamaño hasta que se alejó el cardumen, y navegaron hacia otra zona que también era muy productiva.

Estaban en el punto álgido de la competición cuando Trout sintió un fuerte tirón en el sedal que casi le arrancó el brazo. Aquel iba a ser el que rompiese el empate. Apenas si escuchó el sonido del móvil. Gamay atendió la llamada y, después de un momento, dijo:

—Kurt necesita hablar contigo.

Trout recogía el sedal como un hombre poseído. El cuerpo plateado de una lubina enorme brilló cerca de la superficie. Maldita sea. Era grande como una ballena. Intentó concentrarse.

—Dile que espere —gritó por encima del hombro.

—No puede esperar —dijo Gamay—. Él y Joe van camino de Turquía.

¿Turquía? ¿Zavala y Austin no estaban en Terranova? En aquel instante perdió la concentración, y la captura. El sedal se aflojó. Oh, demonios. Se levantó, dio la caña a Gamay y cogió el móvil.

—Espero no haber interrumpido nada —dijo Austin.

—No —respondió Trout. Miró desconsolado las ondulaciones en el agua donde había visto por última vez a la gigantesca lubina—. ¿Qué pasa, Kurt?

—¿Podrías hacer un modelo virtual que reconstruyese un viaje transatlántico? Sé que es un encargo difícil.

—Lo puedo intentar. Necesitaré una fecha. Podré calcular las corrientes, el tiempo y la velocidad si la información está disponible.

—En realidad la información es escasa. Se trata de una nave fenicia. La travesía fue hecha alrededor del año novecientos antes de Cristo.

—Dime más —le pidió Trout, intrigado por la solicitud de Kurt.

—Te he enviado un paquete por correo especial. Ya tendría que estar allí. En él te lo explico todo. Esto es urgente. Te llamaré a la primera oportunidad. Adiós.

—¿De qué iba todo esto? —preguntó Gamay cuando Paul guardó el móvil.

Le explicó el encargo de Kurt. Tendría que dar por acabada la excursión. Miró con nostalgia otra nube de pájaros marinos.

—Es una pena lo de aquel pez.

Gamay le dio un beso en la mejilla.

—Lo vi. Era un monstruo. Creo que me toca a mí pagar la cerveza.

El paquete de Austin estaba apoyado en la puerta principal de la casa de Cape Cod, una vivienda de doscientos años de antigüedad y con vista al mar. Trout había crecido en esa casa a unos pasos de la institución oceanográfica, cuyos científicos habían animado su curiosidad infantil por el océano.

Gamay y él se sentaron a la mesa de la cocina y se comieron los bocadillos de jamón y queso que habían preparado para la excusión, mientras leían el archivo de Jefferson. En un momento dado, Gamay interrumpió la lectura y apartó de sus ojos un mechón de pelo rojo oscuro con su soplido.

—¡Esto es increíble!

Trout bebió un sorbo de su lata de cerveza Buzzards Bay.

—Estoy tratando de imaginar qué podemos hacer. Mi experiencia con los modelos virtuales es más que nada de geología marina.

—Tú hiciste el cambio de arqueología náutica a geología marina. Podríamos hacer algo juntos, pero no creo que consiguiéramos gran cosa. Necesitaremos ayuda.

Gamay sonrió y dejó a la vista la pequeña separación entre los dientes incisivos, una anomalía dental que en ella resultaba atractiva.

—¿Anoche no escuchamos unos cotilleos?

Trout recordó las amables bromas de que había sido objeto por los clientes del bar que sabían de su torneo de pesca con Gamay. Luego recordó que alguien había mencionado un nombre conocido. Chasqueó los dedos.

—Charlie Summers está en la ciudad.

Gamay dio a Trout el teléfono y él llamó al muelle donde estaba amarrado el buque de investigación científica. Le pasaron con Summers, que trabajaba en la instalación de un nuevo aparato para el *Atlantis*, y le explicó el problema.

—Eso es mucho más interesante que lo que estoy haciendo —afirmó Summers—. ¿Podéis venir ahora?

Minutos más tarde, los Trout caminaban por la cubierta del barco. Un hombre fornido de barbilla cuadrada y pelo color fresa los recibió con grandes abrazos.

Summers era un muy conocido constructor naval especializado en el diseño de barcos de investigación y buques escuela. A menudo lo consultaban para el diseño de yates de lujo, y era un experto en estabilidad de grandes veleros.

Dirigió a Gamay un guiño.

—Creía que hoy habíais salido a pescar.

—Se ve que las noticias de nuestra competición se divulgan rápidamente —exclamó Trout, con un tono burlón.

—Es el tema del día en la ciudad. Ya sabes lo cotillas que son los pescadores y los científicos.

—Hoy Paul casi me gana —dijo Gamay.

Summers soltó una carcajada.

—Por favor, no me digas que fue el que se escapó. —Se enjugó las lágrimas de los ojos—. ¿De qué va todo esto de los fenicios?

Trout aprovechó la oportunidad para cambiar de tema.

—Esta mañana recibimos una llamada de la NUMA. Alguien está investigando los contactos precolombinos y necesita ayuda para hacer la réplica de un viaje. Tenemos un montón de preguntas a cuál más curiosa.

—Nada de curiosas. He leído miles de páginas sobre la construcción naval fenicia. No hay duda, desde el punto de vista de un constructor naval, de que tenían la capacidad para ir a cualquier lugar que deseasen.

—Entonces ¿podrás ayudarnos a calcular un rumbo? —preguntó Gamay.

Summers sacudió la cabeza.

—Eso es mucho más difícil. Los fenicios no dejaron mapas ni cartas. Protegían su conocimiento del mar con sus vidas. —Al ver la desilusión en el rostro de Gamay, añadió—: Pero podemos hacer un intento. Vayamos a construir una nave.

Summers los llevó a un edificio donde tenía su despacho temporal. Se sentó delante de un ordenador y quitó de la pantalla el diagrama esquemático del *Atlantis*.

—Veo que vamos a construir una nave virtual —dijo Trout.

—Es de la mejor calidad —afirmó Summers con una sonrisa—. Nunca se hunden, y no tienes que preocuparte de motines.

Buscó un archivo y apareció en la pantalla un dibujo de una nave de vela cuadrada.

—¿Esa es una nave fenicia? —quiso saber Gamay.

—Este es un modelo basado de los dibujos, cerámicas, esculturas, modelos y monedas. Es un diseño primitivo. Tiene quilla, un casco redondo, remos y un asiento alto para el timonel.

—Estamos buscando algo adecuado para la navegación de altura —señaló Trout.

Summers se echó hacia atrás en la silla.

—El diseño de sus naves fue modificado de acuerdo con las necesidades. Los fenicios pasaron de la navegación costera y fondear por las noches a los viajes sin interrupciones. Utilizaré un programa desarrollado por algunos constructores navales que están haciendo investigaciones en Portugal y en la Texas A&M. Crearon una metodología para probar y evaluar las características marineras de las naves cuando no había planos disponibles. La meta era conseguir una imagen comprensible. Utilizaron las *naus* portuguesas, los bajeles de carga que navegaban desde Europa pasando por el cabo de Buena Esperanza en África para ir a la India y volver. Observad.

Summers se inclinó hacia delante y apretó el botón del ratón. Una imagen virtual de una nave de tres palos apareció en la pantalla.

—Parece un buque fantasma —comentó Gamay.

—Esta es solo la base. Introdujeron la información obtenida de un pecio en el ordenador. Con el software, trazaron los planos del aparejo, las velas y los mástiles. Este dibujo es una de esas imágenes. A través de la reconstrucción hipotética del casco de la nave dedujeron cómo se comportaba en el mar y con mal tiempo. Una vez que tuvieron el modelo matemático, lo probaron en el túnel de viento.

—¿Puedes hacer lo mismo con una nave fenicia? —preguntó Trout.

—Ningún problema. Utilizaremos tres pecios fenicios conocidos que fueron descubiertos en el Mediterráneo occidental y frente a las costas de Israel. Las naves estaban en posición vertical, muy bien preservadas en las frías aguas. Utilizamos el *Jasón*, el mismo sumergible guiado por control remoto que fotografió al *Titanic*, para conseguir un mosaico fotográfico. Programé las especificaciones en mi ordenador.

Una serie de dibujos que parecían los planos de un constructor naval llenaron la pantalla. Los dibujos mostraban la nave vista desde arriba, de costado y de frente.

—Los planos indican que la nave solo tiene diecisiete metros de eslora —señaló Trout.

—Esta es una composición hecha a partir de las naves de Israel. Añadiré un poco más de eslora. He retocado el programa, así que añadirá de forma automática los cambios en el diseño que se producirían con el aumento del tamaño.

Apareció un esqueleto tridimensional con el costillar y otros elementos estructurales. Los espacios entre los maderos comenzaron a llenarse. Se materializaron las cubiertas, los remos, los aparejos y las velas, junto con un espolón. El último detalle era una cabeza de caballo tallada en la proa.

—*Voilà!* Una nave de Tarsis.

—Es magnífico —afirmó Gamay—. Las líneas son funcionales pero gráciles.

—Calculo que tendría unos sesenta y cinco metros de eslora —dijo Summer—. Esa nave podría ir a cualquier parte del mundo.

—Lo cual nos conduce al problema original —señaló Trout—. ¿Cómo podemos deducir las rutas transatlánticas de esa nave?

Summers frunció los labios.

—Es posible llegar a una solución como hicieron aquellos tipos con la *nau*. Necesitas los datos de los vientos, las corrientes y los meteorológicos, añadir la velocidad probable de la nave, deducir cuáles serían las elecciones del piloto de acuerdo con el diseño de la nave y después incorporar los hechos históricos.

Gamay soltó un sonoro suspiro.

—Tenemos mucho trabajo que hacer.

Summers consultó su reloj.

—Yo también. Quieren que el *Atlantis* esté preparado para zarpar dentro de tres días.

Los Trout dieron las gracias a Summers y volvieron caminando por la calle principal de Woods Hole.

—¿Adónde crees que deberíamos ir a partir de aquí? —preguntó Gamay.

—Difícil de decir. Kurt solo nos dio unos retazos de información. No va a estar muy feliz, pero no creo que tengamos suficiente para conseguir lo que pide. Quizá necesitemos otro enfoque.

Como muchas parejas casadas, Paul y Gamay sabían anticiparse a los pensamientos del otro. Su trabajo para el equipo de misiones especiales de la NUMA, donde la comunicación podía significar la diferencia entre la vida y la muerte, había perfeccionado esa práctica.

—Lo mismo pensaba yo —dijo Gamay—. Todo viaje marítimo empieza en tierra. Vayamos otra vez al archivo de Jefferson. Puede haber algo que hayamos pasado por alto.

De nuevo en la casa, se sentaron a la mesa de la cocina, leyeron medio archivo cada uno y después intercambiaron las páginas. Acabaron de leer más o menos al mismo tiempo.

Gamay dejó las hojas en la mesa y preguntó:

—¿Hay algo que te haya llamado la atención?

—Meriwether Lewis —contestó Trout—. Iba de camino a Monticello para informar a Jefferson de lo que había encontrado cuando murió.

—Eso también me intriga. —Buscó entre las páginas—.

Lewis tenía pruebas materiales que quería mostrar a Jefferson. Sugiero que deberíamos averiguar qué fue de ellas.

—Podría ser tan difícil como reconstruir un viaje fenicio.

—Hay un vínculo que podría ayudarnos —manifestó Gamay—. Jefferson era presidente de la Sociedad Filosófica Americana de Filadelfia. Envió a Lewis allí para que se preparase en las ciencias que necesitaría para su histórica exploración. Fue cuando Lewis estaba en Filadelfia que Jefferson creó la clave que usarían.

Trout parpadeó y en sus grandes ojos castaños apareció una apenas visible chispa de entusiasmo y siguió el razonamiento.

—Jefferson escribió a algunos miembros de la sociedad para hablarles de su investigación del lenguaje indio y el robo de los documentos. Se puso en contacto con un erudito en Oxford, quien identificó las palabras en el mapa como fenicias. El archivo de las alcachofas fue encontrado en la sociedad.

—Eso es mejor que conocer a «Kevin Bacon o seis grados de separación»* —dijo Gamay. Buscó en el archivo y encontró el número de la Sociedad Filosófica y el nombre de la investigadora que había encontrado el documento. Llamó a Angela Worth, se dio a conocer y concertó una cita para el día siguiente.

En el momento en que Gamay colgaba, Trout dijo con una sonrisa:

—¿Te das cuenta de que nuestras vacaciones se han acabado?

—No pasa nada. Creo que ya estaba un poco harta de pescar.

Trout se encogió de hombros en un gesto de cansancio.

—Yo sí que lo estoy.

* Un juego de ordenador. (*N. del T.*)

26

Con una velocidad de crucero de más de ochocientos kilómetros por hora, el Cessna Citation X color turquesa voló a Estambul en tres horas después de una rápida parada para repostar en París. El avión aterrizó en el aeropuerto internacional de Kemal Atatürk y rodó por la pista varios centenares de metros hasta la terminal principal. Los seis pasajeros pasaron por una entrada especial reservada a los VIP y sin demoras acabaron con el trámite de la aduana.

El Subvette había llegado en un vuelo especial de un avión de carga de la NUMA y lo habían guardado en uno de los hangares del aeropuerto. Zavala quería inspeccionar el sumergible para verificar si había sufrido algún daño en el viaje. Dijo a Austin que tomaría un taxi par ir a la excavación después de ordenar que llevasen al vehículo al yacimiento.

Dos furgonetas esperaban su llegada. Una llevaría el equipaje al hotel, mientras que la segunda trasladaría a los pasajeros a la excavación. Los científicos de la NUMA estaban impacientes por llegar al lugar. El jefe del equipo era un veterano arqueólogo naval llamado Martín Hanley.

Durante el vuelo transatlántico, Hanley había explicado el motivo de las prisas. Había hecho un viaje preliminar a Estambul para inspeccionar el puerto construido cuando la ciudad todavía se llamaba Constantinopla. Se encontraba en Yenikapi, en el lado europeo del estrecho del Bósforo, donde habían desalojado un barrio de chabolas para construir una nueva estación de ferrocarril. El yacimiento había sido identificado como el puerto de Teodosio.

La excavación arqueológica podía demorar la construcción del túnel que unía los lados europeo y asiático de la ciudad. Hanley y los arqueólogos turcos estaban preocupados porque con las prisas podían pasar por alto artefactos importantes. Había regresado a Washington para reunir a su equipo.

Los científicos norteamericanos fueron recibidos con gran aprecio por sus colegas turcos. Trabajaban las veinticuatro horas del día en la fangosa excavación.

—¿Seguro que no quieres quedarte? —preguntó Hanley—. Han encontrado una iglesia, ocho embarcaciones, anclas, cabos y parte de las viejas murallas de la ciudad. ¿Quién sabe qué tesoros hallaremos después?

—Gracias. Después de que hagamos un poco de recorrido turístico.

Austin llamó a un taxi que los llevó por la Kennedy Caddesi, la autovía paralela a la orilla del Bósforo. Una hilera de barcos de carga formaba cola para pasar del mar Negro al Mediterráneo. Austin se volvió hacia Carina.

—¿Cuánto hace que conoce a su contacto turco?

—Un año o poco más. Cemil me ayudó a recuperar algunos tesoros de Anatolia que habían sido robados del palacio Topkapi. Había sido contrabandista. Nada de armas ni drogas, dice. Cigarrillos, aparatos electrónicos, cualquier cosa que tuviese impuestos muy altos.

—¿Está relacionado con la mafia turca?

La joven se echó a reír.

—Se lo pregunté. Dijo que en Turquía todos pertenecen a la mafia. Conmigo ha sido muy correcto, pero es... —El inglés de Carina le falló por un momento—. ¿Cómo se dice? Misterioso.

—Eso ya lo había deducido. ¿Está segura de que le dijo que se reuniese con él donde está «la mujer cabeza abajo con los ojos de piedra»?

—Del todo. Le gusta hablar en acertijos. A veces es muy molesto.

Austin indicó al taxista que lo llevase al Sultanamet. Se apearon del vehículo y cruzaron la bulliciosa calle.

—Si no estoy equivocado encontraremos a su amigo debajo mismo de nuestros pies —dijo Austin.

—Él no es el único que habla en acertijos.

Austin se acercó a un quiosco y compró dos entradas para las Cisternas Basílica. Bajaron un tramo de escalera. El aire fresco y húmedo que les rozó los rostros les resultó muy agradable después del calor en la superficie.

Se encontraban en una enorme bóveda en penumbras que parecía un palacio subterráneo. Los peces se movían a través de la turbia agua verde que cubría el suelo. Unas pasarelas elevadas corrían entre las hileras de columnas. Las voces resonaban en el inmenso recinto. En el fondo sonaba música clásica. El goteo del agua se escuchaba desde una docena de direcciones diferentes.

—Los romanos construyeron estas cisternas para el suministro de agua del Gran Palacio —explicó Austin—. Los bizantinos las descubrieron cuando la gente comenzó a pescar a través de los agujeros hechos en los suelos de sus casas. La dama de piedra está por aquí.

Caminaron hasta el final de una de las pasarelas y bajaron a una plataforma. Dos gruesas columnas descansaban sobre bases talladas con el rostro de Medusa. Una yacía de lado; la otra, invertida. Una marea constante de turistas llegaba y se marchaba, después de hacer una pausa para fotografiar las estatuas.

Por fin, solo quedó un hombre de mediana edad que había estado allí desde que llegaron. Llevaba una cámara pero no la había usado. Vestía pantalón negro y una camisa de manga corta blanca sin corbata, el uniforme habitual de muchos turcos. Llevaba gafas de sol, aunque la luz era escasa en las cisternas.

—¿Por qué cree que los romanos pusieron las cabezas en esta extraña posición? —preguntó a Carina, en un inglés con un muy ligero acento.

Carina observó las esculturas.

—Quizá se trate de una broma. Una cara mira al mundo como debería ser y la otra tal como es.

—Excelente. ¿La *signorina* Mechadi?

—¿Cemil?

—A su servicio —manifestó con una sonrisa—. Este debe de ser su amigo, el señor Austin.

Austin estrechó la mano del turco. Después de escuchar las aventuras de Cemil, había esperado encontrarse con un pilluelo turco. En cambio, se parecía más al tío preferido de cualquiera.

—Es un placer conocerla después de todos nuestros tratos, señorita Mechadi. ¿En qué puedo ayudarla?

—Estamos buscando una estatua que es gemela de otra robada del Museo Arqueológico de Irak.

Cemil miró a un nuevo grupo de turistas que se acercaba y sugirió dar un paseo. Mientras caminaban entre las hileras de columnas, dijo:

—Ha habido un tráfico constante de mercadería de Bagdad a través de Estambul. Está haciendo bajar los precios. ¿Tienen una foto?

Austin le dio la estatuilla del *Navegante*.

—Es un modelo a escala. La estatua real tiene casi la estatura de un hombre.

Cemil sacó del bolsillo una lupa con luz y observó la estatuilla. Se rió.

—Espero que no haya pagado mucho por este objeto.

—¿Lo conoce? —preguntó Carina.

—Oh, sí. Vengan conmigo.

Cemil los llevó hacia la salida, y subieron la escalera para encontrarse en la resplandeciente luz del sol. Fueron en tranvía al Gran Bazar. El Bazar era un laberinto de centenares de tiendas, restaurantes, cafés y los antiguos depósitos de las mercancías de las caravanas llamados *hans*. Los propietarios, agresivos pero siempre muy correctos, acechaban como arañas dispuestas a lanzarse sobre los turistas para despojarlos de sus liras turcas.

Entraron por la puerta Carsikapi y siguieron por las calurosas y mal ventiladas calles techadas. Cemil los guiaba como si tuviese un radar personal. Los llevó hasta el corazón mismo del bazar y se detuvo ante una pequeña tienda.

—*Merhaba* —dijo a un hombre de unos sesenta y tantos años sentado delante de la tienda, que tomaba té y leía un periódico.

El tendero mostró una gran sorpresa. Dejó el periódico a un lado, se levantó de la silla y estrechó la mano de Cemil.

—*Merhaba.*

—Les presento a Mehmet —añadió Cemil—. Es un viejo amigo.

Mehmet llevó unos cómodos cojines para sus invitados y sirvió té para todos. Cemil y él conversaron en su idioma. Después de unos pocos minutos de charla, Cemil pidió a Austin la estatuilla y se la dio a Mehmet. El tendero observó la reproducción del *Navegante* y asintió. Con muchos gestos, invitó a todos a entrar en su tienda. Los estantes y el suelo estaban cubiertos con alfombras, joyas, cajas de té, pañuelos, cerámica y feces rojos. Se acercó a un estante de piezas de cerámica y colocó la figurilla junto a una hilera de otras cuatro idénticas.

Cemil tradujo el comentario de su amigo.

—Mehmet dice que puede hacerle un buen precio. Valen ocho liras cada una, pero se lo rebajará a cinco, si compra más de una.

—¿Mehmet recuerda haber vendido una estatuilla a un fotógrafo norteamericano hace unos años? —preguntó Austin.

Cemil tradujo la pregunta y la respuesta.

—Mehmet es turco. Recuerda cada venta que ha hecho. Recuerda al fotógrafo muy bien. Sobre todo con este artículo, que se vende muy de tanto en tanto. Pero es viejo, y su memoria ya no es la de antes.

—Quizá esto lo ayude —dijo Austin—. Le compro todas las estatuillas.

Mehmet mostró una expresión radiante mientras envolvía cada figurilla en papel y las colocaba en una bolsa de plástico, que entregó a Carina.

—¿Su amigo puede decirnos dónde adquirió estas estatuillas? —preguntó Carina.

Mehmet explicó que había comprado las estatuillas en el sur, en el pueblo donde vivía su madre. Decía a los compradores que eran eunucos del harem. Las estatuillas eran un tanto burdas, y los detalles estaban mal ejecutados, pero le caía bien el viejo que las hacía. Recogía un lote cuando iba a visitar a su anciana madre, que era más o menos una vez al mes. El artista vendía las figurillas en la aldea abandonada.

—¿Dónde está? —preguntó Austin.

—Se llama Kayakoy, cerca de la ciudad de Fethiye —respondió Cemil—. Fue un pueblo griego hasta el Tratado de Lausana firmado en mil novecientos veintitrés. Los griegos regresaron a su patria y los turcos que vivían en Grecia vinieron a Anatolia. Después los habitantes se marcharon tras producirse un violento terremoto. Ahora es una atracción turística.

Austin preguntó el nombre del artista. Mehmet dijo que estaba seguro de que podría recordarlo, pero antes propuso que Kurt y la encantadora señorita echasen una ojeada a la tienda. Austin captó la indirecta. Compró un pañuelo de seda para Carina y un fez para él, aunque ningún turco que se respetase permitiría que lo viesen con ese gorro con forma de cubilete.

Después de despedirse de Mehmet, Cemil les propuso que fuesen hacia el barrio de Santa Sofía para comer en la umbría terraza de un restaurante. Mientras esperaban que le sirviesen, Cemil se disculpó:

—Lamento que hayan venido hasta aquí para nada.

—No lo lamente —manifestó Carina—. Me ha dado la oportunidad de conocerlo en persona y darle las gracias por todo lo que ha hecho. Además, aún no hemos terminado aquí.

—Pero han visto que las estatuillas no son más que un objeto para turistas.

Austin acomodó las estatuillas en la mesa.

—¿A qué distancia está el pueblo donde las hicieron?

—Está en la Costa Turquesa. A unos ochocientos kilómetros. ¿Está pensando en alargar su visita a Turquía?

Austin cogió una de las estatuillas.

—Me gustaría hablar con el artista que hizo esto.

—Yo también —señaló Carina—. Es posible que las copiase de un modelo real.

—Esta estatua debe de ser muy valiosa.

—Quizá —respondió Austin—, o quizá no.

—Comprendo la necesidad de ser discreto —manifestó Cemil, al tiempo que se levantaba—. Dalyran está a solo una hora de avión. Desde allí, el viaje por carretera hasta Kayakoy es entretenido. Si me perdonan, debo marcharme. Pero no duden en avisarme si necesitan cualquier ayuda. Tengo muchos amigos en Estambul.

Austin y Carina salieron del restaurante unos minutos más tarde y tomaron un taxi para que los llevase al hotel. El recepcionista les reservó dos asientos en el primer vuelo de la mañana a Dalyran y se encargó de hacer los trámites para alquilar un coche. Mientras estaban en el vestíbulo del hotel, Carina dijo:

—¿Ahora qué, señor guía turístico?

Austin reflexionó un instante:

—Creo que puedo hacer algo fuera del camino trillado.

Un taxi los llevó hasta el yacimiento arqueológico. Austin preguntó a Hanley si necesitaba voluntarios. Los pusieron a trabajar tamizando barro. A Carina no parecía importarle verse cubierta de pies a cabeza con el fango del Bósforo. Saltaba como una colegiala cada vez que encontraba una moneda o un fragmento de cerámica en el fondo del cedazo.

Trabajaron hasta bien entrada la noche, cuando la furgoneta llegó para llevar al equipo de la NUMA al hotel. Mientras cruzaban el vestíbulo, Austin y Carina, cansados como estaban, apenas si se fijaron en un par de hombres sentados en las cómodas butacas que leían unas revistas. Tampoco se dieron cuenta de las miradas que siguieron cada uno de sus pasos hasta el ascensor.

27

Austin salió de la autopista de la Costa Turquesa en el Renault de alquiler y tomó por una carretera sinuosa como una serpiente espástica. El camino pasaba a lo largo de kilómetros entre cultivos y pueblos somnolientos. Cuando el coche salió de una curva, vieron las ruinas en la cresta de una colina.

Aparcó junto a un grupo de casas. La aldea abandonada se había convertido en una atracción turística administrada por el Estado. El inevitable vendedor de entradas esperaba para cobrarles la modesta tarifa. Les señaló el camino hacia la aldea, y fue hacia otro coche con dos hombres que acababa de aparcar junto al Renault.

El sendero de mulas pasaba por delante de un restaurante al aire libre, una tienda de recuerdos y varios tenderetes. Después de una caminata de pocos minutos, Austin y Carina disfrutaron de una vista panorámica de las ruinas.

Centenares de casas sin tejados se alzaban bajo el sol ardiente. El revoque se había desprendido de las silenciosas estructuras para dejar a la vista las piedras de las paredes. Unas pocas casas habían sido tomadas por los okupas, que habían tendido la colada al sol. La única otra señal de vida era una cabra de rostro satánico que rumiaba feliz en un jardín cubierto de maleza.

—Resulta difícil creer que este lugar una vez estuvo lleno de vida —comentó Carina—. Personas que se amaban. Mujeres que parían. Padres fanfarroneando con la fortaleza de sus recién nacidos. Niños festejando cumpleaños y bautismos. El duelo por fallecimiento de los ancianos.

Austin solo escuchaba a medias las palabras de Carina. Dos hombres se habían detenido en el sendero a unos metros por debajo de ellos. Uno tomaba fotos de la cabra. Austin calculó que tendrían unos veintitantos años, ambos vestidos con pantalón negro y camisa blanca de manga corta. Sus brazos eran gruesos y musculosos. Sus rostros ocultos en parte por las viseras de las gorras y las gafas de sol.

Carina había continuado subiendo por el sendero. Cuando Austin la alcanzó, cruzaba el patio de una iglesia abandonada hacia un anciano sentado junto a una pared a la sombra de un árbol. Cántaros y bandejas decorados estaban alineados junto a la pared, que utilizaba para mostrar sus productos.

Austin saludó al hombre y le preguntó si era Salim, el amigo de Mehmet.

—Mehmet me compra mi trabajo para el Gran Bazar —respondió el hombre con una sonrisa.

—Sí, lo sabemos. Nos dijo dónde encontrarlo —manifestó Carina.

Salim tenía un aire con Pablo Picasso, característico en los hombres mediterráneos ya mayores. La piel de sus mejillas y la calva, del color del café claro, era tersa como la de un bebé. El buen humor y la sabiduría se veían en los grandes ojos oscuros como pasas. Señaló sus objetos.

—¿Mehmet les habló de mis recuerdos?

Austin sacó la estatuilla del bolsillo.

—Estamos buscando algo como esto.

—Ah —dijo Salim, y su rostro se animó—. El eunuco. —Hizo un gesto horizontal con un cuchillo invisible—. Ya no los hago. Nadie los compra.

Austin meditó con cuidado su siguiente pregunta.

—¿El eunuco tiene un abuelo?

Salim le dirigió una mirada intrigada y después le obsequió con una gran sonrisa. Abrió los brazos en dos grandes arcos como si estuviese describiendo un gran círculo.

—*Büyük*. Gran eunuco.

—Eso es. *Büyük*. ¿Dónde?

—En la tumba licia. ¿Me entiende?

Austin se había fijado en las curiosas tumbas licias cavadas muy altas en las caras de los acantilados. Las entradas estaban enmarcadas por ornadas columnas y dinteles triangulares como los templos griegos y romanos clásicos.

En un inglés defectuoso, Salim explicó que siempre le había interesado el arte. En su juventud, había recorrido la zona con papel y carboncillo a la búsqueda de temas. En una de las exploraciones había encontrado una tumba licia desconocida para los habitantes de su aldea. La tumba estaba abierta en un acantilado por encima del mar, oculta de la vista por la densa vegetación. Había entrado y descubierto una estatua en la cueva. Hizo un boceto. Más tarde, cuando buscaba un tema para hacer un molde en arcilla, había utilizado el boceto.

—¿Dónde está la estatua ahora? —preguntó Carina con gran entusiasmo.

Salim señaló al suelo.

—Terremoto.

La parte del acantilado donde se encontraba la cueva había caído al fondo del mar.

Carina no disimuló su profunda desilusión, pero Austin insistió. Mostró a Salim un mapa de la costa y pidió al viejo que le señalase el lugar de la tumba. Salim apoyó un dedo en el mapa.

Carina sujetó el brazo de Austin.

—Kurt, aquellos hombres estaban anoche en el hotel.

Los turcos se habían detenido al borde del patio y miraban sin reparos a Carina y a Austin. Kurt recordó a los dos hombres que había visto sentados en el vestíbulo del hotel. Su presencia en la aldea no era una casualidad.

—Tiene razón. Están muy lejos de Estambul.

Sacó un puñado de liras del bolsillo y los dejó junto a Salim. Cogió una bandeja de cerámica, dio al viejo las gracias por la información y pasó su brazo alrededor de la cintura de la muchacha. Le dijo al oído que caminase hacia la iglesia con la mayor naturalidad posible.

La guió a través del portal del edificio vacío y se acercaron a una ventana a la que le habían quitado el vidrio y el marco. Espió por el borde y vio a los hombres hablando con Salim. El viejo artista les señaló la iglesia. Los hombres interrumpieron su conversación y se dirigieron hacia el edificio. Ya no paseaban sino que caminaban con decisión.

Austin pidió a Carina que saltase por la ventana en la pared opuesta. La siguió a través de la abertura, y siguieron por un sendero pedregoso hasta una colina que dominaba la iglesia.

Carina se ocultó en una pequeña capilla en lo alto de la colina y Austin se echó cuerpo a tierra. Los perseguidores se habían separado y se movían en direcciones opuestas alrededor de la iglesia. Se encontraron de nuevo y mantuvieron una acalorada conversación. Luego se separaron y desaparecieron en el laberinto de casas desiertas.

Austin buscó a Carina y bajaron por el otro lado de la colina. Vieron algo negro que se movía entre ellos y la carretera principal. Uno de los hombres había aparecido al pie de la colina e iba de casa en casa. Austin llevó a Carina hacia un portal.

Aún tenía la bandeja que le había comprado a Salim. Salió del portal, echó hacia atrás la bandeja, y la lanzó como un platillo volante hacia un tejado cercano. Se escuchó el ruido de la bandeja al romperse y la grava levantada por los pies a la carrera.

Austin y Carina se apartaron de la calle principal que atravesaba el pueblo y siguieron por un sendero de cabras para llegar a la carretera. Caminaron por el arcén durante poco más de medio kilómetro para regresar a la entrada del pueblo.

Se dirigieron al Renault y vieron que el coche en el que habían llegado los dos hombres estaba aparcado junto al de ellos. Austin dijo a Carina que esperase y fue al bar. Volvió al cabo de un minuto con un sacacorchos en la mano.

—Este no es momento para un vino —dijo ella con una expresión agria.

—Estoy de acuerdo —asintió Austin. Se enjugó el sudor de la frente—. Una cerveza fría sería mucho mejor.

Le pidió a Carina que vigilase. Se agachó entre los coches como si estuviese atándose el cordón del zapato y clavó la punta del sacacorchos en el neumático del otro vehículo. Hizo girar la punta hasta que escuchó el silbido del aire contra la mano y rompió la válvula para asegurarse de inutilizar el neumático.

—¿Qué está haciendo? —preguntó Carina.

—Me estoy asegurando de que nuestros amigos no puedan seguirnos —contestó Austin con una sonrisa.

Se sentó al volante del Renault, puso en marcha el motor y salió a la carretera haciendo chirriar los neumáticos.

Austin condujo como si estuviese participando en una carrera de fórmula uno. Con Carina indicándole las direcciones, se dirigieron hacia Fethiye, una ciudad de vacaciones y puerto pesquero. Se dirigió al puerto. Caminaron a lo largo del muelle junto a las anchas embarcaciones de madera que llevaban a los turistas a excursiones de pesca y submarinismo.

Se detuvo en el amarre de una embarcación de unos quince metros de eslora. Un cartel anunciaba que el *Iztuzu*, que en turco significaba «tortuga», se alquilaba por horas y días.

Austin subió por la corta pasarela y llamó. Un hombre de unos cuarenta y tantos años salió de la cabina.

—Soy el capitán Mustafá —se presentó, con una sonrisa amistosa—. ¿Quiere alquilar el barco?

El barco no era nuevo, pero estaba en buen estado. No había óxido en los metales y la madera estaba bien pulida. Los cabos estaban enrollados con pulcritud. Austin dedujo que

Mustafá era un patrón competente. Que aún estuviese en puerto sugería que podía estar interesado en tener un cliente. Austin sacó el mapa que había mostrado a Salim y señaló un punto en la costa.

—¿Puede llevarnos aquí? Nos gustaría hacer un poco de submarinismo.

—Sí, por supuesto. Conozco todos los lugares buenos. ¿Cuándo?

—¿Qué tal ahora?

Austin aceptó el precio que le indicó Mustafá e hizo un gesto a Carina para que subiese a bordo. El patrón soltó las amarras y apartó la embarcación del muelle. Puso la proa rumbo a la bocana. Navegaron cerca de la escarpada costa. Pasaron delante de los hoteles de vacaciones, un faro y las lujosas residencias que se alzaban en las colinas. Poco a poco, desaparecieron todas las señales de ocupación humana.

Mustafá llevó el barco hacia una cala con forma de media luna y apagó el motor. Echó el ancla y sacó un par de máscaras de buceo con los tubos de respiración y dos pares de aletas.

—¿Quieren ir a nadar?

Austin había estado mirando hacia una parte del acantilado donde la roca estaba partida como una herida abierta.

—Quizá más tarde. Me gustaría ir a la costa.

Mustafá se encogió de hombros y guardó los equipos de buceo. Colgó una escalerilla de la borda y acercó el chinchorro. Austin remó la corta distancia hasta la costa y arrastró el bote hasta dejarlo en la playa de piedras. A poco más de cuatro metros del borde del agua, el terreno se elevaba en un ángulo agudo. Austin utilizó los troncos de los árboles y los arbustos para sujetarse y subió hasta estar a unos cincuenta metros por encima de la cala.

Se encaramó en una cornisa que sobresalía del acantilado como la frente de un neanderthal. Vio un corte limpio como si hubiesen utilizado un gigantesco formón para cortar un trozo de roca de unos treinta metros de ancho. Dedujo que el acantilado había sido debilitado por la tumba, en combinación con las fallas naturales, y que el violento sismo la había hecho caer. Enormes peñascos se veían al pie del acantilado y en el agua.

Se preguntó si la estatua habría sobrevivido a la tremenda caída. Después saludó a Carina, que había estado observando su escalada, y bajó la colina. Sudaba por el calor y el ejercicio, y sus pantalones cortos y la camisa estaban cubiertos de tierra. Se zambulló en el agua vestido para dar a su cuerpo y a las prendas un rápido lavado. Cuando se trataba del comportamiento de turistas extranjeros, Mustafá nunca se sorprendía de nada. Puso en marcha el motor y emprendió el camino de regreso a puerto.

Austin sacó un par de botellas de cerveza turca de la nevera y dio una a Carina.

—¿Bien? —preguntó la joven.

Kurt bebió un largo trago y disfrutó con la sensación del líquido frío que bajaba por su garganta.

—Aceptaremos que Salim está en lo cierto y que la estatua aún se encontraba en la tumba en el momento del terremoto. No tenemos ninguna certeza de que no quedase sepultada debajo de toneladas de rocas. Incluso si lo encontramos, *El Navegante* podría estar demasiado dañado para servir de ayuda.

—Entonces ¿todo esto no ha servido para nada?

—En absoluto. Me gustaría volver para echar una ojeada más a fondo.

Dijo a Mustafá que quería alquilar la embarcación un día más.

—¿Podremos volver aquí mañana? —añadió Austin—. Quiero hacer inmersión en la zona.

—Sí, por supuesto. ¿Son científicos? —quiso saber Mustafá.

Austin le mostró su credencial de la NUMA. El patrón nunca había escuchado hablar de la agencia, pero el hecho de que Austin llevase una identificación especial lo impresionó. Mustafá se alegró de conseguir un viaje. Había dicho al propietario de la embarcación que si no le enviaban pronto un ayudante renunciaría. Austin sacó el móvil de la mochila y marcó el número de Zavala. Su compañero estaba en la excavación del puerto, a la espera de que Hanley le diese la luz verde para sumergirse con el Subvette.

—Tendrás que decir a Hanley que los servicios del submarino se necesitan en otra parte.

Dio a Zavala las referencias de donde estaba y le dictó una lista de compras. Zavala respondió que si podía solucionar el tema logístico volaría a Dalyran a la mañana siguiente.

La embarcación volvió al amarre a la hora del atardecer. Austin pidió a Mustafá que le recomendase un hotel discreto. El patrón le sugirió uno que estaba a veinticinco minutos de coche al final de una sinuosa carretera que recorría las colinas arboladas cerca de Fethiye. El recepcionista le informó de que por lo general era necesaria una reserva, pero que aún tenía una habitación con cama doble. Austin no había pensado en ningún momento en los arreglos para pasar la noche. Preguntó a Carina si quería buscar otro hotel.

—Estoy agotada —respondió la joven—. Aún sufro el *jet lag*. Dígale que nos la quedamos.

Cenaron en el restaurante del hotel en una mesa esquinera que miraba al mar. *Shish kebab* y arroz. Las luces de Fethiye brillaban a lo lejos como diamantes en un collar.

—Detesto estropear un entorno romántico hablando de negocios —dijo Austin—. Pero hay ciertos temas que debemos discutir. En primer lugar, ¿cómo aquellos gorilas nos siguieron el rastro hasta la aldea abandonada?

Ella lo miró como si hubiese sido alcanzada por un rayo.

—Baltazar.

Austin esbozó una sonrisa.

—Me dijo que su benefactor estaba más allá de cualquier sospecha.

—Tiene que estar involucrado. Él era el único que sabía del fotógrafo del *National Geographic*. Él se encargó de que trasladasen la estatua. Saxon me había advertido.

—Todo eso ya lo sabíamos antes de ahora. ¿Qué le ha hecho cambiar de opinión?

Carina se movió inquieta en la silla.

—Antes de salir para Estambul, llamé al representante de Baltazar y le dijo adónde íbamos y por qué. Era parte de nuestro acuerdo financiero, y no me pareció nada malo en aquel momento. Baltazar fue quien financió la recuperación del lote de Bagdad. —Comprendió las implicaciones de sus palabras—. Dios mío, Baltazar quería la estatua desde el principio. Pero ¿por qué?

—Vamos a retroceder un poco —dijo Austin—. Aceptemos que está detrás el robo. ¿Por qué querría impedir que encontrásemos al gemelo de la estatua?

—Es obvio que no quiere que nadie la vea por la razón que sea.

—Quizá lo sepamos mañana. —Miró su reloj—. ¿Está satisfecha con los arreglos para dormir? No nos conocemos desde hace mucho.

Carina le tocó la mano.

—Tengo la sensación de conocerlo desde hace muchos años, señor Austin. ¿Qué, damos por concluida la velada?

Subieron en el ascensor hasta la habitación y Austin salió al balcón para dar a Carina tiempo a cambiarse. Contemplaba el reflejo de las luces en el mar cuando se acercó Carina y le rodeó la cintura con el brazo. Sintió el calor de su cuerpo contra el suyo. Se volvió y fue saludado por un cálido beso. Ella vestía un largo camisón de algodón blanco, pero la sencilla prenda no disimulaba su hermosa figura.

—¿Qué hay de su *jet-lag*? —preguntó Austin.

La voz de Carina era un sensual susurro cuando pasó sus brazos alrededor de su cuello.

—Se me acaba de pasar.

28

Austin se despertó de un sueño profundo y cogió el móvil que sonaba en la mesilla de noche. Se levantó de la cama, y envolvió su musculoso cuerpo con la sábana como un senador romano. La visión del pelo negro de Carina extendido sobre la almohada hizo aparecer una sonrisa en su rostro bronceado.

Salió al balcón y se llevó el teléfono al oído.

—El águila ha aterrizado en el aeropuerto de Dalyran —anunció Zavala—. Han bajado el remolque con el Subvette y está preparado para marchar.

—Buen trabajo, Joe. Me reuniré contigo dentro de hora y media.

Le dio a Zavala las indicaciones para llegar al lugar donde botarían el sumergible.

—Puede que tarde un poco más, Kurt. Estoy en la carretera a la espera de la grúa para que arrastre el remolque. En el aeropuerto solo alquilan coches pequeños. Tengo que irme. Creo que ya llega mi transporte.

Austin no dudó ni por un segundo que Zavala lo conseguiría. El chicano de habla suave tenía el don de conseguir lo imposible.

El sonido del agua le llegó del baño. Despertada por el teléfono, Carina se había levantado sin hacer ruido. Austin la escuchó cantar en la ducha.

—Necesito a alguien que me frote la espalda —llamó la joven.

Austin no necesitó que se lo repitiese. La improvisada toga salió volando. Después de la ducha, se secaron el uno al otro y se vistieron. Austin con pantalón corto color tostado y una discreta camisa hawaiana de la que el propio Don Ho se habría sentido orgulloso. Carina se puso una túnica de color amarillo sol africano sobre el biquini negro. Después de tomar en la habitación un desayuno continental, fueron al puerto.

Austin había sido sincero con el capitán Mustafá. Antes de separarse la noche anterior, le había dicho que él y Carina buscaban un objeto antiguo sin permiso del gobierno turco. No tenía la intención de quedarse con el objeto si lo encontraba, pero quería que Mustafá supiese en qué se estaba metiendo. Por el otro lado, el patrón recibiría un buen pago por el riesgo añadido.

Mustafá le respondió que no le preocupaban las leyes del gobierno. Austin había alquilado la embarcación. Los llevaría donde quisieran. Lo que hiciesen allí era asunto de ellos.

Austin le había dicho que necesitaría un lugar aislado con una rampa. Mustafá le propuso un astillero que había pertenecido a una empresa en quiebra. El astillero estaba al otro lado de la bahía. Carina podría ir con Mustafá y encontrarse con Austin allí.

Al astillero se llegaba por una carretera de tierra con más cráteres que el lado oscuro de la luna. Austin caminó entre los esqueletos de madera de las embarcaciones sin acabar e inspeccionó la rampa. Tenía los bordes rotos, pero la parte central estaba más o menos en condiciones de uso.

Zavala llevaba quince minutos de retraso. Austin permaneció en el borde de la carretera preguntándose si los múltiples recursos de su amigo habían sido puestos a prueba. Paró el oído al escuchar el retumbar de un motor. Una nube de polvo y plumas iba en su dirección. Un camión avanzaba dando tumbos entre los baches, las caja de cambios gimiendo en protesta, el motor tosiendo asmáticamente. El camión se detuvo en medio de una nube de humo púrpura, acompañado por los cacareos de las gallinas encerradas en las filas de jaulas detrás de la cabina.

Zavala se apeó del camión y le presentó al conductor, un fornido turco con los dientes con fundas de oro y una barba espesa.

—Buenos días, Kurt. Te presento a mi amigo Ahmed.

Austin estrechó la mano del conductor y fueron hacia la parte de atrás del camión. El sumergible estaba cubierto con un plástico verde sujeto con cuerdas. Zavala había utilizado más cuerdas para improvisar un sistema de refuerzo para el viejo enganche del remolque.

—Tuve que montar un sistema de sujeción —comentó Zavala con una mirada de orgullo a su trabajo—. No está mal para ser un trabajo del gobierno.

—Nada mal —dijo Austin, y puso los ojos en blanco.

El improvisado montaje sin duda habría provocado momentos de angustia en las cerradas curvas de la carretera de la costa. Se preguntó cómo habrían reaccionado los contables de la NUMA de haber sabido que el sumergible que costaba varios millones de dólares había sido atado al parachoques de un camión cargado con gallinas.

Ahmed retrocedió con el camión para ubicar el remolque en la rampa. Unos rodillos motorizados bajaron la plataforma del remolque y la llevaron hasta el agua, donde flotó sostenida por dos grandes tanques de lastre.

Mustafá llegó con Carina. Lanzó un cable a Zavala, quien lo enganchó a la plataforma. Austin sacó un fajo de liras turcas que entregó al agradecido conductor y le dio las gracias por su ayuda.

Antes de marcharse para entregar las gallinas, Ahmed arrastró el remolque hasta una esquina del astillero. Austin y Zavala fueron hasta la embarcación en el bote, y Mustafá se puso en marcha de inmediato. La motora salió del puerto y entró en la bahía con el sumergible a remolque.

Las embarcaciones de pesca y de placer comenzaron a disminuir hasta que solo quedaron visibles unas pocas velas.

Austin reunió a sus amigos a la sombra de la toldilla de la cubierta de popa. Mientras bebían tazas de café bien cargado, Austin relató a Zavala la escapada de la aldea abandonada y la salida del día anterior con Mustafa.

—Has hecho muchísimas cosas en poco tiempo —dijo Zavala.

—El secreto está en la administración del tiempo.

La embarcación aminoró la velocidad al acercarse al lugar donde había caído al mar la enorme roca desprendida del acantilado. Mustafá echó el ancla cerca de la base del acantilado. Austin y Zavala fueron en el chinchorro hasta la plataforma, subieron a bordo y quitaron la lona.

Austin observó el resplandeciente casco de fibra de vidrio del sumergible. Zavala había copiado cada detalle de su Corvette descapotable, excepto por el color, y añadido las modificaciones que le permitían navegar bajo el agua.

Meneó la cabeza, asombrado.

—Es como si acabase de salir de la línea de montaje de la Chevrolet, Joe. ¿Qué tal una lección de cinco minutos sobre el procedimiento de la botadura?

—Lo puedo hacer en un minuto. El vehículo de lanzamiento, recuperación y transporte tiene su propia energía. Los controles externos a estribor. Llena los tanques de lastre. Cuando la plataforma llegue al nivel de inmersión, suelta lastre para alcanzar la flotabilidad neutra. Ajusta la posición con los impulsores de LRT. Suelta los cerrojos de seguridad. Me pongo en marcha. Puedes permanecer sumergido o llevarte al LRT a la superficie.

—¿Qué hay de la recuperación?

—El mismo procedimiento a la inversa. Entro como un avión que aterriza en un portaviones. Aseguras el vehículo a la plataforma y subimos.

—Eres un genio. Loco quizá, pero así y todo un genio.

—Gracias por el voto de confianza. Me preocupaba que el proyecto pudiese parecer un gasto frívolo de los fondos de la NUMA.

—No es que sea el *Alvin* —señaló Austin, que se refería al rechoncho sumergible que había bajado hasta el *Titanic*—. Pero estoy seguro de que Pitt lo aprobará. —Dirk Pitt, el director de la NUMA, era un apasionado coleccionista de coches antiguos—. Venga, vamos a dar una vuelta con la última incorporación a la flota submarina de la NUMA.

Volvieron remando a la embarcación y se vistieron con los trajes de buceo. Austin había pedido a Zavala que llevase, además del equipo de buceo, un sistema de intercomunicación subacuático. Los receptores Ocean Technology Systems los llevaban sujetos a las tiras de las máscaras.

Mustafá llevó a los dos hombres en el chinchorro hasta la plataforma sumergible. Subieron a bordo y se colocaron las botellas de aire. Zavala se sentó al volante del Subvette. Había modificado los asientos para acomodar las botellas. Austin ocupó su puesto en un asiento plegable colocado en la banda de estribor. Apretó un botón en el panel para poner en marcha las bombas eléctricas. Se llenaron los tanques de lastre, y la plataforma y el sumergible se hundieron poco a poco debajo de la superficie.

A una profundidad de trece metros, Austin invirtió el funcionamiento de las bombas para estabilizar la plataforma en un planeo. Otros controles le permitieron soltar las mordazas metálicas que sujetaban el sumergible al LRT. Se encendieron los faros. Con un empujón de los impulsores verticales, el Subvette se alzó de la plataforma y flotó sobre ella.

Austin dejó la plataforma y se colocó sentado por encima de sumergible. Soltó aire del compensador de flotación y bajó poco a poco hasta el asiento del pasajero. Zavala había dejado más espacio en la cabina para acomodar las aletas.

Consciente de la imposibilidad de apretar los pedales con las aletas puestas, había colocado los controles de los impulsores en el volante.

Zavala hizo girar el sumergible para encararlo a tierra. Los conos gemelos de los faros de alta potencia iluminaron la desgarrada pared que había caído hasta el fondo en un ángulo de cuarenta y cinco grados. El enorme trozo de acantilado se había roto en fragmentos que iban de piedras no más grandes que una col a enormes peñascos que empequeñecían al sumergible.

—Tu *Navegante* tendría que ser un hombre muy duro para salir vivo de este lío en una pieza —comentó Zavala—. Seguro que ha quedado reducido al tamaño de una lata de cerveza.

—El viejo no ha vivido tres mil años siendo un debilucho —replicó Austin.

La risa ahogada de Zavala llegó a través de los auriculares de Austin.

—No se puede discutir con un optimismo irrazonable e injustificado. ¿Qué son unas pocas miles de toneladas de roca? ¿Por dónde comenzamos la búsqueda de nuestro testarudo amigo?

Había una roca plana, del tamaño y la forma de una mesa de banquete a unos metros de la base del desprendimiento.

—Utilizaremos aquella piedra como punto de partida —manifestó Austin—. Ve a estribor, y sigue moviéndote a lo largo del deslizamiento en líneas paralelas hasta que lleguemos cerca de la superficie. Luego haremos lo mismo por el lado de babor. Mantén el ojo atento a columnas, un pórtico o un frontón. Cualquier cosa que parezca hecha por el hombre.

Zavala llevó al Subvette a lo largo del pie del acantilado. Sorprendidos por la aproximación del sumergible, una multitud de peces se ocultaron en grietas y huecos. Al llegar al final, Zavala dio la vuelta al tiempo que subía. Continuó con ese movimiento de ida y vuelta. De vez en cuando, se detenía al ver algún objeto que prometía y giraba el sumergible para que los faros iluminasen el objetivo.

El azul profundo del agua cambió a un resplandeciente verde a medida que se acercaban a la superficie.

El sumergible se hundió de nuevo y esa vez comenzó la búsqueda por babor. Austin vio un objeto en el fondo que estaba enterrado, excepto por un borde curvo. Pidió a Zavala que soplase la superficie de arena que cubría el objeto con descargas de los impulsores. Esa técnica era la que usaban los buscadores de tesoros para descubrir un pecio hundido. Las nubes de sedimento acabaron por posarse y dejaron a la vista la forma cilíndrica de una columna de piedra.

—Intenta subir paralelo a la pendiente a partir de la columna —dijo Austin.

Zavala ajustó el patrón de búsqueda y el vehículo ascendió paralelo al deslizamiento. En uno de los pasos, los faros alumbraron un frontón triangular que descansaba en un ángulo obtuso sobre secciones de columnas. Austin se fijó en una sombra. Dejó el sumergible y nadó hasta una abertura que parecía una cueva. Dirigió el rayo de la linterna al interior del hueco.

Un segundo más tarde, Zavala escuchó la risa de Austin.

—¿Eh, Joe, tienes alguna galleta para gatos?

—Decir bobadas es un síntoma de la narcosis del nitrógeno, amigo mío.

—Este no es un caso de borrachera de las profundidades. Estoy mirando a un gato de bronce fenicio.

Un grito femenino de deleite sonó en los auriculares de los dos. Carina había estado siguiendo la conversación.

—¡Lo habéis encontrado!

Austin movió el haz de la linterna por el interior de la cueva. La estatua yacía boca arriba, como un cadáver colocado en una pira funeraria. El lugar tenía unos tres metros de ancho y profundidad, y alrededor de un metro o metro veinte de altura. Austin pasó por la abertura. El sombrero cónico de la figura estaba abollado, y los brazos de esta estaban partidos. A diferencia de la estatua original, la nariz estaba intacta.

Austin retrocedió, y formó un círculo con el pulgar y el índice, la señal de «todo va bien» para los submarinistas.

—Está en muy buen estado para ser una lata de cerveza aplastada. Vamos a sacarlo.

—Hay cabos y globos de ascenso en el cofre de babor —dijo Zavala.

Austin nadó hasta la plataforma y sacó un cabo de nailon y los globos del cofre. Ató un extremo al parachoques trasero del Subvette, y ató cuatro globos al cabo. Nadó al interior de la cueva para sujetar el extremo libre del cabo a la peana de la estatua.

Utilizó el aire de la botella para inflar los globos, y luego hizo una señal a Zavala y este puso en marcha los impulsores. El cabo se tensó como una cuerda de violín. La estatua se movió unos cuantos centímetros. Austin hizo un gesto a su compañero para que cerrase los impulsores y nadó de nuevo a la caverna. El gato se había encajado en una saliente.

Austin pasó junto a la estatua para entrar en la cueva. Las botellas de aire rozaron contra las rocas; casi no tenía espacio para girarse y mirar hacia la salida. Empujó la figura hacia abajo y comunicó a Zavala que comenzase a tirar.

La estatua se movió hacia la abertura y se detuvo de nuevo. Esta vez el muñón del brazo izquierdo se había enganchado en una roca. Zavala dejó de tirar. Austin utilizó su puñal para librar el brazo del impedimento.

En el siguiente intento se soltó, y Austin la guió a través de la abertura, con los pies en el fondo de la cueva. El segundo *Navegante* salió poco a poco de su prisión, pero cuando Austin intentó seguirlo, descubrió que no podía mover el pie derecho. Había caído un trozo de la pared de la cueva y le aprisionaba la aleta. Los guijarros caían como granizo cuando tendió la mano con el puñal y cortó las correas de la aleta. Las piedras le golpearon las piernas y la cabeza con la fuerza suficiente para hacerle castañetear los dientes. Tendió la mano y se sujetó de la cabeza de la estatua cuando ya estaba casi fuera de su alcance.

El sumergible arrastró a Austin y al *Navegante* fuera de la cueva un segundo antes de que el techo se desplomase.

Al ver que Austin estaba fuera, Zavala aumentó la velocidad de los impulsores. La entrada desapareció debajo de las piedras que caían.

Austin se sujetaba la cabeza con una mano, donde le había golpeado una piedra del tamaño de un puño.

—¿Kurt, estás bien?

—Estaría mejor si tuviese un cráneo de bronce.

Sin hacer caso del dolor en la cabeza, Austin nadó hasta la estatua. *El Navegante* colgaba inclinado, sostenido en parte por los globos de ascenso. Zavala continuó con la maniobra hasta que *El Navegante* quedó colocado por encima de la plataforma. Austin guió la estatua hasta la popa. Soltó el cabo que la unía al sumergible. Los globos impidieron que el peso hundiese el LRT.

Austin se sentó a los controles y se preparó para llevar la plataforma cerca de la superficie. Ya tenía los dedos apoyados en los interruptores del panel cuando su fino oído captó el sonido agudo de un motor, amplificado por su paso a través del agua.

—¿Carina, ves alguna embarcación? —preguntó a través del comunicador.

—Hay una que viene en línea recta hacia nosotros. A gran velocidad.

—Escucha con atención —dijo Austin, con voz tranquila—. Di al capitán Mustafá que leve anclas y se marche ahora mismo.

—No podemos dejarte.

—Estaremos bien. Venga, en marcha.

La autoridad en el tono de Austin era imposible de pasar por alto. Carina transmitió el mensaje a Mustafá. Austin escuchó el murmullo de la respuesta del patrón. Unos gritos ahogaron las palabras de Mustafá. Luego se escuchó el seco tableteo de una metralleta.

Se cortó la comunicación.

Austin nadó de regreso al Subvette.

—Apaga las luces.

Austin estaba preocupado por Carina, pero Zavala y él eran expertos y sabían que no era prudente reaccionar demasiado rápido. Al mismo tiempo, no hacer nada no era propio de ellos.

—¿Ahora qué? —preguntó Zavala.

—Subamos para ver quiénes son nuestros imprevistos visitantes.

Zavala elevó el largo morro del vehículo y le dio una mínima potencia a los impulsores. Austin vio una silueta más pequeña en la superficie junto a la embarcación de Mustafá e indicó a Zavala que se detuviese. El comunicador volvió a funcionar. Estaban de nuevo en contacto con la embarcación de superficie.

Una voz con acento sureño sonó en los auriculares.

—¿Qué tal, muchachos? Veo vuestras burbujas. ¿Por qué no os unís a la fiesta?

—No acepto invitaciones de extraños —replicó Austin—. ¿Con quién hablo?

—Con un amigo de la señorita Mechadi. Venga, subid. En algún momento se os acabará el aire.

Zavala desenganchó una pequeña pizarra del chaleco y escribió un signo de pregunta.

Austin pensó por un momento. Si aceptaban la falsa invitación del desconocido, les volarían la cabeza.

Cogió la pizarra de Zavala, y con grandes letras mayúsculas escribió: ¿MOBY DICK?

Zavala digirió la propuesta y debió de darle dolor de estómago. Borró el mensaje previo y escribió: ¡AY!

Austin escribió de nuevo: ¿SUGERENCIAS?

Zavala sacudió la cabeza, y escribió: ACAB, ALLÁ VAMOS.

Guardó la pizarra, y llevó el Subvette hasta el fondo. Zavala hizo girar el sumergible y apuntó la proa hacia arriba en un ángulo agudo. Con un fuerte zumbido de los impulsores, el sumergible comenzó su ascenso ganando velocidad con cada metro.

Austin y él se sujetaron en los asientos.

29

Minutos antes de que el Subvette comenzase a subir, Carina había visto aparecer una lancha por el extremo del cabo y dirigirse a gran velocidad hacia la motora de Mustafá. Planeaba, saltando sobre las crestas de las olas como una piedra plana que rebota en el agua.

Había transmitido el mensaje urgente de Austin de marcharse. Demasiado tarde. La veloz lancha había recorrido la distancia que los separaba. El piloto viró segundos antes de la colisión, y redujo la velocidad. La lancha golpeó contra la borda de la embarcación de Mustafá a un par de metros de donde ella estaba.

Unos de los hombres a bordo disparó una ráfaga al aire con la metralleta. La joven dejó caer el micrófono en la cubierta.

Eran cuatro, vestidos con uniformes verde oliva y armados con metralletas de cañón corto. Las gafas de sol ocultaban sus ojos, y las alas de los sombreros blandos estilo militar mantenían sus rostros casi en sombra. Sólo se veían las bocas con los labios apretados.

Tres saltaron sobre la borda a la cubierta de la motora. El último en subir se quitó el sombrero para dejar a la vista el pelo rubio corto. Carina reconoció a Ridley, que había dirigido el robo del *Navegante*. Le dedicó una gran sonrisa.

—¿Cómo está, señorita Carina?

La sorpresa inicial de la joven fue reemplazada por la furia.

—¿Qué está haciendo aquí?

—Me enteré de que estaba en la vecindad, señorita Mechadi. Me dije que los muchachos y yo podríamos hacerle una visita amistosa.

—No me venga con ese falso acento de paleto —dijo Carina—. ¿Dónde está mi estatua?

Con la sonrisa en el rostro, Ridley se acercó a la borda y miró con ojos inexpresivos las burbujas que salían a la superficie.

—¿Alguien se está dando un baño, señorita Mechadi?

—Si tanto le interesa, salte y averígüelo usted mismo. —Carina era consciente de que su temperamento la estaba dominando pero no podía evitarlo.

—Tengo una idea mejor —dijo Ridley.

Recogió el micrófono de la cubierta, apretó el botón y habló con Austin.

La sonrisa de Ridley se hizo más grande cuando vio que aumentaba el número de burbujas en la superficie. Su mano desenganchó una granada del cinto y la sopesó como un lanzador de béisbol dispuesto a lanzar la pelota. Carina intentó arrebatarle el micrófono, pero Ridley le dio un revés en la boca con tanta fuerza que hizo que le brotase la sangre. Los otros hombres se rieron ante la violenta respuesta de Ridley, y no vieron el reflejo turquesa en el mar hasta que fue demasiado tarde.

El sumergible salió a la superficie como una ballena que sale para respirar. El parachoques delantero golpeó contra la lancha con la fuerza de un ariete.

La embarcación se alzó en un ángulo enloquecido. El hombre al timón soltó un grito de sorpresa cuando se vio catapultado en el aire agitando los brazos. Golpeó contra el agua, se hundió un par de metros y salió a la superficie, gritando que alguien lo ayudase. En la desesperación, soltó el arma.

El sumergible había rebotado después de golpear contra la lancha, y Zavala luchaba para mantener el control.

Austin vio unas piernas que se movían en una nube de burbujas en la superficie. Un objeto caía a través del agua. Dejó la cabina y cogió la metralleta. Colvió a sentarse y señaló con el pulgar hacia la superficie.

Ridley era un soldado profesional. Se recuperó muy pronto de la sorpresa y señaló la figura en el agua.

—Recoged a ese idiota —ordenó.

Los hombres se colgaron las armas al hombro y arrojaron un salvavidas a su camarada. Ridley sujetó la granada en la mano, dispuesto a dejarla caer por la borda como una improvisada carga de profundidad. Observaba el agua con sus fríos ojos cuando escuchó lo que parecía una bocina de coche. Volvió la cabeza.

—¡Jesús! —exclamó.

Un Corvette descapotable color turquesa con el parachoques delantero aplastado se deslizaba por el agua hacia la embarcación de Mustafa, con Zavala al volante. Austin apoyó la metralleta en el marco del parabrisas y disparó un par de ráfagas, apuntando alto con toda intención.

Los hombres de Ridley se quitaron las armas de los hombros, las dejaron caer en cubierta y levantaron las manos, dejando que el hombre en el agua se las apañase por su cuenta. Ridley también alzó las manos poco a poco.

Austin se distrajo por la visión de la sangre en la boca de Carina cuando Mustafá la ayudaba a levantarse. Ridley, con las manos unidas por encima de la cabeza, aprovechó la fugaz distracción para quitar el pasador de la granada y echó el brazo hacia atrás preparado para lanzarla al sumergible. Los ojos de Austin volvieron a fijarse en Ridley y su dedo se tensó en el gatillo. Titubeó, temiendo que pudiese dejar caer la granada en la cubierta. Mustafá también había visto a Ridley montar la granada. En cuanto Ridley echó el brazo hacia atrás, el turco cogió un bichero y golpeó con el pesado mango de madera la muñeca del mercenario. La granada escapó de sus dedos, golpeó en la borda y cayó en cubierta.

Mustafa reaccionó con la rapidez del rayo, se lanzó a por la granada y la arrojó por encima de la borda.

Ridley rugió de dolor y rabia. Buscó con la mano izquierda otra de las granadas que llevaba enganchadas al cinto. Se escuchó el tableteo de la metralleta de Austin y el pecho de Ridley quedó cruzado por los agujeros de bala.

Cayó de espaldas al agua en el mismo momento en que estallaba la granada y levantaba un gran surtidor de agua que se precipitó sobre la cubierta.

Austin movió el cañón de la metralleta hacia los otros dos hombres.

—Saltad —ordenó.

Descargó una ráfaga contra la toldilla. Los trozos de lona cayeron como confeti. Los hombres saltaron por la borda y se unieron al compañero que ya estaba en el agua. Austin disparó otra ráfaga que levantó surtidores a unos centímetros de los mercenarios.

Austin observó cómo el trío nadaba hasta tierra, salían a la playa y desaparecían en el bosque. Perforó el casco de la lancha con media docena de disparos y luego volvió su atención a Carina.

Mustafá envolvió unos cuantos cubitos de hielo en una toalla y la muchacha apoyó la improvisada compresa en los labios hinchados. Austin vio que no estaba malherida y entregó el arma a Mustafá con la orden de disparar primero y preguntar después.

Zavala llevó el Subvette hasta la banda de la embarcación y Austin subió. El sumergible desapareció debajo de la superficie para descender hasta la plataforma. Austin se acomodó delante de la consola de control. Zavala posó el sumergible en la plataforma y las sujeciones engancharon. Austin puso en marcha las bombas para vaciar los tanques de lastre.

La plataforma salió a la superficie cerca de la motora y permaneció flotando en un ángulo un tanto pronunciado debido al peso de la estatua en la popa. Mustafá pasó a Carina la metralleta y acercó el *Iztuzu* a la plataforma. Arrojó un cabo a Austin y a Zavala. Luego ellos se zambulleron y nadaron hasta la escalerilla de la embarcación.

De nuevo a bordo, Zavala se quitó el traje de neopreno y miró hacia los árboles en la orilla.

—¿Cómo han hecho esos tipos para encontrarnos aquí? —Austin recogió su camisa y sacó el teléfono móvil del bolsillo.

—Quizá siguieron la señal telefónica. No vamos a correr ningún riesgo.

Arrojó el móvil lo más lejos que pudo y vio cómo se hundía en el agua. Luego dio las gracias a Mustafá por la ayuda con el bichero y se disculpó por ponerlo a él y a la embarcación en peligro y destrozarle la toldilla. El turco lo tomó de buen ánimo, pero preguntó si podía dar por concluida la jornada y cobrar. Austin le dio liras suficientes para que se tomase una par de meses de vacaciones.

—Un favor más. Necesitamos ir a alguna parte donde no nos molesten.

—Ningún problema. —El patrón se guardó los billetes en el bolsillo—. Hay un lugar a unas pocas millas de aquí.

Menos de media hora más tarde, Mustafá entró en una plácida cala y fondeó detrás de un saliente de tierra. Les explicó que los marineros locales evitaban el lugar debido a los escollos sumergidos en la entrada, lo que dificultaba mucho la navegación.

Zavala se sentó en la proa con la metralleta sobre el regazo. Carina recogió una bolsa con artículos y prductos de bellas artes que había comprado el día anterior y subió al chinchorro con Austin. Fueron a remo hasta la LRT y subieron a bordo.

Carina se inclinó sobre la estatua.

—Me siento culpable por perturbar su sueño después de todos estos años —comentó con indudable ternura.

—Es probable que le guste tener la compañía de una hermosa dama —dijo Austin—. Mira cómo sonríe.

Carina apartó las algas enganchadas a la boca de la estatua. El rostro era el de un joven barbado con una nariz y barbilla fuertes. Como la estatua original, llevaba un pendiente colgado alrededor del cuello con la cabeza de un caballo y una palmera, un faldellín alrededor de la cintura y sandalias en los pies. La falta de brazos le daba un aspecto grotesco de víctima de un desastre.

Carina abrió la bolsa, sacó un par de esponjas y dio una a Austin. Juntos limpiaron cada centímetro cuadrado de bronce. Carina escogió un pincel, un cuadrado de tul y un frasco de látex líquido. Aplicó varias capas de látex al rostro de la estatua, el pendiente y otras secciones, y luego empezó a superponer las capas con el tul. A continuación quitó las capas secas, las marcó con un rotulador, y las guardó con mucho cuidado en la bolsa.

—Ya está —dijo, al tiempo que quitaba el último molde.

—¿Qué hay del gato? —preguntó Austin—. Era parte de la tripulación.

—Tienes toda la razón —dijo Carina con una sonrisa. Repitió el proceso con el rostro y el costado del gato.

Quitó el molde en cuanto estuvo seco. Había acabado el trabajo, pero le costaba marcharse.

—¿Qué debemos hacer con él? —preguntó.

—No podemos llevarnos la estatua —contestó Austin—. Pesa demasiado para moverla sin el equipo especializado, y transportarla por tierra sería un problema grave. Alguien acabaría viéndonos. Las autoridades turcas no ven con simpatía a los extranjeros que roban las antigüedades nacionales.

Carina tenía una expresión triste en los ojos. Besó las mejillas de la estatua. Le dio una palmadita a la frente de bronce y volvió al chinchorro. De nuevo en la embarcación, Austin preguntó a Mustafá cuál era la profundidad del agua en la cala. El turco le dijo que entre quince y veinte metros.

Austin y Zavala remaron de vuelta hasta la plataforma y, apoyados en las espaldas, empujaron la estatua con los pies. La figura se balanceó sobre el borde. Un último empujón la hizo caer por el costado. *El Navegante* se hundió en las profundidades, como si estuviese ansioso por regresar al fondo del mar, y desapareció rápidamente de la vista.

30

A miles de millas de las aguas turcas, el gemelo del *Navegante* giraba poco a poco en un pedestal circular de unos treinta centímetros de altura, resplandeciente como un dios furioso bajo los focos que bañaban su piel de bronce con una luz polarizada.

Una imagen fantasmagórica y tridimensional del *Navegante* giraba en una gran pantalla de pared. Una multitud de sondas electrónicas rodeaban la estatua antigua.

Tres hombres estaban sentados en butacas de cuero delante de la pantalla. Baltazar ocupaba el centro. A su derecha, el doctor Morris Gray, experto en tomografía informatizada. A su izquierda se encontraba el doctor John Defoe, una autoridad en historia y arte fenicio. Ambos científicos habían sido contratados por el imperio corporativo de Baltazar a la espera de que se encontrase la estatua.

Gray señaló la pantalla con el puntero láser.

—La técnica de rayos X que estamos utilizando es similar a la de los escáneres que emplean en los hospitales —explicó—. Tomamos fotografías del objeto por secciones, y el ordenador convierte las instantáneas en imágenes tridimensionales.

Baltazar estaba encorvado en la silla, con los gruesos dedos entrelazados, su mirada fija en la imagen blanca proyectada sobre un fondo azul oscuro. Había esperado ese momento durante años.

—¿Qué nos dice su linterna mágica, doctor Gray? —preguntó.

Gray esbozó una sonrisa. Movió el punto rojo del láser al panel de exposición, uno de los varios que iban de abajo a arriba en el costado derecho del monitor.

—Cada cuadrado muestra información tomada por las ondas. Esta muestra la composición metálica de la estatua. El bronce es la aleación habitual de un noventa por ciento de cobre y un diez por ciento de estaño. Las otras nos muestran el grosor, la resistencia a la tensión, además de datos que no son pertinentes.

—¿Qué son aquellas marcas oscuras en la estatua? —quiso saber Baltazar.

—La estatua fue hecha con el procedimiento de la cera perdida —explicó Defoe—. El artista hace el molde en arcilla, lo cubre con cera, y otra capa de arcilla. Los rayos X muestran los canalillos y los agujeros de ventilación que se hicieron en el molde exterior para permitir que la cera y los gases saliesen y el metal fundido entrase. La estatua fue fabricada por partes, así que estamos mirando los puntos de unión y las marcas de los martillos.

—Todo es muy interesante —manifestó Baltazar—. Pero ¿qué hay en el interior de la estatua?

—Los rayos X no muestran nada detrás del exterior de bronce, excepto un espacio vacío —respondió Gray.

—¿Qué pasa con el exterior?

—Ese sí es prometedor.

Gray sacó del bolsillo un pequeño control remoto y lo apuntó a la pantalla. Desapareció la figura fantasmal. En la pantalla, apareció un primer plano del rostro de la estatua.

—Dejaré que el doctor Defoe se ocupe de esta parte.

Defoe miró la pantalla a través de sus gafas de montura redonda.

—El daño sufrido dificulta calcular la edad del sujeto, pero, al juzgar por la musculatura, probablemente tendría unos veintitantos.

—Eternamente joven —observó Baltazar en un raro momento poético.

—El sombrero cónico es similar al que hemos visto en las figuras y esculturas de los marineros fenicios. La barba y el pelo me intrigan. La manera en que están dispuestos indica que es alguien en el nivel superior de la sociedad fenicia, y no obstante va vestido con el faldellín y las sandalias de un simple marinero.

—Continúe —dijo Baltazar. No hubo ningún cambio visible en la expresión pese a su creciente entusiasmo.

La imagen mostró un primer plano del medallón colgado alrededor del cuello del *Navegante*.

—El medallón reproduce el diseño de una moneda fenicia —dijo Defoe—. El caballo es el símbolo de Fenicia. La palmera con las raíces al aire a la derecha indica una colonia. Aquí es donde comienza la intriga.

El punto rojo saltó a un espacio semicircular debajo de la cabeza del caballo y la palmera donde había una línea de trazos verticales.

—¿Runas? —preguntó Baltazar.

—Eso es lo que suele creerse cuando figuras como estas se ven en las monedas. Sin embargo, ninguna concuerda con las escrituras fenicias conocidas. Las marcas continuaron siendo un misterio durante años. Entonces un geólogo en el Moun Holyoke College llamado Mark McMenamin planteó una sorprendente nueva teoría. Utilizó un programa informático para ampliar los trazos como haré ahora.

Los símbolos en la pantalla se hicieron más definidos y afinados.

—Los trazos parecen conocidos —señaló Baltazar.

—Quizá esto ayude.

Los trazos en la pantalla se llenaron con los contornos de los continentes.

Baltazar se echó hacia delante.

—Increíble. ¡Son continentes!

—Esa fue la conclusión de McMenamin. Como geólogo, reconoció las masas de tierra por lo que eran. Se ve la forma rectangular de la península ibérica que se proyecta hacia abajo en un ángulo desde Europa, que junto con el norte de África encierra el Mediterráneo. Allí está Asia a la derecha. Los símbolos menores al oeste de Europa podrían ser las islas Británicas. América del Norte es la tierra que está a la izquierda. Sudamérica parece faltar o está integrada en el continente norte. La ampliación por ordenador puede dar lugar a diversas interpretaciones. Pero si McMenamin está en lo cierto, este medallón indica el alcance y el abasto de las colonias fenicias.

—Un maldito mapa del mundo —manifestó Baltazar con una sonrisa.

—No es un mapa del mundo cualquiera. Las monedas de oro que mencioné fueron acuñadas alrededor del año trescientos antes de Cristo. El bronce tiene una antigüedad de unos tres mil años, lo cual lo convierte en el mapa del mundo más antiguo que conocemos. Más importante, indica que se hicieron viajes al Nuevo Mundo unos nueve siglos antes de Cristo, cuando se fundió la estatua.

Baltazar notó el latido de la sangre en las venas.

—Quiero echar una mirada más cercana a Norteamérica.

El símbolo que apareció en la pantalla parecía un enorme cactus saguaro. Un par de gruesos brazos se alzaban del ancho tronco.

—Debe admitir que hace falta mucha imaginación para ver América del Norte en esa mancha amorfa —se mofó el millonario.

—Veamos si ahora lo ve mejor —dijo Defoe. Un perfil de América del Norte se superpuso al símbolo—. El tronco se convierte en el continente central. Al extremo izquierdo está Alaska, y Terranova a la derecha.

—¿Alguna prueba de rutas comerciales entre los hemisferios oriental y occidental?

—Nada específico. Pero no es ninguna sorpresa dada la afición de los fenicios al secreto, y que las rutas oceánicas consistían en lecturas astronómicas que podían memorizarse.

Pero si miramos la brújula en la mano de la estatua —añadió con un toque al control remoto— podemos deducir que se señalan las rutas este-oeste, y oeste-este. La posición de la estatua en relación con el punto norte de la brújula señala que mira hacia el oeste.

—Hacia América —manifestó Baltazar.

—Correcto.

—¿Puede indicar un punto de desembarco?

Defoe sacudió la cabeza.

—La estatua es equivalente al mapa del mundo que ve en los folletos de una línea aérea. Son informativos, pero de ninguna manera útiles para el piloto.

—Necesitarían una carta más detallada cuando se acercasen a la costa —señaló Baltazar.

—Así es. Los mapas tienen un valor limitado en el mar. Habrían necesitado de una carta de la costa que les mostrase la ubicación de los puntos de referencia, para que los navegantes pudiesen verificar las posiciones. Los rumbos más que las distancias es lo importante cuando se trata de la navegación costera.

—¿Hay alguna prueba de una carta de la costa?

Defoe de nuevo negó con un movimiento de cabeza.

—No he hallado nada que indique semejante. No obstante, encontré algo más.

La imagen en la pantalla cambió de nuevo.

—Este símbolo aparece grabado una y otra vez en el cinturón que sujeta el faldellín del marinero.

—Parece una embarcación —opinó Baltazar—. Con unos burdos trazos para la proa y la popa.

—El símbolo me resultó conocido. Recordé haberlo visto en un libro de Anthony Saxon. Es un arqueólogo aficionado y explorador que propone algunas teorías bastante estrafalarias.

—Sé quién es el señor Saxon —afirmó Baltazar con un tono que destilaba odio.

—Saxon es un tipo que sabe promocionarse, pero ha viajado lo suyo. Dice que este es el símbolo de una nave de Tarsis. Ha encontrado ejemplos en América y Oriente Medio, y, por lo tanto, estableció un vínculo entre las dos regiones.

—No me interesan las teorías estrafalarias que proponen los tontos —replicó Baltazar—. Dígame si hay algo en esta estatua que indique un desembarco en Norteamérica.

—La respuesta es sí y no.

Baltazar enrojeció.

—Soy un hombre ocupado, doctor Defoe. Le estoy pagando muy bien por sus conocimientos. No me haga perder el tiempo con adivinanzas.

Defoe se intranquilizó al notar la amenaza detrás de la apariencia amable de Baltazar.

—Lo siento. Le mostraré lo que quiero decir. —Apretó el botón del control remoto y en la pantalla apareció una débil red de líneas curvas—. Creemos que este es un mapa topográfico.

—¿En qué parte de la estatua lo encontró?

La imagen se alejó para mostrar al gato enganchado a las piernas del *Navegante.*

—¿Me está diciendo que la información que quiero estaba escrita en el cuerpo de un gato?

—En realidad no es nada descabellado. Los egipcios consideraban sagrados a los gatos, y los fenicios tomaron de Egipto los temas religiosos.

—¿Qué muestra la ampliación?

—Esta es la ampliación.

—No veo nada.

—Esto es lo mejor que hemos conseguido. La superficie está casi lisa en su mayor parte excepto por el pequeño fragmento que ve aquí. Incluiremos lo que encontremos en el informe final, pero, a todos los fines y propósitos, cualquier información grabada en el metal se ha perdido para siempre.

—Comparto la opinión de mi colega —manifestó el doctor Gray—. Ninguna tecnología en la tierra puede recrear lo que ya no está ahí.

Pero puede estar en alguna otra parte, pensó Baltazar.

—El proceso de la cera perdida que mencionó. ¿Podría utilizarse para recrear un duplicado de la estatua?

—No habría ninguna dificultad si el escultor utilizó el proceso indirecto, con la capa de cera alrededor de un núcleo bien definido.

Baltazar miró la inservible imagen en la pantalla, y luego se levantó.

—Gracias, caballeros. Mi mayordomo los acompañará hasta la salida.

Después de que los dos hombres se hubiesen marchado, Baltazar se paseó por delante de la estatua. Pensó en el tiempo y el dinero que había gastado para conseguir aquel inútil trozo de bronce. La sonrisa de metal parecía burlarse de él. Benoir le había dicho que Carina marchaba a Turquía para encontrar una réplica de la estatua. Baltazar había ordenado a sus hombres que la interceptasen. No era de aquellos que dejaban las cosas al azar. Al mismo tiempo, consideraba que la posesión del original le daría una ventaja.

Sus oscuros pensamientos se vieron interrumpidos por el timbre del teléfono. La llamada era de Estambul. Escuchó mientras le describían el ataque fallido. Dijo a su interlocutor que las órdenes continuaban vigentes y colgó.

Austin tenía más vidas que un gato.

Gato...

Miró al felino de bronce al pie de la estatua. Alzó la mirada y vio, en su imaginación, no ya las facciones dañadas de un antiguo fenicio, sino el rostro de Austin.

Se acercó a la pared donde había una maza colgada junto con otros instrumentos letales de la Edad Media. Cogió la maza y dejó que la bola con púas colgase al extremo de la cadena. Luego se colocó entre los trípodes de las cámaras, levantó el mango por encima del hombro y soltó el golpe.

La bola sujeta al extremo de la cadena bajó en un arco, golpeó contra la estatua y rebotó. El impacto produjo un sonido como un batintín desafinado. Un ser humano que hubiese recibido el golpe del arma asesina habría quedado reducido a una pulpa sanguinolenta. La bola había causado múltiples marcas en el pecho de la estatua, pero la serena sonrisa se mantenía.

Con una sonora maldición, Baltazar arrojó la maza a un lado y salió de la habitación con un tremendo portazo.

31

Los Trout pasaron a toda prisa junto a la cola de turistas que esperaban para una visita guiada, doblaron por una calle lateral y se apartaron del bullicio alrededor de Independence Hall para ir hacia la biblioteca de la Sociedad Filosófica Americana, un edificio de dos plantas que daba a un tranquilo parque.

Angela Worth estaba sentada a su mesa en una esquina de la sala de lectura. Alzó la mirada y enarcó una ceja. La sorprendente pareja que se acercaba no parecían los investigadores habituales. El hombre medía casi dos metros de estatura, vestía un pantalón caqui con la raya impecable y una americana azul verdoso con una camisa verde claro, y una pajarita a juego. La mujer de elevada estatura que lo acompañaba podía haber salido de un reportaje de triatlón publicado en *Vogue*. El traje pantalón de seda verde oliva ondulaba alrededor de su cuerpo atlético, y parecía que en lugar de caminar flotase.

La mujer se detuvo delante de la mesa de Angela y le extendió la mano.

—¿La señorita Worth? Me llamo Gamay Morgan-Trout. Este es mi esposo, Paul. —Sonrió, y dejó a la vista la pequeña separación entre los incisivos que no disminuía su encanto,

Angela descubrió que se había quedado boquiabierta. Recuperó la compostura y se puso de pie para estrechar las manos.

—Ustedes son las personas de la NUMA que llamaron ayer.

—Así es —dijo Paul—. Gracias por recibirnos. Espero que no sea una molestia.

—En absoluto. ¿En qué puedo ayudarles?

—Tenemos entendido que fue usted quien encontró un archivo de Jefferson perdido hace mucho —respondió Gamay.

—Así es. ¿Cómo se enteraron?

—El Departamento de Estado llamó a la NUMA después que la ANS descifrase el archivo.

Angela había intentado hablar con su amigo en el departamento de criptografía de la ANS pero Deeg no le había devuelto la llamada.

—¿Ha dicho el Departamento de Estado?

—Así es —dijo Gamay.

—No lo entiendo. ¿Por qué se interesaron?

—¿Tiene alguna idea de lo que había en el archivo? —preguntó Gamay.

—Intenté descifrar el texto. Solo soy una aficionada. Se lo di a un amigo en la ANS. ¿Qué está pasando?

Los Trout intercambiaron una mirada.

—¿Hay algún lugar que sea un poco más discreto? —preguntó Gamay.

—Sí, por supuesto. Mi despacho.

El despacho de Angela era pequeño pero bien organizado. Se sentó detrás de su mesa y señaló a los Trout las sillas. Paul abrió un portafolio de cuero y sacó una carpeta. La dejó sobre la mesa.

—Solo tenemos una copia, así que le haremos un resumen del contenido —manifestó—. El archivo que encontró señala que Jefferson compartía con Meriwether Lewis su convicción de que una nave fenicia cruzó el Atlántico hace casi tres mil años atrás y que transportaba una reliquia sagrada, posiblemente un objeto bíblico, a América del Norte. Al Departamento de Estado le preocupa que la historia, cierta o no, pueda causar problemas en Oriente Próximo.

Angela escuchó, hechizada, mientras Paul y Gamay se turnaban para explicarle el contenido del archivo. Su mente era un torbellino. Le parecía tener la lengua pegada al paladar. Sus ojos se veían vidriosos, como la víctima de un accidente.

—Angela —dijo Gamay—. ¿Se encuentra bien?

La bibliotecaria se aclaró la garganta.

—Sí. Estoy bien. Creo. —Recuperó la compostura.

—Comprendimos que solo podíamos llegar hasta cierto punto en la investigación de un viaje en la antigüedad —continuó Gamay—. Nos pareció que la Sociedad Filosófica Americana era el nexo para muchos hilos de la historia. Jefferson fue presidente de la Sociedad. Lewis estudió aquí para su gran viaje de exploración. Otro miembro dijo a Jefferson que el pergamino contenía palabras fenicias. Las vinculaciones son múltiples.

—No me sorprende —manifestó Angela—. Muchas personas ni siquiera saben que esta entidad existe. Piensen en su historia. Fue fundada por Franklin. George Washington fue miembro, junto con John Adams, Alexander Hamilton, Thomas Paine, Benjamin Rush y John Marshall. Su alcance se extendió al mundo entero: Lafayette, Von Steuben y Kosciuszko. Más tarde, tuvimos a Thomas Edison, Robert Frost, George Marshal, Linus Pauling. También mujeres. Margaret Mead y Elizabeth Agassiz. En la biblioteca hay millones de documentos y escritos, incluidos el *Principia* de Newton, los experimentos de Franklin, y el *Origen de las especies* de Darwin. Es sencillamente emocionante.

—El alcance de la colección es tanto una bendición como un castigo —manifestó Paul—. Estamos buscando una aguja en un pajar intelectual de un tamaño enorme.

—No hay un sistema de archivos mejor que el nuestro. Solo señáleme la dirección correcta.

—Meriwether Lewis —dijo Gamay—. Según el archivo, Lewis tenía una información importante que quería hacer llegar a Jefferson.

—Saqué algunos archivos de Lewis después de hablar con ustedes por teléfono. Hay una gran controversia sobre su muerte. Algunos creen que fue un suicidio. Otros sostienen que fue un asesinato.

—Eso encajaría con todo el misterio que rodea al archivo de Jefferson —opinó Paul—. ¿Por dónde comenzamos?

Angela abrió una carpeta.

—Ya en la niñez Lewis era muy avispado, aventurero e intrépido. Se alistó en el ejército. Llegó a capitán a los veintitrés años, y a los veintisiete se convirtió en el secretario privado de Jefferson, quien valoraba su valentía e inteligencia. Tres años más tarde, Jefferson escogió a Lewis para dirigir una de las más grandes expediciones de la historia. Como parte de la preparación para su viaje, lo envió a estudiar a la Sociedad Filosófica.

—Todo lo que Lewis necesitaba estaba aquí —dijo Paul, y Angela asintió.

—Los miembros le enseñaron botánica, astronomía, geografía y otras ciencias. Era muy buen estudiante. La expedición fue un gran éxito.

—¿Qué se hizo de él después de la expedición?

—Cometió el que fue sin duda el mayor error de su vida. En mil ochocientos siete, aceptó el cargo de gobernador del territorio de Louisiana.

—¿Error? —dijo Paul—. Era la persona más adecuada para ese cargo.

—Lewis estaba mejor dotado para caminar por territorios inexplorados. Saint Louis era un puesto de frontera donde no había más que hombres peligrosos, ladrones y buscadores de fortuna. Tuvo que enfrentarse a feudos y conspiraciones. Su ayudante intentaba socavar su autoridad en todo lo posible. Pero consiguió arreglárselas para desempeñar el cargo durante dos años y medio antes de su muerte.

—No está mal, a la vista de las dificultades a las que se enfrentó —opinó Paul.

—Era trabajo sedentario y agotador —manifestó Angela—. Pero, según todas las versiones, lo hizo bastante bien.

—¿Cuáles fueron las circunstancias que lo llevaron a tomar la decisión de ir a Washington? —preguntó Gamay.

—Lewis había repatriado a un jefe mandan. Había un exceso en los gastos de quinientos dólares, y el gobierno federal rechazó el pago. Hubo rumores de un escándalo de tierras. Lewis dijo que estaba en un apuro financiero, y tenía que ir a Washington para limpiar su buen nombre. También tenía que entregar unos documentos importantes.

—Háblenos del viaje que acabó en su muerte —le pidió Gamay.

—Toda la historia está llena de contradicciones e incongruencias.

—¿A qué se refiere? —preguntó Gamay.

Angela desplegó un mapa en la mesa.

—Lewis sale de Saint Louis a finales de agosto de mil ochocientos nueve. Va río abajo por el Mississippi y llega a Fort Pickering, Tennessee, el quince de septiembre. Lewis está agotado por el calor y quizá por la malaria. Circula el rumor de que había perdido el juicio durante el viaje y había intentado suicidarse. Otro rumor dice que no dejó de beber con sus viejos camaradas del ejército. Eso es curioso, porque no había ninguno de ellos en el fuerte.

—¿Hay algo de verdad en esos rumores? —quiso saber Gamay.

—Son relatos de segunda mano. En el fuerte, Lewis escribió una carta al presidente Madison que demuestra que tenía la cabeza muy clara. Decía a Madison que estaba agotado pero que se sentía mucho mejor, y que tenía la intención de viajar por tierra a través de Tennessee y Virginia. Añadía que llevaba los documentos originales de su expedición al Pacífico y no quería que cayeran en manos de los británicos, que se disponían a declarar la guerra.

—¿Qué pasó después?

—A las dos semanas de haber llegado al fuerte —prosiguió Angela—, reanudó el viaje. Llevaba dos cofres con los documentos de la expedición al Pacífico, un portafolio, una agenda, y documentos de naturaleza pública y privada. Los diarios de la expedición están reunios en dieciséis libretas encuadernadas en tafilete de rojo.

—Tuvo que ser muy pesado llevar toda esa carga por tierra sin ayuda —señaló Paul.

—Digamos que imposible. Por eso aceptó la oferta de una acémila que le hizo James Neelly, un antiguo agente indio de la nación chickasaw. El veintinueve de septiembre, dejaron el fuerte: Lewis, su sirviente, Pernia, un esclavo y Neelly.

—No puede decirse que fuese la comitiva que cabía esperar de un gobernador —comentó Gamay.

—Es algo que yo tampoco entiendo —manifestó Angela—. Sobre todo a la vista de la leyenda de la mina de oro de Lewis.

—La trama se complica —dijo Paul—. Háblenos de la mina.

—Se decía que Lewis descubrió una mina de oro en su expedición al Pacífico. Se lo comentó a unos pocos amigos, y al parecer dejó una descripción del lugar para que le sirviese al país en el caso de su fallecimiento. Estoy segura de que la historia de la mina era algo muy conocido, y apuesto a que todos a lo largo del Trace sabían que el gobernador pasaría por allí.

—Lewis corría un gran peligro —dijo Gamay.

—Todos los bandidos a lo largo del Trace estarían pensando en el mapa y en cómo arrebatárselo a Lewis —admitió Angela.

—¿Lewis no era consciente del riesgo? —preguntó Gamay.

—Lewis conocía los riesgos por territorio salvaje. Se había enfrentado antes al peligro y quizá creyó que podía salir bien librado.

—También puede ser que tuviese tanto interés en llegar a Washington —señaló Gamay— que consideró que valía la pena correr el riesgo.

—Puede que el peligro estuviese más cerca de lo que creía —señaló Paul—. Neelly.

—Más contradicciones —dijo Angela—. Neelly declaró más tarde que Lewis se había trastornado, pero el grupo recorrió casi doscientos cincuenta kilómetros en tres días.

—Eso es mucho viajar para un loco —observó Paul.

—Así es —asintió la bibliotecaria—. El comandante de Fort Pickering se inquietó al recibir informes de que Neelly había incitado a Lewis a beber. Pernia, el sirviente español de Lewis, también lo animaba a beber. Luego Neelly perdió dos caballos y dijo a Lewis que continuase con los dos sirvientes mientras él buscaba a los animales.

Gamay se rió.

—Si Lewis estaba desequilibrado, ¿por qué lo dejó adelantarse con los sirvientes?

—Buena pregunta —dijo Angela—. Pero se separaron y Lewis fue a Grinder's Stand con Pernia y el esclavo.

—Grinder's Stand suena como un lugar donde hacen sándwiches gigantes —comentó Paul.

—Lewis habría salido mejor librado de haberse tratado de una cafetería —manifestó Angela—. Grinder's Stand no era más que dos cabañas. La señora Grinder estaba allí con sus hijos y un par de esclavos. Su marido estaba de viaje. Lewis se alojó en una cabaña y sus sirvientes en el establo. La señora Grinder dijo que alrededor de las tres de la madrugada escuchó dos disparos, y que Lewis se había disparado en la cabeza y el pecho. Herido de muerte, había ido hasta su cabaña, le había pedido un vaso de agua y ayuda. Murió al cabo de unas pocas horas. Neelly se presentó al día siguiente.

—Muy conveniente —señaló Gamay.

—Mucho. Habló con Grinder y los sirvientes, y una semana más tarde escribió a Jefferson para informarle de que Lewis se había suicidado por sus problemas con el gobierno.

—La mitad de la población del país estaría muerta si ese fuese el motivo. Suena bastante sospechoso —dijo Paul.

—Lo es. Lewis sabía muy bien cómo utilizar un arma. Sin embargo, cuando intentó volarse los sesos, solo se hizo un rasguño en la cabeza —manifestó Angela—. Cogió un mosquete y se disparó en el pecho.

—Yo diría que alguien le disparó en la cabaña a oscuras —observó Paul—. ¿Qué sabemos de Neelly?

—Neelly fue cesado como agente indio después de tener problemas con los chickasaws —respondió Angela—. El comandante de Fort Pickering dijo que era un mentiroso y un ladrón. Neelly declaró que había prestado dinero a Lewis pese a que Lewis tenía ciento veinte dólares, que desaparecieron tras su fallecimiento. Neelly reclamó las pistolas de Lewis como propias.

—¿Qué hay de Pernia? —preguntó Gamay.

—Pernia era español o francés. Apareció de la nada para viajar con Lewis. Más tarde, Neelly lo envió a la casa de Jefferson con el caballo de Lewis. Dijo que enviaría los cofres de Lewis a la familia, cosa que al parecer hizo. Pernia fue a ver a la madre de Lewis, quien creía que él había tenido algo que ver con la muerte de su hijo.

—¿Se realizó alguna investigación?

—La señora Grinder era la única testigo, y acabó relatando tres versiones diferentes de lo sucedido. Los vecinos sospechaban que el esposo había estado complicado, pero cuando Jefferson dijo que era un suicidio dio por concluida cualquier investigación.

—¿No dijo que las palabras de Jefferson se basaban solo en el relato de Neelly? —preguntó Paul.

—Eso es lo más extraño de todo. Jefferson dijo a todo el mundo que Lewis había sido un hipocondríaco en su juventud, pero entonces Jefferson no lo conocía. Afirmó que Lewis sufría de una depresión, y no obstante lo puso al mando de la expedición al Pacífico. Añadió que la depresión había reaparecido cuando lo nombraron gobernador, pero no hay ninguna prueba que lo confirme. Aceptó los rumores de que

Lewis había enloquecido en Grinder's. Eso no encaja con el carácter reflexivo que atribuimos a Jefferson.

—Me arriesgaré a aventurar una teoría —dijo Paul—. Jefferson se valió de la historia del suicidio como una tapadera. Sabía que era un asesinato, pero no podía hacer nada al respecto y quería recuperar los documentos que Lewis le llevaba.

—Es posible. Años más tarde, Jefferson dijo que Lewis había sido asesinado. Hay otra leyenda que se refiere al joven esclavo. Murió cuando tenía noventa y cinco años y en su lecho de muerte afirmó que había sido un asesinato pero no dio nombres.

—Por lo tanto, tenemos tres candidatos como asesinos —resumió Paul—. Neelly, Grinder y Pernia, o los tres. Neelly es el más sospechoso. Tenía un motivo: Lewis le debía dinero. Y la oportunidad. Hay otra posibilidad: que uno o los tres trabajasen para algún otro.

—Lewis llevaba algo importante a Monticello —señaló Gamay—. Vamos a suponer que lo asesinaron para impedir que cumpliese la misión. Nos centraremos en lo que se hizo de los documentos que Lewis llevaba a Jefferson.

—Si Lewis sabía que estaba en peligro —intervino Paul—, no llevaría los documentos consigo.

—¡Has acertado! —exclamó Gamay.

—Gracias, pero ¿qué he acertado?

—Lewis entregó los documentos a algún otro para que los llevase. ¿De quién nadie sospecharía que tenía algo de valor?

Angela se echó a reír.

—Del esclavo.

—Demonios, sí que soy bueno —dijo Paul—. El esclavo tuvo que ayudar a Pernia a llevar los cofres a Monticello; la oportunidad para darle los documentos a Jefferson.

—¿Esclavos y Monticello?

Helen Woolsey, la jefa de Angela, había visto a los visitantes en el despacho de su ayudante. Estaba en el umbral con una sonrisa forzada.

Angela se apresuró a levantarse.

—Oh, hola, Helen. Hablábamos de que Jefferson tenía esclavos pese a afirmar que todos los hombres son iguales.

—Fascinante. ¿No me presentas a tus amigos?

—Perdona. Te presento a Paul y Gamay Trout. Mi jefa, Helen Woolsey.

Se estrecharon las manos. Woolsey miró la carpeta con el nombre de Jefferson en la tapa.

—¿Ese es el mismo archivo que me diste el otro día, Angela?

Gamay recogió la capta y se la puso en el regazo con las manos sobre la etiqueta.

—Esta carpeta es nuestra —respondió—. Angela nos ha estado ayudando a buscar antecedentes de Meriwether Lewis.

—Gamay y yo pertenecemos a la NUMA —añadió Paul, al juzgar que una verdad a medias era mejor que una mentira—. Estamos realizando una investigación sobre la importancia del océano Pacífico para Estados Unidos. Decidimos empezar por Lewis, quien dirigió la primera expedición a la costa occidental.

—Han venido al lugar apropiado —manifestó Woolsey.

—Angela nos ha ayudado mucho —añadió Gamay.

Woolsey les dijo que la llamasen si necesitaban su ayuda.

Gamay la miró cuando cruzaba la sala de lectura para volver a su despacho.

—Antipática —comentó Gamay.

Angela se echó a reír.

—Yo la llamo señorita Listilla. —Adoptó una expresión grave—. Aquí está pasando alguna cosa. Hace varios días que le entregué una copia del archivo de Jefferson. Dijo que hablarían con la junta pero que yo sepa hasta ahora no lo ha hecho.

—Solo tenía ojos para la carpeta.

Angela recogió los documentos referentes a Lewis.

—Buscaré por el lado del esclavo. ¿Podrían volver dentro de un par de horas, cuando la señorita Listilla no esté por aquí?

—Encantandos —respondió Paul.

Angela los observó marchar. Se sentía con nuevas energías. Guardó la carpeta de Lewis en el cajón y se ocupó de las tareas habituales, hasta que Woolsey apareció de nuevo en la sala de lectura con la intención de comprobar si los Trout aún estaban. En cuanto se hubo marchado, Angela se puso al ordenador.

Escribió un nombre en el buscador, y en un par de segundos retrocedió el reloj al año 1809.

32

Zavala acabó la detallada inspección del Subvette y se bajó del remolque, con una gran sonrisa en el rostro. Austin interpretó la expresión de su compañero como una buena señal. En el viaje de regreso al astillero cerrado, Zavala había intentado mostrarse animado, pero no había podido ocultar la tristeza en sus ojos ante el daño sufrido por su creación.

—Lo construí como un tanque, así que la estructura está intacta y el sistema de propulsión en buen estado, pero los faros están torcidos y algunos de los sensores dañados. Estará fuera de servicio hasta que regrese a Estados Unidos.

Austin apoyó una mano en el hombro de Zavala.

—Ha caído herido por una buena causa. Gracias a él, ahora no estamos muertos. Siempre puedes construir otro y donar este al museo de coches de Cussler. Creo que ahí llega tu transporte.

Una grúa acababa de entrar en el astillero. Austin había pedido a Mustafá que buscase algo más adecuado que el camión de gallinas de Ahmed para la tarea de remolcar al sumergible hasta el aeropuerto. El capitán había hecho unas cuantas llamadas y encontrado a alguien dispuesto a hacer el trabajo. Mientras la grúa enganchaba el remolque, Austin agradeció al patrón toda la ayuda recibida. Zavala subió a la cabina de la grúa, y Austin y Carina lo siguieron en el coche de alquiler por la carretera de la costa al aeropuerto de Dalyran.

Austin y Carina volaron a Estambul con Zavala. Se separaron en el aeropuerto. Zavala se quedaría trabajando hasta tarde para preparar el transporte del sumergible, y tenía la intención de alojarse cerca del aeropuerto. Austin y Carima fueron al mismo hotel donde habían pasado su primera noche en Estambul. Esta vez, compartieron la habitación.

A la mañana siguiente, Austin tomó un taxi para ir a la excavación arqueológica en el Bósforo y bajó por la rampa de madera que habían instalado para el paso de las carretillas. Se abrió camino entre los centenares de trabajadores que trajinaban con picos y palas en el fondo marino.

Hanley estaba de rodillas en el barro endurecido, ocupado en observar los fragmentos de cerámica. El arqueólogo se levantó y le tendió la mano cubierta de fango.

—Me alegra verte, Kurt. ¿Preparado para ensuciarte de barro hasta las cejas?

—Tendrás que disculparme —respondió Austin. Echó una ojeada a la frenética actividad a su alrededor—. Por lo que se ve el proyecto va viento en popa.

Hanley enrojeció con el entusiasmo.

—En mi vida había participado en una excavación como esta.

—Espero que no estés demasiado ocupado para hacerme un pequeño favor —dijo Kurt.

—Estoy en deuda contigo y con la señorita por vuestro trabajo voluntario. Por cierto, ¿dónde está Carina?

—Descansa. Hemos quedado para comer juntos.

—Por favor, dale mis recuerdo. ¿Qué puedo hacer por ti?

Austin metió la mano en la bolsa que le había prestado Mustafá y sacó los moldes de látex del segundo *Navegante*.

—¿Podrías hacer vaciados en yeso de estos moldes?

Hanley cogió uno de los moldes y lo inclinó para observar los relieves.

—Ningún problema. El yeso tardará un par de horas en secarse.

—Volveremos después de comer.

Hanley cogió la bolsa con los moldes.

—¿Dónde está Joe?

—Está ocupado con su sumergible. El aparato sufrió algunos daños en una inmersión y me temo que no te sea de ninguna utilidad.

—Lamento saberlo. Nos habría ayudado mucho a explorar el perímetro del yacimiento, pero, como ves, la mayor parte de la excavación está seca.

Austin repitió que iría después de comer. Cogió un taxi y pidió al conductor que lo llevase al palacio Topkapi. El vasto conjunto de edificios, patios, pabellones y parques ocupaba la punta del Serrallo, un promontorio en el cruce del Cuerno de Oro, el mar de Mármara y el Bósforo. Los sultanes otomanos y sus cortes habían vivido en Topkapi durante cuatrocientos años en el apogeo de su imperio.

Ahora todo aquello era un museo. Austin pasó entre las torres gemelas y entró en un parque con frondosos árboles repleto de turistas de todas partes del mundo. Pasó por delante del Tesoro, que guardaba una fortuna en joyas, y siguió hacia el restaurante Konyali.

Vio a Carina sentada a una mesa en el patio con la mirada perdida en el resplandeciente azul del mar. En la Costa Turquesa había vestido de manera informal pero ahora llevaba un vestido de falda larga color rosa oscuro que realzaba su piel dorada. Austin vestía pantalón marrón tostado, y había renunciado a su habitual camisa hawaiana por un conservador polo verde oscuro. Acercó una silla.

—Los sultanes entendían mucho del tema inmobiliario. Menudas vistas por todas partes...

Ella lo recibió con una sonrisa deslumbrante.

—¡Es espectacular!

—Los precios son exorbitantes y la comida dista mucho

de ser un cinco estrellas. El servicio es el habitual de las cafeterías. Pero la panorámica es la mejor de todo Estambul. Además no puedes errar si pides ensaladas o kebabs.

Austin se ofreció a hacer los honores. Llevó dos platos de ensalada y limonada a la mesa.

Carina probó un trozo de lechuga.

—Una recomendación excelente. ¿Hay algún lugar donde no hayas estado?

—Tengo que viajar mucho en mi trabajo.

—¿Cuál es tu trabajo?

—Ya te lo he dicho, soy ingeniero.

Carina enarcó una ceja delineada a la perfección.

—La NUMA es una organización de fama mundial por sus trabajos de investigación de los océanos. Pero tú y Joe os pasáis la mayor parte del tiempo luchando contra los malos y rescatando a damiselas en apuros, muchas gracias.

—No se merecen. También soy el jefe del Equipo de Misiones Especiales de la NUMA, formado por Joe y otros dos que nos ocupamos de investigar misterios debajo y por encima del mar. Es algo que no termina de encajar en una categoría general.

—¿Cómo encaja este misterio con tus pasadas experiencias?

Austin miró la cola de barcos de carga que se perdía en la distancia.

—Desde un punto de vista objetivo, diría que es el caso de alguien que busca algo, dispuesto a destruir a cualquiera o lo que sea que se interponga en el camino. Si pasamos a lo subjetivo, me temo que sea algo mucho más profundo.

—¿A qué te refieres?

—Adquieres un sexto sentido cuando pasas mucho tiempo debajo del agua. Me está diciendo que aquí hay más de lo que vemos. Hay algo malvado que acecha detrás de la violencia.

—Como si las cosas ya no fuesen lo bastante extrañas —dijo Carina, con una sonrisa tensa—. ¿Qué haremos?

—Saborear nuestra comida, disfrutar de la vista y el sol, y después ir a recoger los vaciados en yeso que Hanley está haciendo para nosotros.

—¿Crees que las reproducciones nos dirán alguna cosa?

—Esa es mi esperanza. Alguien no quería que encontrásemos la segunda estatua. Creo que ya hemos conseguido todo lo que podía conseguirse en Turquía. El avión de la NUMA regresa mañana a Estados Unidos. Nos reagruparemos en casa. Me gustaría investigar más a fondo alguna posible implicación de Baltazar.

—Yo tendré que ocuparme del resto de las piezas de la gira nacional. —Se interrumpió por un instante, y luego continuó en voz baja—: Kurt, no te vuelvas. Creo que uno de aquellos que nos atacaron en la embarcación está sentado a una de las mesas.

—Puede que los nervios te estén jugando una mala pasada.

Se levantó para ir a colocarse detrás de Carina. Apoyó las manos en el respaldo de la silla al tiempo que echaba una ojeada a las otras mesas. Un hombre que estaba solo vio que Austin miraba en su dirección y levantó un periódico para simular que leía.

—Tienes razón. Iré a ver qué quiere.

Carina miró a Austin con una expresión de horror cuando él se acercó a la otra mesa. Austin miró al hombre a la cara por encima del periódico.

—Hola.

El otro bajó el periódico y le devolvió la mirada con un gesto arrogante.

—Tenemos que dejar de encontrarnos de esta manera —prosiguió Austin—. Ni siquiera sé su nombre.

—Me llamo Buck. No tendrá que recordarlo mucho tiempo. Es hombre muerto, Austin.

—¿Cómo salieron del bosque?

—Llamamos a nuestros refuerzos.

Austin observó el físico y el corte de pelo miliar.

—Acento norteamericano, ¿Boina verde o Fuerza Delta?

—Ninguno de los dos, listillo. SEAL —respondió Buck, con orgullo.

—Eso explica que sea tan buen nadador. Los SEAL son un gran equipo. ¿Por qué lo expulsaron?

Austin debió de meter el dedo en la llaga porque la sonrisa desapareció como por ensalmo.

—Violencia innecesaria.

—¿Para quién trabaja ahora?

—Para alguien que lo quiere muerto.

—Lamento no poder complacer a su patrón.

Buck soltó una risotada.

—Quieren que sufra, pero será una cosa rápida. Se lo debo. Cuando mató a Ridley, me convertí en el jefe. Mire en derredor.

Austin miró a uno y otro lado del patio. Vio al resto de los hombres que habían ido a la playa a nado. Uno se apoyaba en una pared. Un tercero ocupaba una mesa. Todos lo miraban como si quisiesen verlo en una bandeja.

—Veo que ha traído al resto del equipo de natación turco.

—Venga con nosotros. Le facilitará las cosas a la muchacha.

—¿A ella también la matará rápido para que no sufra?

Buck sacudió la cabeza.

—Mi patrón tiene otros planes para ella.

—Ha sido un placer, Buck. Explicaré a la señorita Mechadi lo desesperado de nuestra situación.

Austin volvió a la mesa donde Carina lo esperaba con una expresión de terror.

—Buena vista —dijo Kurt—. Son tres. Quieren mi pellejo, pero a ti te quieren viva.

—¡Dios bendito! ¿Qué haremos?

—De momento no intentarán nada. Aquí hay demasiado público. Vayamos a dar un paseo.

Austin llevó a Carina hacia la entrada del palacio. Los perseguidores se mantenían a una distancia de treinta metros.

Rebuscó en su memoria para recordar el plano de Topkapi y los jardines. Intentaba buscar un escondite donde pudiesen resguardarse.

Se le ocurrió una idea. No era la solución ideal, pero podía darle unos minutos preciosos.

Carina vio el esbozo de una sonrisa en el rostro de Kurt y se preguntó si su amigo había perdido el juicio.

—¿En qué estás pensando? —le preguntó, angustiada.

—No hay tiempo para preguntas. Tú limítate a hacer lo que te diga.

Carina era una mujer independiente que no aceptaba órdenes de nadie, pero Austin parecía tener el don de sacarlos de las situaciones más comprometidas. Sintió que le tiraba del brazo y aceleró el paso para mantenerse a la par.

Austin la llevó entre las multitudes cargadas con cámaras que se arremolinaban en el patio delante del Tesoro. Dieron la vuelta en la esquina de un elegante edificio de mármol donde una vez había estado la biblioteca del sultán y echaron a correr. Cruzaron la ornamentada Puerta de la Felicidad que comunicaba con otro patio. Austin y Carina corrieron hacia la derecha para entrar en una sala abierta donde antaño se habían reunido los visires. Kurt miraba hacia la columnata y la taquilla donde vendían las entradas para visitar el harén.

¡Estaban de suerte! El portero se había tomado un descanso y no estaba.

Sin disminuir la velocidad, la pareja cruzó la entrada y se dirigió a una puerta. Kurt la abrió, empujó a Carina al interior del harén y cerró la puerta.

—¿Qué hacemos ahora? —preguntó Carina. Le faltaba el aliento tras la enloquecida carrera.

A Austin le dolía horrores la herida. Se llevó una mano al costado.

—Te lo diré en cuanto se me ocurra —respondió.

33

Durante los años del imperio otomano, cuando el harén de Topkapi estaba lleno con centenares de bellezas con velo, una entrada no autorizada en sus recintos prohibidos habría sido respondida con las afiladas cimitarras en las manos de los eunucos africanos que vigilaban el palacio.

Cuando Austin y Carina entraron en el gran patio, el apuesto guía turístico interrumpió su discurso y les dirigió una mirada cortante como una de aquellas armas.

—¿Sí?

Austin puso su mejor sonrisa de paleto.

—Lamentamos llegar tarde.

El guía frunció el entrecejo. Las visitas al harén se hacían de acuerdo con un horario estricto, nadie desde la taquilla le había llamado para decirle que había dos personas más.

Cogió la radio para llamar al guardia de seguridad.

Carina se adelantó y le obsequió al guía su más encantadora sonrisa. Buscó en el billetero y sacó cien liras.

—¿La propina se da ahora o más tarde?

El guía sonrió y enganchó la radio en su cinturón.

—Es costumbre dar la propina al final de la visita, pero solo si se está satisfecho.

—Estoy segura de que quedaré muy satisfecha —afirmó Carina con su más coqueta caída de ojos.

El guía carraspeó y se volvió hacia el grupo de extranjeros y turcos reunidos a su alrededor.

—Hubo un momento en que el harén albergaba más de mil concubinas, esclavos, esposas, y la madre del sultán. Era como una pequeña ciudad, con más de cuatrocientas habitaciones. A su izquierda están los alojamientos de los eunucos negros y su jefe, que vigilaba el harén. Las otras puertas conducen a los aposentos del tesorero real y el chambelán. Pueden pasar por aquella puerta y visitar los apartamentos de los eunucos.

El guía dio el mismo discurso en turco y luego de dirigió hacia los dormitorios de los guardias como el flautista de Hamelín.

Austin retuvo a Carina hasta que se quedaron solos en el patio. Sus ojos azul verde observaron las puertas a la búsqueda de una posible vía de escape. Probó con una, la puerta estaba sin llave. Confiaba en perder a los perseguidores en el vasto laberinto de apartamentos y patios.

—Kurt —dijo Carina.

Se había abierto la Puerta del Carruaje. Buck entró en el patio con sus amigos de rostros duros e indicó a sus hombres que se desplegasen. Avanzaron hacia la pareja.

En aquel mismo momento, el guía y el grupo salieron de las habitaciones de los eunucos y crearon una barrera humana de turistas con cámaras. Austin y Carina se mezclaron con el grupo cuando pasó por una arcada al otro extremo del patio.

Austin miró por encima del hombro. Buck y sus hombres se abrían paso entre la multitud.

—¿Qué haremos? —susurró Carina.

—Por ahora disfrutar de la visita, y cuando yo diga corre, tú corre.

—¿Correr adónde?

—Todavía estoy tratando de averiguarlo —respondió Austin.

Carina murmuró en italiano. Austin no necesitó de un traductor para saber que maldecía. Interpretó su furia como una señal de que no se había rendido a la desesperación.

El guía los llevó por una sala con la cúpula cuadrada.

Cada pocos minutos se detenía para ofrecer explicaciones en turco e inglés, y les señalaba los aposentos de las concubinas, la escuela para los niños del harén y las cocinas donde se preparaba la comida para los ocupantes del enorme complejo.

Austin miraba con anhelo las puertas y los pasillos que ofrecían posibles rutas de escape. No había manera de que Carina y él pudiesen separarse del grupo. Con cada parada, Buck y sus amigos se acercaban cada vez más.

Se puso a sí mismo en el lugar de los perseguidores. Los tres hombres se acercarían para separarlo de la multitud. Dos de ellos acabarían con él a navajazos. El tercero cogería a Carina.

Buck y sus matones eran todos antiguos hombres de operaciones especiales. Su entrenamiento incluía la lucha a cuchillo y el asesinato. Una mano sobre su boca para impedirle gritar. Un rápido golpe de una hoja entre las costillas. Para cuando los demás comprendiesen que se había cometido un asesinato, Austin estaría dando su última bocanada. Buck y los suyos escaparían en medio de la confusión.

Si pretendía intentar alguna cosa, tendría que hacerlo pronto.

El grupo entró en una gran habitación alfombrada. Las paredes estaban decoradas con mayólicas azules y blancas del siglo XVII. Un gran diván con cojines de brocado ocupaba una plataforma debajo de un dosel dorado de cuatro columnas. Las paredes estaban decoradas en una combinación de estilo barroco y rococó. La luz entraba por las vidrieras de colores de la cúpula.

El guía les dijo que se encontraban en la sala del trono. A un lado de la habitación había otra tarima destinada a las concubinas, las esposas y la madre del sultán, donde se sentaban en las audiencias o para disfrutar de la música y el baile.

La multitud comenzó a separarse, y eliminó la barrera humana que Austin y Carina habían utilizado para mantenerse apartados de Buck y su banda. En cuanto el grupo acabó de dispersarse, Austin se enfrentó a los tres hombres con solo un puñado de turistas entre ellos.

Ahora o nunca.

Austin susurró a Carina que le siguiese el juego. La cogió de la mano y se acercó al guía.

—¿Sería posible dejar la visita? —preguntó Austin—. Mi esposa no se siente bien. Está embarazada.

El guía observó el delgado perfil de Carina.

—¿Embarazada?

—Sí —dijo Carina con una sonrisa tímida—. Solo de pocos meses.

Carina apoyó la palma abierta de la mano sobre el abdomen plano. El guía se sonrojó y se apresuró a señalarle una puerta.

—Pueden salir por allí.

Le dieron las gracias y se dirigieron a la salida.

—¡Esperen! —dijo el guía. Se acercó la radio a los labios—. Llamaré al guardia para que los escolte.

Habló por la radio. El guardia llegaría en unos minutos. Les dijo que permaneciesen con el grupo mientras esperaban.

Buck había visto a Austin hablar con el guía. Cuando el guía utilizó la radio, dedujo que Austin había pedido ayuda.

—Vamos a hacerlo —dijo a sus hombres.

Austin había estado guiando a Carina de un lado a otro de la habitación, siempre buscando aumentar la separación entre ellos y los perseguidores. Estaba aprendiendo que jugar al escondite era algo que no podía hacerse en campo abierto.

Los tres hombres se acercaron. Buck estaba lo bastante cerca para que Austin viese el brillo asesino en sus ojos. Buck metió la mano debajo de la chaqueta.

Un fornido guardia de seguridad entró en la sala del trono, el guía le señaló a Austin y Carina. Austin jugó su carta de triunfo.

Apuntó con un dedo a Buck y los otros dos hombres al tiempo que gritaba a voz en cuello:

—¡PKK! ¡PKK!

PKK eran las siglas correspondientes a *Partiya Kerkerên Keridstan*, o Partido de los Trabajadores del Kurdistán, una organización guerrillera marxista leninista que quería establecer un estado kurdo independiente en el sudeste de Turquía. El PKK llevaba realizando una violenta campaña contra el gobierno turco desde 1978, con ataques a las propiedades del gobierno y las zonas turísticas, y en el proceso, matando a miles de personas.

La amable expresión del guardia desapareció en el acto, y echó mano al revólver. En Turquía, gritar PKK es el equivalente a echar gasolina en una hoguera. El guardia acabó por desenfundar el arma.

Vio el puñal en las manos de Buck. Con el revólver sujeto con las dos manos, gritó en turco. Buck se volvió y al ver el cañón que le apuntaba al pecho, dejó caer el puñal al suelo y levantó las manos bien arriba.

Uno de los hombres de Buck apuntaba con una pistola al guardia. Austin se le echó encima como un jugador de rugby que frena a su rival, le descargó un tremendo golpe con el hombro en el vientre y el arma salió volando. Cayeron al suelo y Austin echó un brazo hacia atrás y le dio tal puñetazo en la barbilla que lo dejó fuera de combate.

La sala del trono se había vaciado. El guía se había escondido en un portal y pedía refuerzos por radio.

Buck metió la mano debajo de la chaqueta y sacó un arma. Fue un error fatal. El guardia de mediana edad era un veterano del ejército turco. Aunque había echado algo de tripa, recordaba la disciplina que le habían enseñado. Austin se levantó, gritó de nuevo «PKK», y señaló a Buck.

El guardia se volvió, apuntó con tranquilidad al corazón del asesino y apretó el gatillo. La bala alcanzó a Buck en el pecho y lo lanzó contra el diván del sultán.

Austin se levantó de un salto, cogió a Carina, que se había quedado inmóvil, y la llevó hacia la salida. Corrieron por un pasillo, dieron la vuelta y volvieron por donde habían llegado hasta una pequeña habitación con una puerta en una esquina. La puerta daba a una terraza bañada por el sol.

En la terraza se encontraron con los dos hombres que los habían perseguido por la aldea abandonada. Austin se puso delante de Carina para protegerla. Los dos tipos avanzaban hacia Austin y Carina, cuando se abrió la puerta del harén y los hombres de Buck salieron al aire libre con las armas en la mano. Parpadearon al enfrentarse a la cegadora luz del sol y no vieron a los turcos que sacaban de debajo de las chaquetas las armas con silenciador. Dispararon al mismo tiempo. Los mercenarios se desplomaron en el suelo de la terraza.

Mientras uno de los turcos mantenía el arma apuntada a la puerta, el otro cogió a Austin por el brazo.

—Vamos —dijo—. No pasa nada. Somos amigos. —Dio una palmada amistosa a Austin en la espalda y le dedicó un guiño a Carina.

El otro hombre se ocupaba de la retaguardia. Hablaba por el móvil y miraba una y otra vez por encima del hombro para ver si alguien los seguía.

Los turcos ocultaron las armas cuando entraron en la zona pública y los guiaron a través de un laberinto de edificios y patios hasta la salida del palacio. Un Mercedes plateado esperaba en el bordillo con el motor en marcha. El turco que iba en cabeza abrió la puerta del copiloto.

Austin y Carina se sentaron en el asiento trasero y descubrieron que ya estaba ocupado.

Su viejo amigo Cemil les sonrió y dio una orden en voz baja al chófer. El Mercedes se apartó del palacio y se mezcló con el tráfico de Estambul.

—¿Eran sus hombres? —preguntó Carina.

—No se preocupe. No están furiosos por el neumático que su amigo estropeó. Fue culpa de ellos. Les dije que los vigilasen, pero se acercaron demasiado.

—Le pagaré un neumático nuevo— dijo Austin.

Cemil se rió. Como turco, explicó, no podía rechazar el ofrecimiento.

—Me disculpo si mis hombres los asustaron.

Añadió que después de haber estado con ellos en las cisternas, había escuchado unos rumores inquietantes. Unos mercenarios habían llegado a la ciudad. Habían entrado en el país desarmados para no llamar la atención y habían comprado armas a un traficante local, que era amigo de Cemil. Más preocupante aún, habían llegado el mismo día que Carina y Austin y se alojaban en el mismo hotel.

Había enviado a sus hombres para que vigilasen a sus amigos. Después de que sus hombres se quedasen tirados en la aldea abandonada, habían regresado a Estambul y vigilado el hotel, ante la suposición de que Austin y Carina irían a recoger el equipaje. Habían seguido a Austin desde la excavación arqueológica hasta Topkapi, donde lo habían vuelto a perder cuando Carina y él entraron en el harén. Habían visto a Buck y a sus hombres entrar detrás de ellos y que habían corrido hacia la salida.

Carina dio un gran beso a Cemil en la mejilla.

—¿Cómo podremos darle las gracias?

—Hay una manera. Tomé una mala decisión comercial que ha llamado la atención de las autoridades nacionales. Sería de gran ayuda si usted me avalase si la situación se vuelve incómoda.

—Trato hecho.

La alegre disposición de Cemil cambió.

—Su hotel ya no es seguro. Mis hombres recogerán sus equipajes y los llevarán a una posada donde pasar la noche. Tengo muchos amigos en Turquía, pero es fácil comprar y vender a la gente, y no puedo garantizar su seguridad indefinidamente.

—Creo que Cemil nos está diciendo que el clima de aquí ya no es saludable.

—Su amigo lo ha expresado muy bien —señaló Cemil—. Mi consejo es que salgan de Estambul lo más rápido posible.

Austin no era de los que desaprovechaban un buen consejo. Pero tenía asuntos pendientes. El Mercedes los dejó en la excavación en el Bósforo, y convinieron con el chófer que los recogería al cabo de dos horas.

Encontraron a Hanley en un cobertizo que había montado como laboratorio. Los moldes de yeso estaban sobre una mesa. Tenían un color gris oscuro.

—He pintado todos los rebordes y las hendiduras para que resalten —explicó el arqueólogo—. Es algo fascinante. ¿Dónde dijiste que la encontraste?

—Estos diseños estaban grabados en una estatua fenicia. Se los mostraremos a un experto cuando regresemos a casa —dijo Austin.

Hanley se inclinó sobre el molde del gato que formaba parte del *Navegante*.

—Tengo tres gatos en casa, así que con este me he divertido mucho.

Austin miraba las líneas ondulantes que eran las rayas del gato cuando sus ojos comenzaron a ver unos patrones que no parecían ser al azar. Acercó una lente de aumento a la parte de las costillas del gato. Casi perdido entre las rayas del felino había un símbolo que reproducía la zeta mayúscula invertida. A diferencia de los demás, que eran horizontales, este estaba cabeza abajo.

Pasó la lente a Carina, quien observó la marca y preguntó:

—¿Qué significa?

—Este es el símbolo de una nave, que se ha hundido o está hundiéndose. —Austin miró las líneas y las espirales—. Creo que esto es algo más que el capricho de un artista. Estamos mirando un mapa. Estas líneas representan las costas. Las hendiduras son bahías y calas.

Consiguió una cámara digital y un trípode. Carina sostuvo los moldes en un ángulo vertical. Austin tomó docenas de fotos y las descargó en un ordenador portátil prestado y las envió al correo electrónico de la NUMA.

Mientras Hanley y Carina envolvían los moldes en espuma de plástico, Austin llamó a Zavala en el aeropuerto. Su amigo le dijo que se reuniría con ellos a la mañana siguiente para el vuelo de regreso a Estados Unidos. El Subvette dañado ya estaba cargado en el avión.

Llegó el Mercedes con el equipaje y llevó a Carina y a Austin a un pequeño hotel que daba al Bósforo. Se acostaron temprano, demasiado cansados para disfrutar de la vista, y se durmieron tan pronto como apoyaron la cabeza en la almohada. Cuando se levantaron a primera hora de la mañana siguiente, el Mercedes los esperaba para llevarlos al aeropuerto.

Zavala los recibió a bordo con una cafetera recién hecha.

Menos de una hora más tarde, el Citation había despegado y volaba hacia el oeste a una velocidad de ochocientos kilómetros por hora.

—¿Qué tal Estambul? —preguntó Zavala cuando el avión volaba sobre el Egeo.

Austin le relató el encuentro con Buck y su pandilla en Topkapi, la loca fuga al interior del harén, y el rescate de Cemil y sus hombres.

—¡El harén! Me habría gustado estar allí —dijo Zavala.

—A mí también. Habrías sido de gran ayuda cuando comenzó el tiroteo.

—No era en eso en lo que pensaba. Desearía haber estado allí cuando el harén estaba lleno de hermosas mujeres.

Austin tendría que haber sabido que no podía esperar ninguna comprensión por parte de su mujeriego amigo.

—Tengo entendido que hay un puesto para un eunuco —dijo Austin.

Zavala apretó las rodillas.

—Ay... Gracias pero no. Creo que iré a hablar con el piloto.

Austin sonrió ante la incomodidad de su compañero. Su buen humor solo duró un momento. Buck y Ridley estaban muertos y sus cohortes neutralizadas, pero si las sospechas de Austin respecto a Viktor Baltazar eran correctas habría más hombres de mirada dura en su futuro.

Todavía peor, el asesino con rostro de niño aún corría por ahí.

34

Angela se estremeció como si de pronto un soplo de aire hela-do hubiese entrado en su despacho. No había ningún motivo para el temblor que sintió entre los omóplatos. A menudo se quedaba a trabajar hasta tarde y nunca se había sentido ner-viosa por el hecho de estar sola. Había algo reconfortante en estar rodeada por la sabiduría de siglos.

Le pareció que había oído una voz. No estaba segura. Ha-bía estado concentrada en los textos referentes a Meriwether Lewis.

La única otra persona en el edificio era su jefa. Quizá Helen Woolsey le había deseado buenas noches.

Se reclinó en la silla y exhaló un suspiro de alivio. Había estado jugando a la espera, con la ilusión de que Woolsey se marchase antes de que regresasen los Trout. Apenas si podía contener la excitación. Tenía muchas cosas para decirles.

Prestó atención. Silencio. Algo no estaba bien.

Se levantó de la silla y cruzó la silenciosa sala de lectura. Salió a un pasillo a oscuras y apretó el interruptor de la luz. El pasillo siguió a oscuras. Tendría que llamar al encargado del edificio por la mañana. Caminó hacia el resplandor que se fil-traba por los bordes de la puerta de Helen.

Se detuvo y llamó con los nudillos con toda discreción. Ninguna respuesta. Helen debía de haberse olvidado de apa-gar la luz. Angela abrió la puerta y entró en el despacho, solo para quedarse inmóvil en mitad del paso.

Woolsey todavía estaba sentada a la mesa, las manos apoyadas sobre el regazo, la cabeza echada hacia atrás como una muñeca rota. Tenía la boca abierta y sus ojos muertos contemplaban el techo. Unos moretones manchaban el pálido cuello.

Un grito silencioso sonó dentro de la cabeza de Angela. Se llevó una mano a la boca y resistió el impulso de vomitar.

Salió poco a poco del despacho. Su instinto le decía que corriese hacia la puerta principal. Miró por el pasillo a oscuras, pero un primitivo sentimiento de peligro le urgió a correr hacia las amenazadoras sombras.

En lugar de dirigirse a la entrada, corrió hacia el interior del edificio.

La enorme figura de Adriano salió de la penumbra. Había roto el interruptor de la luz con la navaja y había esperado que la joven llevada por el miedo se lanzase a sus brazos. Pero se había vuelto y corrido en la otra dirección como un conejo que busca el refugio de la madriguera.

Adriano estaba excitado después de matar al Vigilante. Aquello había sido fácil. Pensar en el desafío lo animó. Matar a la presa era mucho más agradable cuando llegaba el final de la cacería.

Pasó por el despacho de Woolsey y miró su obra. La bibliotecaria había sido el último de los Vigilantes en la Sociedad Filosófica. El sistema del Vigilante se remontaba a siglos atrás. Los Vigilantes entraban a trabajar en los centros de estudio de todo el mundo, y su única misión era dar la alarma a la primera señal de que se había descubierto el Secreto.

Dos siglos antes, otro Vigilante de la Sociedad Filosófica había avisado de los hallazgos de Jefferson. El Vigilante era uno de los académicos a los que el ex presidente había pedido que tradujesen las palabras en el pergamino. La destrucción de los documentos tendría que haber acabado su misión, pero se descubrió la vinculación con Meriwether Lewis y aquel cabo suelto tuvo que ser solucionado por los asesinos enviados al territorio de Luisiana.

Woolsey no podía saber que su primera llamada como Vigilante había puesto en marcha una serie de sucesos que acabarían en su muerte. Su trabajo era informar de cualquier investigación seria sobre los viajes fenicios al continente americano. Había cumplido al transmitir la noticia del archivo de Jefferson. Para el momento en que había recibido la orden de entregar el archivo a un mensajero, un representante del Departamento de Estado se había presentado para hacerse cargo del paquete. Furiosa, había acusado a su ayudante de ser la responsable, pero le ordenaron que no mencionase el incidente a Angela. Cuando llamó de nuevo para informar de la visita de los Trout a Angela, había sellado su sentencia de muerte.

Se le dijo que se asegurase de que Angela se quedase hasta tarde. Adriano se había presentado en la biblioteca fuera de hora, matado a Woolsey, e intentado sin éxito tender una emboscada a la ayudante.

Avanzó por el pasillo y fue probando cada puerta. Todos los despachos estaban cerrados con llave. Llegó a un cruce y olisqueó el aire como un sabueso.

Click.

El chasquido de un pestillo al cerrarse apenas fue audible. Los sentidos de Adriano estaban a flor de piel durante una cacería. Dobló a la derecha, siguió por el pasillo hasta una puerta que abrió y entró en una habitación a oscuras.

Adriano nunca había estado en la biblioteca pero conocía bien la disposición. Después de que Angela descubriese el archivo, había enviado a algunos para que recorriesen el edificio. Se consideraba un profesional y quería tener una idea del posible lugar de actuación.

Sabía que la sala a oscuras albergaba miles de libros colocados en estanterías dispuestas en filas paralelas.

Angela se había agachado entre dos hileras cuando escuchó que la puerta se abría y se cerraba. Se dirigía en aquel momento hacia una salida al fondo de la sala. Estaba segura de que los latidos de su corazón acabarían por delatarla.

Adriano apretó el interruptor y se encendieron las luces.

Angela se dejó caer sobre las manos y las rodillas; avanzó a gatas hasta el final de la hilera, y siguió por un angosto pasillo entre el final de las estanterías y la pared. Los oídos de cazador de Adriano captaron el roce de las rodillas y las palmas en el suelo.

Caminó por el pasillo. Se tomó su tiempo, haciendo pausas para mirar entre las estanterías antes de seguir. Podría haber encontrado a Angela en un santiamén, pero quería prolongar la cacería y aumentar el terror de su presa todo lo posible.

Después de observar varias hileras, vio un objeto en el suelo y caminó entre las estanterías para ver qué era. Se trataba de un zapato. Había otro un poco más allá. Angela se había descalzado para disminuir el sonido de sus movimientos.

Adriano se rió por lo bajo y flexionó los dedos.

—Ven a mí, Angela —susurró como una madre que llama a su hija.

Ante el inesperado sonido de su nombre, la muchacha se levantó de un salto y corrió hacia la puerta de salida. Detrás de ella se escucharon unas rápidas pisadas. Una mano la sujetó por detrás de la blusa. Gritó y se soltó. Adriano la había soltado con toda intención. Le gustaba jugar con sus víctimas.

Angela se metió de nuevo entre las hileras y se pegó contra una estantería.

Adriano pasó por la siguiente hilera y su rostro de bebé miró por encima de los libros.

—Hola —dijo.

Angela se volvió y vio los redondos ojos azules. Intentó gritar, pero el sonido se le trabó en la garganta.

—Angela.

Una voz de mujer había pronunciado su nombre.

El primer instinto de Adriano fue atacar a la intrusa. Avanzó hacia la voz. Podía cargarse a la recién llegada y luego volver a por Angela.

Llegó a la esquina y vio a dos personas cerca de la puerta. Una mujer pelirroja y un hombre que era más alto que Adriano. Parecieron sorprendidos por su aparición pero se recuperaron de inmediato.

—¿Dónde está Angela? —preguntó la mujer.

El sicario no respondió. Pero un gemido bien claro sonaba entre las estanterías. Angela.

Mostraron con su postura agresiva que no tenían intención de ceder. El hombre avanzó hacia él. La mujer comenzó a rodearlo.

Adriano no estaba habituado a la resistencia. La situación comenzaba a complicarse. Hizo una finta hacia el hombre, para después volverse y correr hacia la salida. Apagó las luces y escapó de la sala.

—¿Angela, está bien? —preguntó Gamay—. Somos nosotros, los Trout.

—Tengan cuidado —les avisó Angela—. Es un asesino.

Las luces se encendieron de nuevo.

Angela apareció a la carrera y se abrazó a Gamay. Su cuerpo se estremecía con los sollozos.

Paul hizo un rápido recorrido del recinto. Luego abrió la puerta y salió al pasillo. Todo estaba en silencio. Volvió a la sala.

—Se ha ido. ¿Quién era ese tipo?

—No sé —respondió Angela—. Mató a Helen. Luego vino a por mí. Sabía mi nombre.

—La puerta principal estaba abierta —explicó Paul—. Nos perdimos cuando buscábamos su despacho y escuchamos su grito. ¿Dice que ha matado a su jefa?

Aunque detestaba tener que volver a la escena del crimen, los llevó por el pasillo hasta el despacho de Woolsey. Trout empujó la puerta abierta con la punta del pie y entró. Se acercó a la mesa y puso la oreja junto a la boca abierta de Woolsey pero no escuchó ni sintió su respiración. No había esperado que estuviese viva después de ver el ángulo de la cabeza y las marcas en el cuello.

Salió de nuevo al pasillo. Gamay rodeaba los hombros de la muchacha con un brazo. Vio la expresión grave en el rostro de su marido y llamó a la policía con el móvil. Luego salieron y esperaron en la escalinata de entrada a que se presentasen los agentes.

Un coche apareció al cabo de cinco minutos. Los agentes de la policía de Filadelfia se apearon del coche y, después de hablar con los Trout y con Angela, pidieron refuerzos. Desenfundaron las armas. Uno entró mientras el otro daba la vuelta al edificio.

Adriano se apartó de detrás del refugio de un árbol en el pequeño parque frente a la entrada de la biblioteca. Las luces rojas y azules del coche de la policía se reflejaron en sus suaves facciones. Miró con curiosidad al hombre alto y a la mujer pelirroja que habían interrumpido su cacería.

Llegó otro coche y se apearon otros dos policías.

Adriano se perdió entre las sombras y se alejó de la biblioteca sin ser visto. Era un hombre paciente. Sabía dónde vivía Angela. Cuando la chica regresase aquella noche a su casa, la estaría esperando.

35

Austin estaba dormitando cuando percibió un cambio en la altura y velocidad del Citation. Abrió los ojos y miró a través de la ventanilla. Reconoció la alfombra de luces que se extendía abajo como Washington y los muy poblados suburbios de Virginia.

Carina dormía, la cabeza apoyada en su hombro. Le tocó el brazo.

—Estamos en casa.

La muchacha se despertó y bostezó.

—Lo último que recuerdo es que despegábamos de París.

—Me hablabas de los planes para la exposición.

—Lo siento. —Se frotó los ojos—. Volveré a mi hotel y dormiré toda la noche. Mañana por la mañana tomaré el tren a Nueva York. Debo hablar con algunas personas en el Museo de Arte Metropolitano para dejar acabado todo lo referente a la inauguración.

—¿Seguirás adelante con la gira incluso sin *El Navegante*?

—No tengo ninguna otra alternativa. Míralo por el lado bueno, las noticias del robo de la estatua pueden atraer a más público.

Austin buscó las palabras que no le hiciesen parecer paternales.

—¿A la vista de los pasados acontecimientos, crees que es una buena idea que viajes por tu cuenta?

Ella le dio un beso en la mejilla.

—Gracias, Kurt, pero solo unas pocas personas conocen mis planes. —Bostezó de nuevo—. ¿Crees que todavía estoy en peligro?

Austin apretó los labios en una severa sonrisa. No quería asustar a Carina, pero la joven debía ser consciente de que llevaba pintada una diana en la espalda.

—Nuestro amigo Buck dijo que pensaban secuestrarte. Las personas para las que trabajaba tienen el brazo muy largo. Ya lo vimos en Turquía.

Carina levantó la barbilla, desafiante.

—No voy a permitir que nadie haga que pase el resto de mis días escondida en un armario.

—No te culpo. Me gustaría ofrecerte un compromiso. Quédate esta noche en mi casa. Te prepararé una exquisita cena comprada en un restaurante tailandés. Duerme hasta que se te pase el *jet lag* y comienza como nueva por la mañana.

—Eso me gusta —dijo Carina, sin vacilar.

El piloto anunció que iniciaba la aproximación al aeropuerto Dulles y que aterrizarían en quince minutos. Austin miró al otro lado del pasillo. Zavala parecía dormir como un leño. Era capaz de dormirse en una cama de clavos y levantarse en el acto, preparado para entrar en acción.

Austin cogió el móvil de la chaqueta de Zavala y llamó a los Trout. Respondió Paul. Le dijo que acababa de regresar de Turquía y le preguntó si Gamay y él habían recibido el archivo Jefferson.

—Lo hemos leído —contestó Paul—. Tenemos una muy buena simulación de una nave de Tarsis, pero necesitamos más información para calcular un rumbo. Hay algo más que debes saber, Kurt: hemos seguido una pista hasta la Sociedad Filosófica Americana y nos hemos encontrado con un auténtico pozo de víboras.

—Me cuesta imaginar que una venerable institución del saber sea un nido de víboras.

—Los tiempos han cambiado. Poco después de nuestra visita a la biblioteca, una de las bibliotecarias fue asesinada. Su ayudante habría corrido un destino similar de no haber sido porque aparecimos nosotros y pusimos en fuga al asesino.

—¿Pudiste verlo?

—Si. Un tipo grande con rostro de bebé y ojos azules redondos.

—Conozco al caballero. ¿La ayudante está bien?

—Todavía un tanto asustada. La convencimos para que dejase Filadelfia después de que la policía acabó de interrogarla. Quería pasar por su apartamento. Insistimos en que viniese a Georgetown. Gamay le prestó algunas de sus prendas que más o menos le van bien.

—Me gustaría conocerla. ¿Qué tal mañana a las siete?

—Nosotros llevaremos los donuts y el café. No me has dicho nada de tu viaje a Estambul.

—Turquía también tiene problemas con las serpientes. Te veré por la mañana.

El golpe del tren de aterrizaje en la pista despertó a Zavala de su profundo sueño.

Miró a través de la ventanilla.

—¿Ya estamos en casa?

Austin le devolvió el móvil.

—Has soñado durante todo el cruce del Atlántico.

Zavala hinchó los carrillos.

—He tenido unas terribles pesadillas con eunucos gracias a ti.

El avión rodó por la pista hacia un hangar de la NUMA apartado de la terminal. Los tres pasajeros desembarcaron y colocaron con mucho cuidado los moldes de yeso junto con el equipaje en un jeep Cherokee de la NUMA. Austin dejó a Zavala en su casa y después de pasar por el restaurante tailandés para comprar la cena fue a la suya con Carina.

Cenaron en la terraza, con una música de fondo escogida de la colección de jazz progresivo de Austin. Carina y él bebieron brandy acompañados por la música de John Coltrane y Oscar Peterson y acordaron no hablar de los misterios que rodeaban al *Navegante*. En cambio hablaron de su trabajo. Carina replicó a cada aventura de la NUMA con un fascinante episodio propio.

La combinación de brandy y horas de viaje se hicieron sentir, y Carina comenzó a cabecear. Austin la acompañó al dormitorio en la torre victoriana, e, incapaz de dormir, volvió a su estudio. Se sentó a sus anchas en un cómodo sillón y observó el líquido ámbar en su copa como si estuviese mirando una bola de cristal. En su mente, repasó cada uno de los detalles, comenzando con la señal de socorro recibida de la plataforma petrolífera.

Esperaba que sus reflexiones le ofreciesen una imagen con la calidad de un Rembrandt, pero lo que consiguió fue un abstracto de Jackson Pollock. Se levantó para ir a una de las estanterías, y buscó el libro de Anthony Saxon. Se acomodó de nuevo en el sillón y comenzó la lectura.

Anthony saxon era un auténtico aventurero. Se había abierto paso a golpe de machete a través de la selva para descubrir unas legendarias ruinas sudamericanas. Había escapado de la muerte por los pelos a manos de las tribus nómadas del desierto. Había buscado en innumerables tumbas y encontrado muchísimas momias. Si solo una décima parte de lo que había escrito era verdad, Saxon estaba cortado por el mismo patrón de famosos exploradores como Hiram Bingham, Stanley y Livingstone, e Indiana Jones.

Varios años antes, Saxon se había lanzado a lo que habría podido ser su mayor aventura. Intentaba navegar con una réplica de una nave fenicia desde el mar Rojo hasta la costa de América del Norte. El cruce del océano Pacífico habría demostrado su teoría de que Ofir, el fabuloso emplazamiento de las minas del rey Salomón, estaba en América. Sin embargo, una noche la nave se había quemado hasta la quilla en circunstancias misteriosas.

Saxon creía que Ofir no era un único lugar sino el nombre en clave de varias fuentes de la riqueza de Salomón. Planteaba la teoría de que Salomón había enviado dos flotas al mando de Hiram, el almirante fenicio. Una partió del mar Rojo. La otra cruzó el Atlántico, después de pasar por el estrecho de Gibraltar.

Saxon había encontrado un extraño glifo en una ruina peruana que concordaba con símbolos similares escritos en tablillas encontradas en el Líbano y en Siria. Llamó al glifo el símbolo de Tarsis, y pensó que podría ser un símbolo correspondiente a Ofir. Había varias fotos del glifo en el libro.

Austin observó las fotos.

El símbolo era una línea horizontal con zetas invertidas en cada extremo, idénticas a la marca tallada en el faldellín del *Navegante* y en el costado del gato de bronce.

Saxon había agotado todas las investigaciones referentes a Salomón y Ofir. Luego, en un capítulo titulado «Epifanía», describía cómo se le había ocurrido la idea de buscar a la reina de Saba. Nadie estaba más cerca de Salomón que Saba. Quizá habían compartido conversaciones de alcoba. La búsqueda de Ofir pasó a segundo plano cuando se dedicó de lleno a buscar la tumba de la reina.

Saxon había dedicado varios años y viajado miles de kilómetros en su búsqueda. Se había enamorado de la reina muerta. Saxon creía que Saba era real, y no una leyenda como afirmaban algunos expertos; tenía la piel oscura, y lo más probable era que hubiera vivido en la región del Yemen. Se refería a la leyenda de Salomón y Saba. Interesada por las historias que había escuchado de la sabiduría de Salomón, ella había ido a visitarlo. La atracción mutua fue indudable; tuvieron un hijo. Llegó el momento en que Saba regresó a su país, para ocuparse de su propio reino. Se creía que el hijo se había convertido en rey de Etiopía.

«Una belleza de piel oscura con vínculos con Etiopía», pensó Austin. Miró hacia la escalera que llevaban al dormitorio de la torre.

Acabó de leer el último capítulo una hora más tarde y dejó el libro a un lado. Comprobó que las puertas estuviesen cerradas, apagó las luces y subió en silencio la escalera de caracol que llevaba al dormitorio. Se desnudó, se metió bajo las sábanas sin despertar a Carina, rodeó con un gesto protector su cuerpo cálido y se quedó dormido en el acto.

La voz de Carina lo despertó a primera hora de la mañana siguiente. Había preparado el café y estaba al teléfono para hacer las reservas de tren y los arreglos con el Museo Metropolitano de Arte. Después de ducharse, vestirse y desayunar, Austin llevó a Carina a Union Station. Ella le dio un beso en los labios y le dijo que regresaría a Washington aquella misma noche. Le llamaría cuando el tren saliese de Nueva York.

Desde Union Station, Austin fue a la sede de la NUMA. Tomó el ascensor desde el garaje subterráneo hasta el piso quince, caminó por un pasillo y cruzó el umbral de una amplia sala en penumbras. Una gran pared curva estaba cubierta con resplandecientes pantallas de televisión que mostraban las imágenes recogidas por el NUMASat.

El sistema que todo lo veía llevaba el apodo de Ojo de Sauron entre los más aficionados a la literatura en la NUMA. Jack Wilmut, el cuidador del Ojo, no se parecía en nada a las temibles criaturas de la saga de Tolkien. Wilmut era un hombre de unos cuarenta y tantos años, de modales suaves que supervisaba el sistema NUMASat desde una consola instalada en el centro de la sala.

A ambos lados de la consola había ordenadores para los técnicos que atendían las docenas de consultas de los científicos, las universidades y las organizaciones relacionadas con la investigación oceánica de todo el mundo.

Austin se preguntó por qué los genios tendían a ser excéntricos cuando se trataba del pelo. Einstein. Beethoven. Mark Twain. El archienemigo de Superman, Lex Luthor. El genio barbudo de la informática, Hiram Yeager. Wilmut se peinaba con la raya al medio con el pelo apenas por encima de las orejas.

Se acercó a Wilmut por detrás y con su voz más profunda dijo:

—Saludos, oh Sauron que todo lo ves.

Wilmut se giró en la silla y sonrió encantado.

—Saludos, mortal. Te esperaba.

—El Ojo de Sauron lo ve todo, lo sabe todo.

—Demonios, no —replicó Wilmut—. Recibí tu mensaje y las fotos desde Turquía. Acerca una silla y dime en qué puedo ayudarte.

Austin se sentó en una silla.

—Las fotos muestran los moldes de yeso que se hicieron de las marcas de una estatua antigua. Creo que las líneas onduladas son los contornos de un mapa. Una posible ubicación en la Costa Este de Estados Unidos. Me preguntaba si el mapa se puede comparar con las fotos de satélite.

En respuesta, Wilmut apretó una tecla del ratón. La foto que Austin había hecho del gato del *Navegante* apareció dentro de un rectángulo. La imagen era mucho más perfecta que en la foto original.

—He retocado la foto —le explicó Wilmut—. Quité las zonas grises, los bordes difusos y otros defectos. Los bordes mejoran la visualización.

Austin tocó la pantalla con el índice.

—Este símbolo podría corresponder a una nave hundida. El problema es que no sé si el cuadrado es de una milla de ancho, diez o incluso cien.

—La imagen es similar a una huella digital —dijo Wilmut—. Las huellas son comparadas de acuerdo con las características de las ondulaciones llamadas detalles Galton, puntos de identidad. Tus huellas se comparan con puntos de identidad. Características de elevaciones. Islas. Bifurcaciones. He creado un algoritmo que encajará los puntos del mapa original con las fotos del satélite. Haré que el ordenador del NUMASat compruebe cada una de estas posibilidades. Llevará algún tiempo.

Austin dijo a Wilmut que estaría en una reunión pero que lo llamase cuando tuviese alguna noticia, y subió en el ascensor a otro piso. Se reunió con Zavala en el pasillo y fueron juntos a la sala de conferencias. Las paredes estaban cubiertas con fotos de veleros. En el centro había una gran mesa de roble que parecía flotar como un barco sobre la mullida alfombra azul.

Los Trout estaban sentados a la mesa con una joven de rostro serio que Austin dedujo que era Angela Worth. La bibliotecaria aún estaba en un estado de conmoción. En espacio de unas pocas horas, había conocido a los Trout, alguien había asesinado a su jefa e intentado quitarle la vida. No había acabado de asimilar esos acontecimientos cuando la llevaron al cuartel general de la NUMA, una agencia cuyas hazañas solo conocía de oídas.

Entonces se abrió la puerta y entraron dos hombres que parecían haber salido de una novela de aventuras. El hombre alto, de penetrantes ojos azul verdoso y pelo casi blanco, se acercó para presentarse a sí mismo y a su apuesto amigo moreno. Casi se quedó sin habla.

Se sentaron a la mesa y Paul les entregó copias de la nave de Tarsis generadas por el ordenador.

—Creemos que este es el tipo de nave que pudo haber viajado hasta estas costas. No hemos avanzado mucho en la ruta transatlántica, así que probamos por otra vía. Advertimos una serie de vínculos con la Sociedad Filosófica y la seguimos. Fue entonces cuando conocimos a Angela.

—Mi enhorabuena por haber encontrado el archivo de Jefferson —dijo Austin con una amable sonrisa que tranquilizó a la joven.

—Muchas gracias. En realidad, no fue más que suerte.

—Angela ha tenido algo más que pura suerte —intervino Gamay—. Por favor, dígale a Kurt y a Joe que más ha encontrado.

—Creemos que Meriwether Lewis fue asesinado para impedir que diese a Thomas Jefferson una información vital.

—Me interesaría saber cómo llegó a esa conclusión —dijo Austin.

Angela sacó una carpeta de un viejo maletín de cuero.

—Busqué en los archivos información del esclavo de Lewis, un joven llamado Zeb. Los registros dicen que llegó a Monticello varias semanas después de la muerte de su amo. Es posible que lo hiciese acompañado por un hombre llamado Neelly, que viajó a Monticello con la noticia de la muerte de Lewis. Sin duda, Neelly necesitaba ayuda con las pertenencias del difunto y se llevó al esclavo. Me pregunté qué se habría hecho de Zeb después de aquello.

—En aquellos tiempos el esclavo habría sido considerado como parte de la herencia de Lewis —señaló Austin.

—Eso fue lo que creí. Tuvieron que entregarlo con las otras propiedades a la familia de Lewis. Llevada por una corazonada, busqué entre la población esclava de Monticello. Encontré algo fascinante.

Dio a Austin una hoja con los nombres de los esclavos, sexo, edad y trabajo. Austin leyó el listado y lo pasó a los demás sin comentarios.

—Zeb aparece como liberto —comentó Gamay—. Fue asignado a la casa.

—¿Cómo es que consiguió que le diesen la libertad a los dieciocho años? —preguntó Austin.

—Creo que fue una recompensa —manifestó Angela.

—Eso tiene sentido —admitió Austin—. Fue la manera que tuvo Jefferson de darle las gracias al joven por un servicio prestado.

—La información de Lewis —dijo Gamay—. Estoy segura de que se lo dio a Jefferson.

—¿Sabe que se hizo de él? —preguntó Austin a Angela.

—Permaneció en Monticello, trabajando en una posición privilegiada dentro de la casa. Desapareció de la lista años más tarde, pero ese no es el final de la historia.

Sacó una fotocopia de un viejo recorte de periódico.

Gamay lo leyó.

—¿Nuestro liberto?

—Dice que trabajó para el presidente Jefferson —respondió Angela.

Gamay pasó el recorte a Paul.

—Esto es pura dinamita. Tenía más de noventa años, y fue entrevistado poco antes de que falleciese. En su lecho de muerte, afirmó con toda claridad que Meriwether Lewis había sido asesinado.

—¿Cuáles son las probabilidades de que hubiese dicho a Jefferson eso mismo? —preguntó Austin.

—Creemos que Jefferson sabía del asesinato desde el primer momento —manifestó Paul—, pero debió de aceptar la historia del suicidio pese a la mancha que significaba para la reputación de su viejo amigo.

—Jefferson no era de los que se prestaban a embustes, pero debió de tener una muy buena razón —opinó Austin.

Paul cogió el dibujo de la nave.

—Creemos que no quería llamar la atención sobre el hecho de que tenía conocimiento de esto.

—Me parece que nuestro siguiente paso está claro —dijo Gamay—. Un viaje a Monticello para ver si podemos averiguar algo más del joven Zeb.

Austin se disponía a decir que estaba de acuerdo con la sugerencia cuando se excusó para atender una llamada. Era Wilmut.

—Lo tengo —dijo Wilmut con gran excitación.

—¿Has encontrado la posición de la nave?

—Incluso mejor, Kurt. He encontrado la nave.

36

Austin miraba la bahía de Chesapeake desde la cubierta de su velero. Conocía la bahía como la palma de la mano. Había visitado casi todas las calas y ensenadas en ambas orillas con su embarcación de ocho metros de eslora y quilla plana que había restaurado. A pesar de ser ancho de manga, el velero era muy rápido y maniobrable, y hacía honor a su reputación de virar como una peonza. A Austin le gustaba la velocidad, y no había nada mejor que navegar de bolina con la gran vela cangreja bien sujeta y buena brisa.

Pero ese día no. Austin desembarcó para ir al aparcamiento. Ayudó a Zavala a descargar las bolsas del jeep. Después de la reunión en la NUMA, habían recogido sus equipos y conducido hasta el astillero al sur de Annapolis. Austin había llamado al director del astillero para pedir en préstamo una lancha de siete metros de eslora.

Zavala cargó con las bolsas que contenían los equipos de buceo. Austin se hizo cargo de dos maletas de plástico. Llevaron el equipo hasta el pantalán y lo guardaron a bordo. Luego soltaron las amarras y enfilaron al sur. Zavala llevaba el timón. Austin consultaba la carta y se ocupaba del GPS.

La bahía de Chesapeake era el estuario más grande de Estados Unidos, y se extendía a lo largo de trescientos veinte kilómetros desde Havre de Grace, en Maryland, donde el río Susquehanna desembocaba en la bahía, hasta Norfolk, Virginia. La bahía tenía un ancho que iba de los cincuenta y seis kilómetros en las proximidades de la desembocadura del río Potomac a menos de seis cerca de Aberdeen en Maryland.

Zavala observó la inmensa superficie de agua que reflejaba los destellos del sol.

—¿Cuántos pecios hay en el fondo de Chesapeake? —preguntó casi a voz en cuello para hacerse escuchar por encima del ruido del motor.

Austin desvió la mirada de la carta.

—Según el última cómputo alrededor de mil ochocientos. Van desde un naufragio del siglo dieciséis en la isla Tangier hasta el *Cuyahoga*, un cúter de la Guardia Costera que se fue a pique después de una colisión. Pero los historiadores de la NUMA no tienen ninguna pista del objetivo que captó el satélite.

—¿De qué profundidad estamos hablando?

—La bahía de Chesapeake es en su mayor parte poco profunda —respondió Austin—. El promedio es de unos siete metros, aunque hay muchas grietas donde casi llega a los setenta. —Apoyó el dedo en la carta—. Por lo que parece, nuestro objetivo se hundió en una de esas oquedades profundas.

La lancha continuó navegando hacia el sur, saltando sobre las olas de sesenta centímetros, y pasó junto a barcos dedicados a la pesca de ostras y a veleros. Había tráfico constante en ambas direcciones a lo largo de la Intercoastal Waterway, que cruzaba por el medio de Chesapeake.

Menos de una hora después de salir del astillero, Austin miró de nuevo el GPS e hizo una señal a Zavala, quien aminoró la velocidad y dirigió la embarcación para seguir hacia donde apuntaba el dedo de Austin. Cuando llegaron al punto, Austin señaló hacia el agua y gritó:

—¡Aquí!

La lancha se detuvo y Zavala apagó el motor. Austin dejó el GPS a un lado y arrojó el ancla por encima de la borda. La embarcación cabeceaba con el ritmo de las olas a unos pocos centenares de metros de una pequeña isla. La sonda indicaba que la profundidad era de quince metros. Zavala y él observaron la foto del satélite que les había dado Wilmut. La débil silueta de una nave se veía con claridad. Debía de estar debajo mismo de su casco.

Austin abrió una de las maletas de plástico y sacó el Sea-Botix Remote-Operate Vehicle que era más o menos del tamaño y la forma de un aspirador. La NUMA tenía sumergibles de control remoto grandes como un coche, y Austin podría haber escogido entre una amplia variedad de sofisticados aparatos de detección, pero quería moverse rápido. Había decidido en contra de utilizar un magnetómetro o un sonar lateral que eran muy lentos en favor de un vehículo para aguas poco profundas que era portátil y fácil de usar.

En un extremo de la carcasa de plástico rojo brillante había una cámara de color de alta definición y luces halógenas. En el otro estaban dos potentes impulsores. El aparato disponía de un impulsor lateral que lo podía mover hacia los lados y otro vertical para subir y bajar. Las estructuras metálicas a cada lado del vehículo tenían una doble función: protegían al aparato y servían de estribos.

Zavala abrió la tapa de la maleta, que contenía el monitor de ocho pulgadas y los controles del ROV. Era un experto piloto, y la palanca de mando era fácil de utilizar. Austin y él conectaron el cordón de cien metros de largo al vehículo y a la caja de control. Austin levantó el ROV por el asa en la parte superior y lo lanzó al agua. Zavala ejecutó unas cuantas maniobras difíciles para hacerse con los controles. Después puso en marcha los impulsores y dirigió el aparato hacia el fondo en una suave pendiente.

El ROV bajó a una profundidad de trece metros en unos segundos. Zavala lo niveló y verificó el funcionamiento del monitor de televisión. Dos conos de luz alumbraban el fondo fangoso. No había ninguna señal del pecio. Hizo que el vehículo se moviera en una serie de líneas paralelas, como si estuviese cortando el césped. Siguió sin encontrar ningún rastro de la nave sumergida.

—Esperemos que nuestro objetivo no haya sido un hipo del NUMASat —comentó. Se volvió hacia Austin, quien había estado mirando por encima de su hombro.

—Imposible —dijo Austin—. Empieza un nuevo patrón de búsqueda por estribor. Mantenlo apretado.

Zavala activó los impulsores laterales y llevó al mini-ROV hacia estribor. Comenzó un nuevo recorrido con líneas paralelas separadas por una distancia de ocho metros. Más o menos por la mitad de la nueva búsqueda los faros del sumergible alumbraron una línea curva oscura que asomaba en el fondo.

Zavala detuvo el vehículo.

—Si no es la costilla de una serpiente marina, es el madero de un barco.

La imagen en el monitor hizo que una sonrisa apareciese en el rostro de Austin.

—Yo diría que hemos encontrado nuestro pecio. Recuérdame que sacrifique a un hobbit al Ojo de Sauron.

Zavala puso en marcha el sumergible para que fuese más allá del objeto. Aparecieron más costillas de la nave. Se veía el contorno esquelético del naufragio. Las cuadernas disminuyeron poco a poco de tamaño cuando el sumergible pasó cerca de la sección de proa.

—La madera está bastante bien conservada, excepto por los extremos superiores, donde parece quemada —comentó Zavala.

—Eso explicaría el hundimiento. Se quemó hasta la quilla.

—¿Qué eslora le calculas?

Austin miró la pantalla.

—Unos cincuenta metros. Quizá más. ¿Qué es aquello, a la derecha?

Zavala efectuó un rápido giro con el ROV. Las luces iluminaron lo que parecía ser el largo hocico de un animal de madera. La parte superior de la cabeza se había quemado hasta el punto de ser irreconocible.

—Parece una parte de un caballo de tiovivo —dijo Zavala.

A Austin se le aceleró el pulso. Buscó en el macuto y sacó una funda impermeable transparente. En el interior estaba el dibujo generado por el ordenador de una nave fenicia que le habían dado los Trout. Sostuvo el dibujo cerca de la pantalla. El hocico del caballo en el monitor y en la figura eran casi idénticos.

—¿Qué te parece, amigo? Quizá seamos las dos primeras personas en más de dos mil años que han visto una nave fenicia de Tarsis.

A Zavala se le encendió el rostro.

—Cambiaría una caja de tequila añeja por echar una mirada a esta nave cuando todavía estaba a flote.

Movió el vehículo poco a poco por el lado del babor.

Austin vio una forma redonda oscura que yacía más o menos en el centro del casco. Tocó la pantalla.

—¿Qué es eso?

Zavala dio la mínima potencia al vehículo para que avanzase con mucha cautela unos pocos centímetros.

Las luces del sumergible alumbraron una rejilla metálica en parte cubierta por algas y moluscos. Hizo girar el vehículo y utilizó la fuerza de los impulsores para apartar la arena alrededor del objeto.

—Es la escafandra de un buzo —dijo Austin.

—Sabía que los fenicios eran inteligentes, pero no que ya estuviesen utilizando trajes de buzo.

—No los tenían. Alguien se nos adelantó al pecio y, por lo que parece, todavía está ahí abajo.

Zavala colocó al sumergible en una posición que le permitía tener la escafandra a la vista. Austin ordenó su equipo de buceo en la cubierta. Se quitó las prendas hasta quedar en bañador y se puso el traje de neopreno, los escarpines, los guantes y la capucha. Se calzó las aletas. Zavala lo ayudó con el cinturón de lastre y la botella de aire comprimido. Austin hizo una rápida verificación del equipo y probó el regulador.

Luego se colocó la máscara sobre los ojos y la boquilla del respirador entre los dientes. Se sentó en la borda y se dejó caer al agua de espalda.

Austin se hundió un par de metros en una nube de burbujas. Se estremeció por un momento antes de que el agua fría entre su piel y el traje se calentase a la temperatura corporal. Con poderosos movimientos de las musculosas piernas, descendió a través de las aguas oscuras hacia el resplandor verde plateado de las luces del sumergible.

Bajó hasta situarse a nivel del sumergible, y después nadó por delante de la cámara para hacer una señal a su compañero. Zavala movió arriba y abajo los faros como si asintiese. Austin dio la vuelta y nadó para examinar las cuadernas. La madera estaba quemada.

Ya giraba para ir hacia la escafandra cuando vio cerca un objeto rectangular. Recogió lo que parecía ser una piedra o tablilla de arcilla, de unos cuarenta centímetros cuadrados y unos cinco centímetros de grosor. Había líneas trazadas en la superficie de un lado.

Austin se guardó la tablilla en la bolsa sujeta al chaleco hidrostático y se dedicó a la escafandra. Limpió la vegetación en la base. Todavía estaba sujeta al peto. Escarbó en el fango. Trozos de lona podrida sobresalían del borde exterior del peto.

Sintió un estremecimiento que no se debía del todo a la temperatura del agua.

Cogió la linterna, la encendió y dirigió el rayo de luz a través de la reja de la mirilla frontal. Se encontró con las cuencas vacías de un cráneo humano.

Pensó en lo que iba a hacer. Como la mayoría de los hombres de mar, sentía un profundo respeto por las tumbas marinas. Podía ir a la superficie y comunicar el hallazgo a las autoridades, pero las manos torpes de los buceadores de la policía podrían destruir los secretos que tuviese el pecio.

Rodeó la escafandra con los brazos y con mucho cuidado lo soltó. El cráneo se escapó por el fondo y fue a depositarse en posición vertical. Se consoló al ver que el buzo muerto todavía sonreía.

Evitó mirar las tétricas cuencas vacías y sacó de la bolsa un globo de elevación. Ató los cabos de este al cuello de la escafandra y lo infló con el aire de la botella. Infló el chaleco compensador, sujetó la escafandra y comenzó el lento ascenso a la superficie.

Zavala había seguido el rudimentario rescate a través del monitor del ROV. Vio la cabeza de Austin asomar a la superficie y le arrojó un cabo. Austin lo ató a la escafandra para que no se hundiese. Le pasó a Zavala la botella de aire, el cinturón de lastre y las aletas, y luego subió a cubierta por la escalerilla .

Entre los dos sujetaron el cabo y subieron la escafandra a bordo.

Austin se quitó la capucha y se arrodilló junto a la escafandra.

—Es de los viejos tiempos —comentó—. Es probable que lleve aquí muchos años.

Zavala observó la sujeción de la manguera y las mirillas laterales y la frontal. Pasó los dedos sobre el casco de metal.

—Esto es lo que se llama un trabajo de artesanía. Está hecho de latón y cobre. —Intentó levantar la escafandra y el peto—. Debe de pesar más de veinticinco kilos. El tipo que llevaba esto debía de ser muy duro.

—No lo bastante duro —señaló Austin.

—Ya lo sospechaba —dijo Zavala, que miró a un lado—. Me pregunto quién sería.

Austin raspó las excrecencias marinas para dejar a la vista una placa ovalada remachada en el peto, donde decía que la escafandra había sido fabricada por la MORSE DIVING EQUIPMENT COMPANY, de Boston. Debajo del nombre de la empresa había un número de serie.

—Quizá esto nos lo diga.

Llamó con el móvil a la división de historia naval de la NUMA. Se identificó a la documentalista que lo atendió, y ella a su vez le dijo que se llamaba Jennifer. Le dictó el texto de la placa. Jennifer también le pidió los números en las correas, y dijo que lo llamaría cuando acabase la búsqueda.

Zavala había vuelto a ocuparse del control del sumergible y había llevado el vehículo de nuevo a la superficie. Lo sacó del agua, y Austin enrolló el cordón y lo dejó en cubierta. Fue entonces cuando se fijó en su bolsa. La abrió y sacó la tablilla. Había sido de un color gris verdoso debajo del agua, pero ahora al secarse el color era marrón. Había varias líneas rectas que se cruzaban talladas en una de las caras. Se la dio a Zavala.

—Encontré esto cerca de la escafandra. Creí que las líneas eran variaciones de estratos naturales, pero ahora no estoy seguro.

Zavala sostuvo la tablilla en diferentes ángulos para ver la incidencia de la luz en la superficie.

—Estas líneas son demasiado regulares y profundas para ser naturales. Las líneas paralelas son perfectas. Está claro que fueron trazadas por la mano de un hombre. ¿Qué tal tu fenicio?

—Bastante olvidado —respondió Austin. Cogió la tablilla y la guardó en la bolsa.

Miraron las fotos hechas por el sumergible en su primera pasada del pecio e hicieron un nuevo cálculo de la eslora de la nave. Después de la inmersión, Austin opinó que superaba los sesenta metros.

—Una cosa es segura —dijo Zavala—. Este no era un bote de remos.

Sonó el móvil de Austin.

—Al parecer ha encontrado el premio gordo —dijo Jennifer, la documentalista de la NUMA—. Tiene una escafandra MK de la marina de doce pernos y cuatro mirillas. Morse era una compañía de Boston que fabricaba objetos de latón cuando comenzó a ocuparse del diseño de escafandras durante la guerra civil.

—Este parece mucho más nuevo.

—Lo es. Su escafandra fue fabricada en mil novecientos cuarenta y cuatro. El diseño MK ha estado en uso desde principios de siglo. Lo mejoraron con el paso de los años. Era un verdadero caballo de carga para la marina, que lo utilizó para todos los trabajos de recuperación submarina durante la Segunda Guerra Mundial.

—¿Eso significa que se utilizó por última vez durante la guerra?

—No necesariamente. Alguien pudo encontrarlo en un almacén de sobrante de guerra o en una tienda. Si está en buen estado, valdría mucho dinero en el mercado de coleccionistas.

—Es una pena que no sepamos quién es el dueño —dijo Austin.

—No puedo decirle quién era el buzo, pero busqué en los archivos navales y encontré quién lo utilizaba durante la guerra. Un buzo de la marina llamado Chester Hutchins. Los registros de la marina dicen que la compró como material sobrante después de la guerra. Su última residencia conocida estaba en Havre de Grace, Maryland.

Austin conocía la ciudad costera cerca de la desembocadura del río Susquehanna.

—Conozco el lugar. Gracias. Quizá sus familiares todavía viven allí.

—Al menos hay uno. Una tal señora Thelma Hutchins. ¿Tiene un boli a mano?

Austin encontró un boli en una caja de recambios y apuntó el número en el margen de la carta. Dio las gracias a Jennifer y pasó la información a Zavala.

—Parece una pista sólida.

—Más sólida no se podría pedir.

Austin marcó el número. Una mujer atendió el teléfono. Austin vaciló. No quería provocar a nadie un ataque al corazón. Pero no había ninguna manera amable de dar la noticia.

Preguntó si la mujer era familiar o estaba relacionada con Chester Hutchins.

—Lo estoy. Quiero decir, estaba. Lleva muerto muchos años. ¿Con quién hablo por favor?

—Mi nombre es Kurt Austin, y pertenezco a la NUMA. Un amigo y yo estábamos buceando en un pecio en la bahía de Chesapeake y hemos encontrado una escafandra. Le hemos seguido el rastro y nos ha conducido hasta su marido.

—Dios bendito. Después de todos estos años.

—¿Quiere que se la llevemos, señora Hutchins?

—Sí, por favor. Le daré mi dirección.

Hablaron durante unos minutos más antes de que Austin colgase.

Zavala había estado escuchando la conversación.

—¿Bien? —preguntó.

Austin formó un círculo con el pulgar y el índice.

—Bingo —exclamó con una sonrisa.

37

Carina se sentía como si estuviese entre las nubes.

La comida con los dos organizadores de la exposición en el Museo Metropolitano de Arte había ido mucho mejor de lo que había esperado. Por fin las cosas estaban saliendo a su manera.

Los organizadores habían aceptado con entusiasmo la sugerencia de que un bien publicitado robo del *Navegante* atraería a los visitantes al museo. Apenas habían podido contener el entusiasmo cuando ella les había explicado la larga búsqueda de la estatua, el primer intento de robo y el segundo que sí había tenido éxito.

Los organizadores habían intercambiado ideas como jugadores de tenis de mesa y tomado notas en sus agendas electrónicas.

El Navegante tendría su propia sala, como si se tratase de una muestra individual dentro de la exposición, con enormes fotografías de *National Geographic* de la estatua cuando la desenterraban en Siria. Fotografías del Museo Arqueológico iraquí. Las pirámides de Egipto. El barco portacontenedores. El Smithsonian. Todas piezas del rompecabezas, y en el centro una tarima vacía, reservada para la estatua, algo que añadiría una nota de misterio.

El tema musical de la exposición no podría ser otro: *Missing*.

La exposición sería el supremo logro en la jerga de los museos: una bomba. Cuando Carina tomó el ascensor en la terraza del café restaurante sonrió para sus adentros. Norteamericanos. Podían tener problemas compitiendo en una economía global, pero no habían perdido su capacidad para vender aire. Pensar en norteamericanos le recordó que tenía que llamar a Austin.

Se sintió tentada de recorrer algunas de las impresionantes exposiciones del museo, pero una mirada al reloj le indicó que la comida había durado más de lo previsto.

Cruzó con paso enérgico el gran vestíbulo y salió por la entrada principal. Se detuvo por un momento entre las columnas en lo alto de la gran escalinata que bajaba a la Quinta Avenida y sacó el móvil del bolso. Buscó en la agenda, pero se detuvo al recordar que Austin había arrojado el teléfono al mar en Turquía.

Carina llamó a información y pidió el número de la centralita de la NUMA. Se sintió complacida cuando una persona de carne y hueso atendió la llamada. El almirante Sandecker detestaba las voces electrónicas, y la NUMA probablemente era la única agencia gubernamental en Washington que aún tenía telefonistas.

Dejó un mensaje a Austin en el contestador diciéndole que se disponía a tomar un taxi para ir a la estación Pensilvania y que lo llamaría desde el tren o cuando llegase a Washington. Dejó el mismo mensaje en su casa. Si no podían encontrarse, tomaría un taxi para ir al hotel y esperaría la llamada de Austin.

Mientras Carina hacía sus llamadas, cada uno de sus movimientos era vigilado desde el asiento delantero de un taxi aparcado cerca de la entrada principal del museo.

Sin desviar la mirada de su objetivo, el conductor dijo por el micrófono:

—Recojo un pasajero en el Met.

Carina guardó el teléfono y bajó la escalinata. El taxi avanzó a velocidad lenta, y el conductor encendió la luz para indicar que estaba desocupado. Con una gran precisión, se detuvo delante de Carina cuando ella llegó al bordillo.

La joven no podía creer su buena suerte.

Carina abrió la puerta y se sentó en el asiento trasero.

—¿Adónde vamos, señora? —preguntó el taxista por encima del hombro.

—A la estación Pensilvania, por favor.

El conductor asintió y cerró la ventanilla de plástico del tabique que separaba el asiento delantero del trasero. El vehículo se puso en marcha y se sumó al intenso tráfico de la Quinta Avenida. Carina contempló la escena ciudadana a través de la ventanilla. Nueva York era una de sus ciudades favoritas. Le encantaba la energía de la ciudad, su cultura y poder, y su incesante variedad de personas.

Algunas veces le preocupaba no tener un hogar. Era una hija de Europa y África, con un pie en cada continente. París era donde vivía y trabajaba, pero pasaba la mayor parte del tiempo fuera de casa. Esperaba con verdaderas ganas alojarse de nuevo en la casa de Austin. Le gustaba el valiente y apuesto norteamericano, y envidiaba la manera como equilibraba los viajes con la vida de hogar. Tendría que hablar con él para saber cómo conseguía obtener lo mejor de ambos mundos.

Carina se dio cuenta de una dulce fragancia, como si una mujer con demasiado perfume hubiese subido al coche. El olor comenzaba a marearla. Intentó abrir la ventanilla pero la manivela no funcionaba. El olor se hizo más fuerte. Tuvo la sensación de que se ahogaba. Se movió a lo largo del asiento y probó con la otra manivela. Enganchada.

Se mareaba cada vez más. Se desmayaría si no conseguía respirar aire fresco. Golpeó en el tabique para llamar la atención del taxista. Él no le hizo caso. Miró la tarjeta de identificación del chófer y le pareció que la fotografía no concordaba con el rostro del taxista. Se le aceleró el pulso y comenzó a sudar frío.

—Debo... salir.

Golpeó con los puños en la ventana de plástico. El conductor la miró por el espejo retrovisor. Vio dos ojos. Inflexibles. La imagen en el espejo comenzó a borrarse.

Le pareció que los brazos le pesaban como barras de plomo. No podía levantar los puños. Se tendió en el asiento trasero, cerró los ojos y perdió el conocimiento.

El taxista miró de nuevo por el retrovisor. Seguro de que Carina estaba inconsciente, apretó el interruptor en el tablero para cerrar la entrada de gas en la parte trasera. Salió de la Quinta Avenida y fue hacia el río Hudson.

Minutos más tarde, llegó a una garita de la entrada de una zona vallada. El guardia le permitió pasar hacia un helipuerto en la orilla del río. Dos hombres de rostros duros estaban cerca del helicóptero cuyos rotores giraban a marcha lenta.

El taxi aparcó cerca del helicóptero. Los hombres abrieron las puertas de atrás, sacaron el cuerpo inmóvil de Carina y lo cargaron en el helicóptero.

Uno de los hombres se sentó en el sillón del piloto y el otro junto a Carina con una botella, dispuesto a administrarle un poco más de anestésico si daba muestras de recobrar el conocimiento.

Los rotores comenzaron a girar a gran velocidad. El helicóptero se sacudió y luego despegó. En cuestión de segundos, solo era un punto en el cielo.

38

—No soy feliz en ningún otro lugar —leyó Gamay en la guía turística—. Jefferson era muy claro en su amor por Monticello.

—¿Le culpas? —Paul señaló a través del parabrisas la galería con columnas y la rotonda en lo alto de la distante colina en la ondulante campiña verde de Virginia.

Había pasado menos de un año desde que los Trout habían visitado por última vez el famoso retiro de Jefferson en uno de los recorridos por carreteras secundarias que hacían con su Humvee. Paul por lo general iba al volante. Gamay hacía de copiloto y además ofrecía detalles locales, que obtenía de un montón de guías turísticas para recitarle muchísimos hechos poco conocidos. Hasta el agotamiento.

—Ajá —exclamó Angela.

Trout dio un respingo. Angela, que ocupaba el asiento trasero, había demostrado ser digna colega de Gamay respecto a las trivialidades turísticas. Desde que habían salido de Georgetown aquella mañana, las dos mujeres se habían turnado para ofrecerle un inagotable recitado de hechos referentes a Jefferson y Monticello.

—Demasiado tarde —dijo Paul en un intento de interrumpir a la joven—. Ya estamos aquí.

—Esto es importante —insistió Angela. Tenía la nariz pegada a un grueso libro titulado *The Life and Times of Thomas*

Jefferson—. Aquí habla de los textos de Jefferson que fueron robados durante el viaje por el río a Monticello.

Trout aguzó los oídos.

—Lee.

A Angela no hizo falta que se lo repitieran.

—Jefferson escribe a su amigo el doctor Benjamin Barton sobre la pérdida de los vocabularios indios. Barton era un naturalista, y miembro de la Sociedad Filosófica. Jefferson califica el robo de «desgracia irreparable». A lo largo de treinta años, había reunido cincuenta vocabularios indios, pero no los había mandado imprimir porque aún no había analizado el material que Lewis había reunido. Creía que algunas de las palabras indias eran comunes con el ruso. Recuperó algunas de las páginas del río, incluidas algunas palabras de los indios pani que había reunido Lewis, «y un pequeño fragmento de otras», que veo que son de su puño y letra, pero no queda ninguna indicación de la lengua a la que pertenecen.

—Me pregunto si dichos fragmentos son similares a las palabras identificadas en el mapa como fenicias —dijo Gamay.

—Es posible —admitió Paul—. Quizá Jefferson escribió a Lewis y le informó de las palabras fenicias en el mapa. Lewis identificó las palabras como similares a otras que había reunido en sus viajes pero que no había dado a Jefferson.

—¿Qué pudo haberlo llevado a retener el material? —preguntó Gamay.

—No se dio cuenta de su importancia. Después de recibir la carta de su antiguo jefe, lo dejó todo y se dirigió a Monticello con algo que quería mostrar a Jefferson.

—Eso significa que el mapa es muy importante —apuntó Gamay—. Establece la relación fenicia, y muestra la ubicación de Ofir.

—Tentador, pero inútil sin más información. —Trout sacudió la cabeza—. Una brújula, hitos en tierra. Distancias. Esos son los datos necesarios.

Angela abrió el maletín, buscó en el archivo de Jefferson, y sacó la página con los puntos, rayas y palabras fenicias.

Agitó la página en el aire.

—Todos estamos de acuerdo en que faltan algunos detalles del mapa.

—Así es —dijo Paul—. Parece ser parte de un dibujo más grande.

—Si eso es verdad —intervino Gamay con creciente entusiasmo—, es posible que Lewis emprendiese el viaje para llevar a Jefferson la otra mitad del mapa. Los rumores decían que Lewis abía encontrado una mina de oro en su expedición.

—¡Caray! —exclamó Angela—. Eso significa que si nuestra teoría referente al joven esclavo resulta cierta, Jefferson sabía dónde estaba la mina de Ofir.

—Espera un momento —dijo Paul, con una sonrisa—. Puede que te hayamos dado una falsa impresión. Gamay y yo tenemos la tendencia a intercambiar ideas, pero no podemos olvidar que somos científicos. Eso significa que siempre nos basamos en los hechos. No hacemos suposiciones basadas en cosas que no han sido probadas.

Angela pareció desconsolada. Gamay intentó animar a la joven investigadora.

—Debes admitir que es una sugerencia interesante, Paul, incluso con todas las preguntas pendientes.

—Yo sería el primero en admitir que es plausible. Puede que aquí comencemos a encontrar algunas de las respuestas.

Entró con el Humvee en un aparcamiento junto a la Biblioteca Jefferson, un imponente edificio de madera de dos pisos a unos ochocientos metros al este de la entrada principal de Monticello. Entraron en el vestíbulo, dieron sus nombres a la recepcionista y pidieron ver al archivero con quien habían hablado por teléfono. Unos pocos minutos más tarde, un hombre alto con un traje castaño entró en el vestíbulo y les tendió la mano.

—Es un placer conocerles —dijo con una gran sonrisa. Tenía un suave deje virginiano—. Me llamo Charles Emerson. Jason Parker, el archivero con quien habló, me pasó su consulta. Bienvenidos a la Biblioteca Jefferson.

Emerson tenía una voz profunda y los modales de un caballero sureño. Su tez caoba no mostraba ni una sola arruga, excepto las de la risa en las comisuras de los ojos. Tenía el físico de un aficionado a los deportes, pero las canas color gris acero indicaban que podía rondar la sesentena.

Gamay le presentó a Paul y a Angela.

—Gracias por recibirnos.

—Ningún problema. Jason me dijo que están ustedes con la National Underwater and Marine Agency.

—Paul y yo trabajamos en la NUMA. La señorita Worth es investigadora en la Sociedad Filosófica Americana.

Emerson enarcó una ceja.

—Me siento honrado. Los logros de la NUMA son bien conocidos. La Sociedad Filosófica es una de las joyas eruditas del país.

—Gracias. —Angela echó una mirada al vestíbulo—. Su biblioteca también es muy impresionante.

—Estamos muy orgullosos de nuestro edificio —declaró Emerson—. Costó cinco millones y medio de dólares, y se inauguró en dos mil dos. Tenemos espacio para veintiocho mil libros, y salas de lectura y multimedia. Los llevaré a dar un recorrido.

Emerson les mostró las salas de investigación y lectura, y luego los llevó a su amplio despacho. Los invitó a sentarse y se acomodó detrás de una gran mesa de roble.

—No estoy muy seguro de cómo puede la biblioteca ayudar a unas personas que pertenecen a la NUMA. Las colinas de Virginia están muy lejos del océano.

—Ya nos hemos dado cuenta —dijo Gamay con una sonrisa—, pero quizá pueda ofrecernos más de lo que cree. Meriwether Lewis dirigió la expedición al océano Pacífico por orden de Thomas Jefferson.

Si Emerson creía que la explicación había sido desacertada, no hizo ningún comentario.

—Meriwether Lewis —repitió con voz pensativa—. Un hombre fascinante.

Angela no pudo contenerse.

—En realidad, nos interesa más su sirviente. Un joven llamado Zeb Moses, que estaba con Lewis cuando murió.

—Jason dijo que ustedes le habían preguntado por Zeb cuando llamaron. Esa es la razón por la que me pasó su consulta. Zeb era un hombre sorprendente. Nació en la esclavitud. Trabajó en Monticello durante casi toda su vida. Murió a los noventa y tantos, y vivió lo suficiente para leer la proclama de emancipación.

—Parece saber mucho de Moses —comentó Paul.

Emerson sonrió.

—Es lógico y natural. Zeb Moses era mi antepasado.

—Esa es una maravillosa coincidencia —afirmó Paul—. Hace que sea la persona perfecta para responder la pregunta que nos tiene inquietos.

—Se la responderé si está a mi alcance. Pregunte.

—¿Sabe por qué Zeb consiguió la libertad poco después de regresar a Monticello?

Cuando Paul estaba sumido en sus pensamientos tenía el hábito de inclinar un tanto la cabeza y parpadear como si estuviese mirando con sus grandes ojos castaños por encima de unas gafas invisibles. Era algo engañoso que algunas veces pillaba desprevenidas a las personas. Emerson no fue la excepción.

Pareció perder su amable expresión de jovialidad por un instante. Por una fracción de segundo amagó fruncir el entrecejo, pero se recuperó de inmediato. Reapareció la gran sonrisa.

—Como dije, mi antepasado era un individuo notable. ¿Cómo supieron que Zeb era un liberto?

—Lo buscamos en la base de datos de Monticello —respondió Paul—. La palabra «libre» está escrita junto al nombre de Zeb de puño y letra de Jefferson.

—Jefferson dio la libertad a algunos de sus esclavos —señaló Emerson.

—No a muchos —precisó Angela—. Jefferson tenía sus reservas en cuanto a la esclavitud, pero en su propia página web se dice que siempre fue propietario de por lo menos doscientos. Vendió más de un centenar, le dio ochenta y cinco a su familia. Solo concedió la libertad a cinco de ellos en el testamento, y a tres de ellos, incluido su antepasado, en vida.

Emerson se echó a reír.

—Recuérdeme que nunca la rete a un duelo intelectual, jovencita. Tiene toda la razón. Pero demuestra que dio la libertad a esclavos aunque eso, es de lamentar, no fue algo habitual.

—Lo que nos trae de nuevo a mi pregunta —intervino Paul—. ¿Por qué le concedió la libertad y le dio un trabajo preferente en la casa poco después de entrar a formar parte del personal de Monticello?

Emerson se echó hacia atrás en su silla y unió las manos.

—No se me ocurre ningún motivo. ¿Alguno de ustedes tiene una idea?

Paul se volvió a Angela. Quería compensar a la joven por la reprimenda científica que le había dado.

—La señorita Worth se lo explicará.

Angela se apresuró a intervenir.

—Creemos que Lewis estaba en una misión secreta para entregar una información importante a Jefferson. Lewis fue asesinado por esa información, pero Zeb Moses viajó a Monticello para cumplir con la misión. Jefferson recompensó a Zeb con un trabajo y la libertad.

—Es toda una historia —opinó Emerson con una sacudida de cabeza que indicaba escepticismo sin ser descortés—. ¿Qué clase de información podría haber sido confiada al joven Zeb?

Gamay no quería mostrar su juego. Intervino antes de que Angela pudiese responder.

—Creemos que era un mapa.

—¿Un mapa de qué?

—No tenemos idea.

—Esto es algo nuevo para mí —admitió Emerson—. Así y todo les diré una cosa. Lo investigaré. Han conseguido intrigarme. Nunca soñé que Zeb pudiese estar implicado en una maquinación de capa y espada. —Consultó su reloj y se levantó—. Discúlpenme si doy por dar acabada esta fascinante conversación, pero tengo una cita con un posible donante.

—Nos hacemos cargo —dijo Paul—. Gracias por atendernos.

—En absoluto —contestó Emerson mientras acompañaba a los visitantes a la puerta.

Emerson podría haber acabado pero Angela no.

—Oh... Casi lo había olvidado, señor Emerson. ¿Alguna vez escuchó hablar de la Sociedad de la Alcachofa de Jefferson?

Emerson se detuvo con la mano en el pomo.

—No. Nunca. ¿Algo que ver con la horticultura?

—Quizá. —Angela se encogió de hombros.

—Tendré que investigar también ese tema.

Emerson observó desde la entrada cómo sus visitantes subían al Humvee y se marchaban. Su rostro mostraba una expresión de máxima inquietud.

Volvió a su despacho a paso rápido y marcó un número de teléfono.

Atendió una voz de hombre con un tono seco.

—Buenos días, Charles. ¿Cómo está?

—He tenido días mejores. Las personas que llamaron ayer y preguntaron por Zeb Moses acaban de dejar la biblioteca. Una pareja de la NUMA y una joven de la Sociedad Filosófica.

—Supongo que habrá utilizado sus grandes dotes de conversador para despistarlos.

—Creía que lo estaba haciendo muy bien hasta que la joven me preguntó por la Sociedad de la Alcachofa.

Durante varios segundos solo hubo silencio en el otro extremo de la línea, luego la voz seca y fría manifestó:

—Lo mejor será que convoquemos una reunión.

—Ahora mismo —dijo Emerson.

Colgó y miró al infinito por un momento, y luego comenzó a marcar el primero de una lista de teléfonos que se sabía de corrida.

Mientras esperaba que respondiese la primera persona una imagen apareció en su mente, era una enorme madeja que comenzaba a desenredarse.

—¿Primeras impresiones? —preguntó Paul cuando pasaban por delante de Monticello.

—Muy amable, pero no del todo sincero —opinó Gamay.

—Oculta algo —señaló Angela.

—Vigilaba su reacción cuando mencionaste la Sociedad de la Alcachofa —dijo Paul—. La típica expresión del ciervo encandilado por los faros.

—Yo también me di cuenta —dijo Gamay—. Quedó muy claro que la pregunta de Angela captó su atención. Quizá podríamos escarbar un poco más en esa pequeña sociedad. ¿Alguien conoce a un experto en alcachofas?

—Yo conozco a alguien que está reuniendo documentación para un libro sobre las alcachofas —respondió Angela—. Lo llamaré.

Stocker atendió la llamada y se mostró encantado al escuchar a Angela.

—¿Está bien? Me enteré del asesinato en la biblioteca e intenté llamarla a su casa.

—Estoy bien. Ya hablaremos de lo ocurrido más tarde. Tengo que pedirle un favor. En su investigación, ¿alguna vez se ha encontrado con una mención a algo referente a la Sociedad de la Alcachofa?

—¿El club secreto de Jefferson?

—Ese. ¿Qué sabe al respecto?

343

—Encontré una mención en un artículo sobre las sociedades secretas en la Universidad de Virginia. No lo investigué a fondo porque no parecía gran cosa.

—¿Sabe quién escribió el artículo?

—Uno de los profesores. Le daré su nombre y número de teléfono.

Angela anotó la información, dijo a Stocker que volvería a llamarlo y le pasó la nota a los Trout. Gamay no perdió ni un minuto en llamar por teléfono al profesor.

—Buenas noticias —dijo después de colgar—. El profesor nos recibirá encantado entre clases, pero tenemos que darnos prisa.

Trout pisó el acelerador y el enorme vehículo salió disparado.

—Próxima parada, Universidad de Virginia.

39

La viuda del buzo muerto vivía en una casa de tres pisos y planta cuadrada que había sido elegante antes de que años de abandono hiciesen sentir sus efectos. La vieja pintura amarilla se despegaba de las paredes. Las persianas estaban torcidas de cualquier manera. El aire de abandono se acababa en el jardín donde el césped se veía bien cortado y los parterres de flores estaban limpios de malas hierbas.

Austin tocó el timbre. Al no escuchar la campanilla, golpeó con los nudillos. Nadie respondió. Golpeó de nuevo todo lo fuerte que pudo sin echar la puerta abajo.

—¡Ya voy! —Una mujer de cabellos blancos apareció por una esquina de la casa—. Lo siento —se disculpó con una brillante sonrisa—. Estaba en el jardín trasero.

—¿La señora Hutchins? —preguntó Austin.

—Por favor, llámeme Thelma.

Se quitó la tierra de las manos y estrechó la mano de Austin y después la de Zavala. La palma era callosa y su apretón bien firme.

Austin y Zavala se presentaron.

La mujer entrecerró los ojos azul granito.

—No me dijo cuando llamó que eran tan guapos —comentó Thelma con una sonrisa—. Me habría arreglado un poco en lugar de parecer un pollo mojado. Así que encontraron la escafandra de Hutch.

Austin le señaló el Cherokee aparcado delante de la casa.

—Está en el maletero del jeep.

Thelma avanzó decidida por el camino de lajas y abrió el maletero. Habían limpiado el casco de la vegetación marina, y el latón y el bronce resplandecían al sol.

La mujer acarició la parte superior de la escafandra.

—Sí, es el cubo de Hutch, no hay duda —dijo, al tiempo que se enjugaba una lágrima—. ¿Todavía está allá abajo?

Austin recordó la calavera sonriente.

—Así es. ¿Quiere que avisemos a la Guardia Costera para que rescaten los restos?

—Dejemos que el viejo se quede donde está. Enterrarían sus huesos en la tierra. Eso es algo que detestaría. He tenido dos maridos desde entonces, benditos sean sus corazones, pero Hutch fuel primero y el mejor. No podría hacerle eso. Vayamos a casa. Celebraremos nuestro propio funeral.

Austin intercambió una mirada risueña con Zavala. Thelma Hutchins no era la frágil anciana que habían esperado. Era una mujer alta, bien erguida y con los hombros apenas encorvados. Caminaba con paso enérgico en lugar de arrastrar los pies mientras conducía a Austin y a Zavala hacia una vieja mesa de madera debajo de una desteñida sombrilla de Cinzano. Thelma les dijo que volvería de inmediato.

La casa tenía todavía peor aspecto vista por atrás, pero el patio estaba impecable como una mesa de billar. Había flores por todas partes, y un gran huerto que podía alimentar a todo un ejército de vegetarianos. Un perro labrador se acercó y babeó en la rodilla de Austin.

Thelma salió de la casa con tres botellas de cerveza y se disculpó por la marca barata.

—Comenzaré a beber Stella Artois cuando me aumenten la pensión. Por ahora, tendremos que arreglarnos con este pipí de gato. —Miró al perro—. Veo que ya han conocido a Lush. —Vertió un poco de cerveza en un plato y sonrió cuando el perro se acercó para lamer la bebida espumante. Luego levantó la botella—. Por Hutch. Sabía que alguien acabaría por encontrar al viejo pirata después de todos estos años.

Chocaron las botellas y bebieron un trago.

—¿Cuánto tiempo hace que perdió a su marido? —preguntó Austin.

—Mi primer marido. —Bebió otro trago y frunció los labios—. Hutch la palmó en la primavera de mil novecientos setenta y tres. ¿Dónde lo encontraron?

Austin desplegó la carta que había llevado y le señaló una equis trazada con lápiz.

—¡Maldición! Eso está a millas de donde creía que se hallaba el pecio del tesoro.

—¿El pecio del tesoro? —preguntó Zavala.

—Es así como lo llamaba Hutch, el muy loco. Fue eso lo que lo mató.

—¿Puede decirnos lo que pasó? —le pidió Austin.

Una mirada distante apareció en los ojos de la mujer.

—Mi marido nació y se crió en la bahía. Se alistó en la marina durante la Segunda Guerra Mundial y se convirtió en buzo. Por lo que he escuchado, uno muy bueno. Compró su equipo al acabar la guerra. Nos casamos, y de cuando en cuando hacía buceo comercial para no perder la práctica. Su otro trabajo era llevar un barco de pesca, que es como encontró el pecio. Se enganchó en una red. El pecio lo pilló por sorpresa.

—¿Cómo es eso, Thelma? —preguntó Austin.

—Hutch conocía todos los naufragios en la zona. Había buceado en muchos de ellos. Era un historiador aficionado. Había hecho muchas investigaciones. No había ningún registro de que algún barco hubiese naufragado en esa posición.

—¿Nunca le dijo dónde estaba el pecio? —preguntó Zavala.

—Mi marido era más callado que una ostra. Era chapado a la antigua. Creía que las mujeres eran charlatanas por naturaleza. Aseguró que me lo diría después de traerme algo de oro.

—¿Qué le llevó a creer que había oro en el pecio? —preguntó Austin.

—Hay muchas personas que no saben que en un tiempo por aquí había minas de oro por todas partes. Maryland. Virginia. El norte de Pensilvania.

—No me sorprende. Hasta el año pasado no supe que la zona alrededor de Chesapeake había sido una importante región minera —admitió Austin—. Me detuve un día en el café Gold Mine, en Maryland, y descubrí que llevaba ese nombre por una mina agotada de las cercanías.

—¿Su marido dedujo que parte de ese oro había llegado al barco? —preguntó Zavala.

—Fue más que una deducción, guapetón. —Tiró de la cadena que llevaba alrededor del cuello. Sujeta a la cadena había un pendiente de oro con la forma de la cabeza de un caballo—. Lo encontró en la primera inmersión. Me lo dio con la promesa de que traería más. —Exhaló un sonoro suspiro—. Oh, Hutch, tú valías más para mí que cualquier tesoro.

—Lamento hacerle recordar esta cosas —se disculpó Austin.

Reapareció la brillante sonrisa de Thelma.

—No se preocupe, Kurt. Me lamento por haberlas perdido.

Zavala tenía una pregunta.

—Kurt y yo tuvimos algunas dificultades para sacar la escafandra del agua. Pesa todavía más con el peto. Me preguntaba si su marido se ponía y quitaba el traje de buzo él solo.

—Oh, no estaba solo. Trabajaba con un tripulante llamado Tom Lowry cuando encontró el pecio, así que compartió con él el secreto. Tom se convirtió en su ayudante de buceo. Hutch le prometió repartir al cincuenta por ciento cualquier cosa que encontrase.

—¿Tom todavía está vivo? —preguntó Austin.

—El pecio lo mató a él también —contestó Thelma—. La Guardia Costera dedujo que Hutch había encontrado algún problema abajo. Quizá la manguera de aire se había enredado. Tom era fuerte como un toro pero un tanto lerdo de mente. Era muy leal a Hutch. Yo creo que saltó por la borda sin pensar, se metió en problemas y se ahogó.

—¿La Guardia Costera no encontró el barco anclado junto al pecio? —preguntó Austin.

—Hubo un temporal. El barco se soltó y navegó a la deriva. Encontraron el cuerpo de Tom y la embarcación a millas de la zona de la inmersión. Vendí el barco a uno de los amigos de Hutch, con quien después me casé.

—¿Le habló a alguien del tesoro?

La mujer sacudió la cabeza en una vigorosa negativa.

—Ni siquiera a la Guardia Costera. Ese pecio ya había matado a dos hombres. No quería enviudar de nuevo o que alguna otra mujer de la ciudad perdiese a su esposo.

—¿Cuántas inmersiones hizo Hutch? —preguntó Zavala.

—Bajó dos veces. —Jugó con la cadena alrededor del cuello—. La primera vez, encontró el pendiente. La segunda vez, debió de sumergirse después de encontrar aquella jarra.

Austin dejó la botella de cerveza.

—¿Qué jarra, Thelma?

—Una vieja jarra de arcilla. Verde y gris, sellada. La encontré en uno de los cofres de la embarcación donde Hutch y Tom debieron de ponerla. Todavía estaba cubierta con algas. Pesaba demasiado poco para contener oro, pero nunca sentí el deseo de abrirla. Deduje que si lo hacía habría más mala suerte. Como Pandora.

—¿Podemos ver la jarra? —preguntó Austin.

Thelma pareció avergonzada.

—Es una pena que no hayan venido antes. Se la di hace un par de días a un tipo que vino a verme. Dijo que estaba escribiendo un libro y había escuchado hablar de Hutch y el pecio. Cuando le hablé de la jarra, preguntó si podía llevársela en préstamo y hacerla someter a un análisis de rayos X. Le dije que se la podía quedar.

—¿Se llamaba Saxon? —preguntó Austin.

—Así es. Tony Saxon. Un tipo guapo, pero no tanto como usted. ¿Lo conoce?

—De pasada —dijo Austin, con una sonrisa—. ¿Le dijo dónde se alojaba?

—No —respondió ella después de pensarlo un momento—. No le di nada de valor, ¿verdad? Esta casa necesita muchos arreglos.

—Creemos que no —dijo Austin—. Pero la escafandra es suya y vale mucho dinero.

—¿El suficiente para arreglar y pintar esta vieja covacha?

—Incluso le podría quedar suficiente para comprarse un par de cajas de Stella Artois.

Austin rechazó la oferta de otra cerveza para celebrar. Zavala y él cargaron con la escafandra desde el jeep y la dejaron en la sala de estar. Austin dijo a Thelma que le diría a un tasador experto en objetos náuticos que se pusiese en contacto con ella. La mujer les dio las gracias con un beso en la mejilla a cada uno.

Austin estaba a punto de subir al jeep cuando vio un trozo de papel enrollado en la escobilla del limpiaparabrisas. Cogió el papel y leyó el mensaje escrito con bolígrafo.

Estimado Kurt. Siento lo del ánfora. Estaré en el Tide Water Grill hasta las seis de la tarde. Yo pago las copas. AS.

Austin pasó la nota a Zavala, quien la leyó y sonrió.

—Tu amigo afirma que paga —dijo Zavala, y subió al jeep—. No ofrece nada más.

Austin se sentó al volante y condujo hacia los muelles. Había visto el cartel del Tidewater camino a la ciudad y recordó cómo llegar al restaurante que daba a la bahía. Zavala y él entraron en el bar y encontraron a Saxon, que discutía de pesca con el encargado de la barra. Sonrió cuando vio a Austin y se presentó él mismo a Zavala. Sugirió que bebiesen una cerveza local. Se llevaron las jarras a una mesa en una esquina.

A Austin no le gustaba perder, pero no era mal perdedor. Levantó la jarra en un brindis.

—Enhorabuena, Saxon. ¿Cómo lo hizo?

Saxon bebió un sorbo de cerveza y se quitó la espuma del bigote.

—Suerte y mucho caminar. Tenía la intención de centrarme en esta zona. Llevé mi atención a la costa oeste de Norte América y pasé al este después de que incendiasen mi réplica.

—¿Por qué cree que fue un incendio intencionado? —preguntó Austin.

—Unos pocos días antes del incendio, recibí la oferta de comprar la nave de un agente marítimo. Le respondí que la réplica era un proyecto científico y que no estaba a la venta. Aquella misma semana, incendiaron la nave.

—¿Quién era el comprador?

—Usted lo conoció el día del *Navegante*. Viktor Baltazar.

Austin recordó la mirada de furia en los ojos de Saxon cuando Baltazar había entrado en el almacén del Smithsonian.

—Díganos qué lo trajo a Chesapeake —dijo Austin.

—Siempre he considerado la región de Chesapeake como una remota posibilidad de la ubicación de Ofir debido a las minas de oro en la zona. El Susquehanna también me tenía intrigado. Hace unos años unas tablillas con posibles caracteres fenicios fueron encontradas río arriba en Mechanicsburg, Pensilvania.

—¿Qué lo condujo a Thelma Hutchins?

—Después de que robasen *El Navegante*, estaba desconsolado. No sabía qué hacer, así que vine aquí y rondé por las tiendas de buceo y las sociedades históricas. El marido de Thelma o, más probable, su tripulante quizá había hecho un comentario a alguien. Escuché rumores de un pecio con un tesoro. Alguien habló de Thelma y la busqué. Ella sugirió que me llevase el ánfora. Es obvio que sucumbió a mis encantos.

—Obvio —dijo Austin—. ¿Cómo nos encontró?

—Si la NUMA quiera permanecer inconspicua, le sugiero

que pinten sus vehículos de un color menos llamativo que ese maravilloso turquesa. Iba a desayunar cuando vi su coche. Lo seguí hasta el astillero, lo vi desembarcar el equipo, vigilé su coche, y lo seguí hasta la casa de Thelma. ¿Puedo hacerles yo ahora una pregunta? ¿Cómo se enteró del naufragio?

Austin habló a Saxon del duplicado del *Navegante* en Turquía y del mapa grabado en la estatua.

—¡Un maldito gato! —exclamó Saxón—. Siempre sospeché que había más de una estatua. Sin duda un par que vigilaban un templo.

—¿El Templo de Salomón? —preguntó Austin, al recordar su conversación con Nickerson.

—Lo más probable. —Saxon frunció el entrecejo—. Me pregunto por qué las personas que robaron la estatua original no han encontrado el pecio.

—Quizá no son tan inteligentes como nosotros —dijo Austin—. Usted tiene el ánfora. ¿Qué piensa hacer con ella?

—Abrí el ánfora. Estoy estudiando su contenido.

—No ha perdido el tiempo. ¿Qué había en ella?

—La respuesta depende de usted, Kurt. Espero que podamos llegar a un acuerdo. Me vendrían bien los recursos de la NUMA. No me interesa el oro ni los tesoros. Solo el conocimiento. Por encima de todo lo demás quiero encontrar a Saba. Admito que estoy de verdad obsesionado con la dama.

Austin puso una expresión ceñuda y miró a Zavala.

—¿Crees que podríamos llegar a un acuerdo con un tío tan escurridizo?

—Demonios, Kurt, ya sabes que muero por las cosas románticas. Tiene mi voto.

Austin ya había tomado la decisión. La ayuda de la NUMA sería un precio muy pequeño a pagar por los conocimientos de Saxon. Además admiraba el ingenio y la perseverancia de aquel hombre.

Miró a Saxon con firmeza

—Será una decisión unánime con dos condiciones.

—¿Cuál es la primera condición? —preguntó Saxon con una expresión desilusionada.

—Que me diga lo que encontró en el ánfora.

—Encontré un papiro —respondió Saxon—. ¿Y cuál es la segunda?

—Que pague otra ronda.

—¡Maldita sea! Es usted un hombre despiadado al aprovecharse de alguien hundido en la desesperación —dijo Saxon, retorciéndose la punta del bigote.

Luego sonrió, llamó al camarero en la barra y levantó tres dedos en el aire.

40

El criado de Baltazar caminó por el pasillo con las paredes revestidas en madera oscura y se detuvo delante de una gruesa puerta de roble. Con la bandeja en una mano, llamó con suavidad. Nadie respondió. Sus labios se separaron en una débil sonrisa. Sabía que Carina se encontraba en la habitación porque él mismo había llevado su cuerpo inconsciente desde el helicóptero.

Sacó una llave del bolsillo, abrió la puerta y entró.

Carina estaba al otro lado, su rostro convertido en una máscara de furia. Sujetaba la pesada base de latón de una lámpara de mesa con las dos manos como si fuese un garrote. Había estado preparada para descargar un golpe en la cabeza a la primera persona que apareciese. No había esperado a nadie con una bandeja con un servicio de té de porcelana.

Sin bajar la lámpara, preguntó:

—¿Quién me desnudó?

—Una doncella del personal de la casa —respondió el sirviente—. Sus ropas están siendo lavadas. El señor Baltazar consideró que se sentiría usted más cómoda vistiendo algo limpio mientras tanto.

—Diga al señor Baltazar que quiero que me devuelva mis prendas de inmediato.

—Puede comunicárselo usted misma —dijo el criado—. La espera en el jardín. No es necesario que se dé prisa. Puede bajar cuando le apetezca. ¿Me permite dejar la bandeja?

Carina miró furiosa al hombre, pero se apartó y le permitió entrar en el dormitorio. Dejó la bandeja en una mesa auxiliar. Sin apartar la mirada de la lámpara, salió de la habitación dejando la puerta abierta.

Carina se había despertado unos minutos antes y se había encontrado en una cama extraña. Recordó el olor dulzón en el asiento trasero del taxi. Al apartar las mantas había visto que solo llevaba la ropa interior. Había buscado sus prendas en el lujoso dormitorio. Lo único que había encontrado, colgado en un armario, era un albornoz de algodón blanco.

Con el albornoz en la mano, había mirador en derredor. Excepto por los barrotes en las ventanas, la habitación era como cualquier dormitorio de un hotel de primera. Observaba los impecables jardines a través de la ventana cuando escuchó la llamada. Había dejado el albornoz y cogido la lámpara.

En cuanto se marchó el mayordomo, salió al pasillo y lo vio desaparecer por otro corredor. Volvió al dormitorio y cerró de un portazo. Le temblaban las manos por la tensión. Dejó la lámpara, se sentó en una butaca y se echó a llorar.

La furia interior que le había dado el coraje para prepararse a atacar al criado había desaparecido. Se enjugó las lágrimas y fue al baño, se lavó la cara y se peinó el pelo alborotado. Bebió una taza de té, salió al pasillo y siguió los pasos del criado hasta una puertas que daban a un patio. Salió a la luz del sol y miró en derredor. Era un jardín interior. El agua rumoreaba en una fuente cuya pieza central era una mujer desnuda rodeada por querubines. Pero su mirada se fijó en Baltazar, que estaba cortando flores en uno de los parterres que rodeaban la fuente.

Baltazar vestía un pantalón blanco y camisa de manga corta negra. Calzaba alpargatas. Sonrió al verla entrar en el patio y se acercó para ofrecerle un ramo de flores.

Carina se cruzó de brazos.

—No quiero sus flores. ¿Dónde estoy?

Baltazar bajó el ramo y lo dejó en un banco de mármol.

—Es mi invitada, señorita Mechadi.

—No quiero ser su invitada. Insisto en que me deje marchar.

Sin perder la sonrisa, Baltazar miró a Carina como si fuese un coleccionista de mariposas que ha capturado un ejemplar muy raro.

—Imperiosa, decidida. Es lo que esperaba de la línea Mekada.

La respuesta desconcertó a Carina. La confusión reemplazó la furia.

—¿De qué habla?

—Le haré una propuesta. —Señaló una mesa de mármol redonda donde había servido comida y bebida para dos—. Comparta conmigo una copa y unas tapas, y le relataré una historia.

Carina echó una mirada al patio. Un par de hombres vestidos con uniformes negros estaban cerca de una puerta que podía llevar al exterior. La fuga era imposible. Incluso si conseguía salir de ese lugar, ¿entonces qué? No tenía idea de dónde estaba. Sería mejor esperar un momento más favorable. Fue hasta la mesa y se sentó con la espalda rígida.

El criado apareció como por arte de magia con una jarra de agua y llenó sus vasos. Siguieron varios platos. Carina, poco dispuesta a aceptar la hospitalidad de Baltazar, decidió que solo comería un par de bocados, pero descubrió que estaba hambrienta. Comió lo que tenía delante, con la excusa de que necesitaría sus fuerzas. No probó el vino rosado. Quería tener la cabeza despejada para enfrentarse a lo que podía venir a continuación.

Baltazar pareció leerle los pensamientos. Tenías dotes de psicólogo y no habló durante la comida excepto para preguntarle si era de su agrado. Cuando Carina se dio por satisfecha, se bebió el vaso de agua y apartó el plato.

—He cumplido con mi parte de la propuesta.

—Así es —asintió Baltazar—. Ahora cumpliré con la mía. La historia comienza tres mil años atrás con Salomón.

—¿El rey Salomón?

—El único. El hijo de David, rey de las tierras que incluyen aquello que ahora conocemos como Israel. Según las referencias bíblicas, Salomón recibe la visita de la reina de un lugar llamado Saba. Se ha enterado de la sabiduría de Salomón y la domina la curiosidad. Cuando llega, se siente impresionada no solo por la sabiduría sino también por su riqueza. Se enamoran el uno del otro. Salomón escribe unos poemas eróticos que algunos eruditos creen estaba dedicados a ella, al menos en parte.

—*El cantar de los cantares*.

—Correcto. La mujer en el poema se presenta a sí misma: «Soy negra, pero hermosa, hijas de Jerusalén».

—Ella venía de África —señaló Carina.

—Eso parece. La mención en la Biblia es breve. El Corán amplía la historia. Primero los cronistas árabes y luego los medievales siguieron el hilo. Saba y Salomón se casan; ella le da un hijo, y luego regresa a su patria. El monarca tiene muchas esposas, concubinas e hijos. Saba se vuelve todavía más poderosa y rica.

—¿Qué hay del hijo?

—La leyenda dice que regresa a África y gobierna como rey.

—Un encantador cuento de hadas —dijo Carina—. ¿Ahora me permite prescindir de su hospitalidad y dejar este lugar?

—Pero esa es solo la primera parte de la historia —continuó Baltazar—. La relación entre Salomón y la doncella de Saba también fructifica en un hijo. Muere joven, pero su progenie continúa. Se trasladan a Chipre, donde fundan un astillero, y toman contacto con los integrantes de la Cuarta Cruzada. Se marchan a Europa occidental después del saqueo de Constantinopla y adoptan un nombre español.

—Baltazar —dijo Carina.

—Correcto. Por desgracia, soy el último descendiente varón de los Baltazar. Cuando muera, la familia morirá conmigo.

Carina deseó para sí que fuera pronto. Soltó una risa muy poco femenina.

—¿Me está diciendo que desciende de Salomón?

—Sí, señorita Mechadi. Usted también.

—Está mucho más loco de lo que creía, Baltazar.

—Antes de que dicte juicio sobre mi cordura, escúcheme. El hijo de Salomón y Saba se convirtió en rey de Etiopía. Su familia reinó durante siglos.

—Yo nací en Italia, pero mi madre me relató la historia del rey Menelike de Etiopía. ¿Qué pasa?

—Entonces sabe del *Kebra Nagast*. El documento sagrado narra la historia de Saba y Menelike.

Carina estaba en territorio menos conocido.

—He oído el nombre, pero nunca lo leí. Me criaron como católica.

—El *Kebra Nagast* fue encontrado supuestamente en el siglo tres en la biblioteca de Santa Sofía, en Constantinopla. Puede que fuera escrito más tarde, pero eso no tiene importancia. Si lo hubiese leído, sabría que narra la historia de Salomón y Mekada, reina de Saba. Pedí a un experto en onomástica que buscase el nombre Mechadi. Verificó que el nombre de su familia deriva de Mekada.

—¡Eso no prueba nada! Si fuese así, cualquier niño llamado Jesús o Cristian podría reclamar ser descendiente del Mesías.

—Estaría de acuerdo con usted, de no haber sido por una cosa. La copa de la que bebió cuando me mostró *El Navegante* en el almacén tenía restos de su ADN. Mandé a analizar las muestras en tres laboratorios diferentes así que no puede haber ninguna duda. Los resultados fueron los mismos en todas las instancias. Su ADN y el mío contienen los mismos genes. Yo creo que se remonta a Salomón. El suyo a través de Saba. El mío a través de la doncella. Le enviaré los resultados de los análisis a su habitación y podrá verlo por usted misma.

—Los informes de laboratorio se pueden falsificar.

—Es verdad. Pero no en este caso. —Sonrió de nuevo—. Así que no considero esto como un secuestro. Es más una reunión de familia. En nuestro primer encuentro dijo que le gustaría cenar conmigo. Cenamos a las seis.

En el momento que Baltazar se alejaba, Carina lo llamó:

—¡Espere!

Baltazar no estaba acostumbrado a recibir órdenes. Se volvió y una chispa de furia pasó por su rostro.

—¿Sí, señorita Mechadi?

Ella se tiró del albornoz. Si Baltazar creía que era descendiente de una reina, se comportaría como tal.

—Esto no es de mi agrado. Quiero que me devuelvan mis prendas.

Baltazar asintió.

—Haré que se las envíen a su habitación.

Luego se alejó para desaparecer por una de las puertas que comunicaban con la casa.

Carina permaneció estupefacta, sin saber qué hacer. Apareció el criado y comenzó a retirar los platos.

—El señor Baltazar dice que es usted libre de volver a su habitación.

El recordatorio de que era una prisionera sacó a Carina de su ensimismamiento.

Se volvió para marchar con paso furioso por el pasillo y entrar en su habitación. Lo que antes le había parecido una cárcel ahora era un refugio seguro.

Cerró la puerta y se apoyó en ella. Apretó los párpados muy fuerte, como si haciéndolo pudiese trasladar a otro lugar.

De ninguna manera ella compartía la misma sangre con ese hombre repelente.

Su sola presencia le causaba asco y la asustaba.

Pero incluso más terrible era la posibilidad de que su historia fuese cierta.

41

El profesor McCullough saludó a sus visitantes en la escalinata de la rotonda de la Universidad de Virginia, el edificio de planta redonda y cúpula construido de acuerdo con el diseño de Jefferson que recordaba a Monticello y el Panteón de Roma. El profesor sugirió un paseo por los claustros arbolados cuyas columnas delimitaban una gran extensión de césped.

—Puedo dedicarles veinte minutos antes de tener que marcharme a mi clase de ética —dijo el profesor, un hombre fornido cuya barba gris parecía un manojo de líquenes. Sus mejillas mostraban un color rojo manzana, y caminaba con un balanceo que parecía más propio de un marinero retirado que de un académico—. Tengo que reconocerlo. Me sentí muy intrigado cuando usted llamó para preguntar por la Sociedad de la Alcachofa.

—Al parecer es todo un enigma —dijo Gamay mientras caminaban más allá de los pabellones que enmarcaban el espacio verde.

McCullough se detuvo.

—Es un misterio sin ninguna duda. —Sacudió la cabeza—. Lo encontré cuando preparaba un artículo sobre la ética de pertenecer a una sociedad secreta.

—Un tema interesante —señaló Paul.

—Eso creí. No es necesario que seas parte de una conspiración que planea apoderarse del mundo para poner en duda tu ética. Incluso la pertenencia a una organización del todo inocente puede presentar algunos riesgos indeseables. El exclusivismo. Ellos contra nosotros. Los extraños rituales y símbolos, el elitismo. El *quid pro quo* entre los miembros. La creencia de que ellos son los poseedores de la verdad. Muchas solo aceptan miembros masculinos. Algunos países, como es el caso de Polonia, han prohibido las sociedades secretas. En un extremo del espectro, tenemos a las fraternidades; al otro, los nazis.

—¿Qué le hizo interesarse en la sociedades secretas? —preguntó Paul.

McCullough no interrumpió el paseo.

—La Universidad de Virginia es famosa por sus operaciones encubiertas. Tenemos casi dos docenas de sociedades secretas en el campus, y solo son las que yo conozco.

—He leído de la Sociedad de los Siete —dijo Angela, que parecía tener una fuente inagotable de información arcana al alcance de la mano.

—Oh, sí. Los Siete son tan secretos que únicamente sabemos que alguien ha sido miembro solo cuando fallece y su necrológica aparece en las publicaciones del campus. Su tumba es adornada con una corona de magnolias negras con la forma del siete. La campana de la capilla de la universidad toca cada siete segundos durante siete minutos en la séptima nota disonante.

—¿Jefferson fue miembro de algunos de esos grupos? —preguntó Gamay.

—Se unió a la Sociedad del Flat Hat cuando asistió a William y Mary. Se convirtió en el Flat Hat Club más tarde.

—Un nombre poco habitual —dijo Gamay.

—En los viejos tiempos, los estudiantes llevaban los birretes planos siempre, no solo en la graduación.

—Como Harry Potter —señaló Angela.

McCullough se rió ante la mención.

—Ningún Hogwart que yo sepa, pero los Flat Hat tenían un apretón de manos secreto. Solían reunirse para hablar. El propio Jefferson admitió que la sociedad no tenía ningún objeto útil.

Gamay llevó de nuevo al profesor al tema de la visita.

—¿Podría decirnos qué sabe de la Sociedad de la Alcachofa? —preguntó.

—Perdón por salirme por la tangente. Estaba buscando documentación para mi artículo en la biblioteca de la universidad y me encontré con una vieja crónica publicada en un periódico. Un reportero afirmaba que había ido hasta la mansión con la esperanza de conseguir una entrevista con el ex presidente, y que había visto a John Adams bajarse de un carruaje delante de Monticello.

—¿Una reunión de los Padres Fundadores? —preguntó Paul.

—El periodista no podía dar crédito a sus ojos. Llamó a la puerta de la casa y habló con el propio Jefferson. El ex presidente le dijo que estaba en un error. Había visto al dueño de una plantación vecina que había ido a hablar de las nuevas cosechas. A la pregunta de qué clase de cosechas, Jefferson sonrió y respondió: «Alcachofas». En la crónica no omitió mencionar que el amigo de Jefferson se parecía a Adams.

—¿Quién fue el primero en sugerir que existía en realidad la Sociedad de la Alcachofa? —quiso saber Angela.

—Me temo que yo soy el culpable. —El profesor tenía una expresión tímida en su rostro rubicundo.

—No lo entiendo —dijo Gamay.

—Jugué a «¿Qué pasaría si...»? Supongamos que hubo un encuentro como el descrito. ¿Para qué se habían reunido los Padres Fundadores? Por aquel entonces los viajes no eran cosa sencilla. Escribí un artículo humorístico para una publicación universitaria basada en la historia y la afición de los estudiantes a fundar sociedades secretas. Ya casi lo había olvidado cuando su amigo escritor llamó la semana pasada. Había encontrado un artículo de Jefferson sobre las alcachofas en la Sociedad Filosófica Americana. Una búsqueda en Google le mostró mi artículo.

—Angela trabaja en la Sociedad Filosófica —dijo Gamay—. Ella es quien encontró el documento.

—Vaya coincidencia —manifestó McCullough—. Le dije lo mismo al señor Nickerson.

—¿Quién es el señor Nickerson? —preguntó Gamay.

—Dijo que pertenecía al Departamento de Estado. Es un entusiasta de la historia de Jefferson, y había leído mi artículo y se preguntaba qué más podía saber. Prometió llamarme, pero nunca lo hizo. Stocker llamó la semana pasada. Luego ustedes. —Consultó su reloj—. Maldita sea. Este es un tema fascinante, pero ya es casi la hora de la clase.

Paul le entregó su tarjeta.

—Por favor, llámenos si recuerda alguna otra cosa.

—Lo haré.

—Gracias por su ayuda —dijo Gamay—. No lo demoraremos más.

El profesor estrechó las manos de todos y se marchó a su clase.

Paul observó al profesor mientras se alejaba a través del parque.

—En el archivo que Kurt nos envió a Woods Hole, mencionó que un tipo del Departamento de Estado llamado Nickerson le había pedido que investigase el enigma fenicio. Se reunió con él en un viejo yate en el río Potomac.

—Recuerdo el nombre. ¿Crees qué es la misma persona?

Paul se encogió de hombros y abrió el móvil. Buscó en la agenda hasta encontrar el número de un empleado del Departamento de Estado con quien había trabajado por unos temas de jurisdicción oceánica. Momentos más tarde, colgó.

—Nickerson es un subsecretario. Mi amigo no lo conoce en persona, pero dice que es alguien de la vieja guardia. Se lo considera como una persona brillante pero excéntrica, y vive en un viejo yate en el Potomac. Mi colega me ha dado el nombre del club náutico pero no del yate. ¿Qué te parece si hacemos una rápida parada por el Potomac en el camino de regreso a casa?

—¿No sería más fácil si supiésemos el nombre de la embarcación? —preguntó Angela.

—Si nos gustase hacer las cosas de la manera más fácil, no estaríamos trabajando para la NUMA —respondió Paul.

La búsqueda de la embarcación de Nickerson fue más sencilla de lo que los Trout habían esperado.

Había muchos barcos que podían considerarse viejos, pero solo uno —una motora de casco blanco llamada *Lovely Lady*— encajaba en la categoría de antiguo.

Paul se bajó del coche y se acercó al yate. La cubierta estaba desierta, y no se veía ninguna señal de vida a bordo. Subió por la pasarela y llamó un par de veces.

Nadie le respondió, pero un hombre asomó la cabeza por el tambucho de la embarcación en el amarre vecino.

—Nick no está a bordo —le informó—. Se marchó hace rato.

Paul le dio las gracias y caminó de regreso al coche. Al pasar, miró de nuevo el nombre del yate y advirtió que el espejo de popa era más blanco que el resto del casco. Dio media vuelta y preguntó al vecino de Nickerson si le habían cambiado el nombre a la embarcación.

—Pues sí —respondió el hombre.

Minutos más tarde, Paul se sentó al volante.

—Nickerson no está.

—Te vi verificando el nombre del barco —dijo Gamay.

—Pura curiosidad. El vecino de Nickerson me dijo que el yate se llamaba antes *Thistle*.

Angela se irguió en el asiento.

—¿Está seguro?

—Sí. ¿Por qué?

—Alcachofa.

—¿Cómo ha dicho? —preguntó Trout.

—Es algo que encontré cuando buscaba documentación para mi amigo escritor. La alcachofa globo se llama *thistle*.

42

Saxon abrió la puerta de su casa alquilada cerca de la bahía y encendió las luces. Con una amplia sonrisa, dijo:

—Bienvenidos al laboratorio de conservación arqueológica Saxon.

Las sillas y el sofá en la sala de estar habían sido arrimados a la pared para dejar espacio a un cubo de basura de grandes dimensiones y dos mesas plegables unidas por los extremos. Apiladas sobre las mesas había tiras de papel grueso aplastadas con planchas de contrachapado.

El ánfora estaba en el sofá en dos piezas. La superficie verdosa del ahusado recipiente se veía marcada por la corrosión.

La tapa sellada había sido separada en el cuello y estaba a unos pocos centímetros del recipiente. Austin cogió una sierra de la mesa y observó el polvo verdoso enganchado en los dientes.

—Veo que utiliza los mejores instrumentos de precisión.

—En realidad es de la ferretería local —dijo Saxon. Pareció avergonzado—. Sé que piensa que soy un vándalo. Pero tengo una gran experiencia en la conservación de artefactos en condiciones originales; no quería que ningún conservador curioso hiciese preguntas. Había un riesgo, pero me habría vuelto loco del todo de haber tenido que esperar hasta ver qué había dentro del ánfora. Fui muy cuidadoso.

—Yo podría haber hecho lo mismo —admitió Austin, y

dejó la sierra—. Confío en que me esté diciendo que el paciente murió pero que la operación fue un éxito.

Saxon abrió los brazos.

—Los dioses de la antigua Fenicia me sonreían. He tenido un éxito superior a todo lo imaginable. El ánfora contenía un gran rollo de papiro intacto.

—Ha estado sumergido durante mucho tiempo —señaló Zavala—. ¿En qué condición estaba?

—El papiro crece mejor en climas secos como el desierto egipcio, pero el ánfora estaba sellada herméticamente y el papiro se encontraba a salvo en una funda de cuero. Espero obtener el mejor resultado.

Austin levantó la tapa del cubo de basura.

—¿Más alta tecnología?

—Esa es mi cámara de humidificación ultrasónica. Las páginas estaban demasiado quebradizas para ser desenrolladas sin daño y había que humedecerlas. Puse agua en el fondo del cubo, envolví el rollo en hojas de papel secante, lo coloqué en el interior de un pequeño recipiente de plástico con agujeros y cerré bien la tapa.

—¿Este artilugio funciona?

—En teoría. Ya lo veremos. —Saxon miró hacia el sándwich de contrachapado en las mesas.

—Ese debe de ser el último modelo de deshumidificador iónico, ¿no?

—Cuando el rollo humedecido se ablandó, puse las páginas entre hojas de papel secante y Gore-Tex, que absorbe la humedad. El peso de la madera planchará las páginas mientras se seca el papiro.

—¿Vio algo escrito? —preguntó Austin.

—La luz puede oscurecer el papiro, así que lo desenrollé con las persianas cerradas. Le eché un vistazo con una linterna. Fue difícil entender mucho de lo escrito debido a las manchas que presenta en la superficie. Espero que se hayan aclarado cuando esté seco.

—¿Cuánto tiempo pasará antes de que podamos verlo? —preguntó Zavala.

—Ya tendría que estar casi a punto. En teoría.

Una risa sonó desde lo más profundo de la garganta de Austin.

—El señor Saxon encajará a la perfección en la NUMA, ¿eh, Joe?

—Estoy de acuerdo. Es innovador, ingenioso, no tiene miedo a improvisar y es muy hábil en el delicado arte del TEC.

—¿Perdón? —dijo Saxon.

—Las siglas en español correspondientes a Taparse El Culo —explicó Zavala.

Saxon se retorció la punta del bigote como el villano de una película muda.

—En ese caso me alegro de que estén aquí. Si meto la pata, siempre podemos compartir la culpa. —Apagó las lámparas—. Caballeros, estamos a punto de probar que los fenicios llegaron a las costas de Norteamérica siglos antes de que Colón naciese.

Austin metió los dedos debajo del borde de la plancha de contrachapado.

—¿Levantamos?

Con mucho cuidado retiraron la tapa de la pila y la dejaron a un lado, y luego procedieron a quitar las capas de papel secante y de Gore-Tex. El papiro tenía unos cinco metros de largo, hecho de páginas sueltas de unos treinta centímetros de alto y cincuenta de ancho.

Los bordes irregulares de las páginas estaban intactos. El papiro presentaba muchas manchas oscuras sobre la superficie marrón. Se veía la escritura en algunos lugares, pero la mayor parte se confundía con las manchas.

Saxon parecía un chico al que le hubiesen regalado un par de calcetines para su cumpleaños.

—¡Maldita sea! Está cubierto con moho.

Su alegría desbocada había chocado contra la pared de la

realidad. Miró con ojos pétreos el papiro, y luego fue a una ventana para contemplar el mar. Austin no estaba dispuesto a dejar que Saxon se viniese abajo. Fue a la cocina y sirvió tres vasos de agua. Volvió, dio uno a Zavala y otro a Saxon, y levantó el suyo.

—No hemos brindado por el hombre que entregó su vida para rescatar este papiro del fondo del mar.

Saxon lo comprendió. Su desilusión no era nada comparada con el destino del buzo que había encontrado el pecio y rescatado el ánfora.

—Por Hutch, y su adorable viuda —dijo mientras chocaban las copas.

Se reunieron una vez más alrededor del papiro.

Austin aconsejó a Saxon que se centrase.

—Por ahora no haga caso de la escritura, y háblenos de las cualidades físicas del papiro.

Saxon cogió una lupa y miró a través de la lente.

—El papiro está hecho de juncos nacidos en la región del Nilo —explicó—. Estas páginas son de la mejor calidad, hechas de cortes que provienen del centro de la planta, machacadas hasta darle la forma de tiras que luego se entrecruzaban. La tinta también era de excelente calidad. La cola tiene una base de almidón. Utilizaban pigmento y goma, y escribían con un cálamo, lo que le da a la escritura ese aspecto continuo.

—Ahora háblenos de la escritura —dijo Austin—. ¿Es fenicio?

Saxon estudió el papiro con calma.

—No hay ninguna duda. El alfabeto fenicio de veintidós letras fue la más grande contribución que su cultura dio al mundo. La palabra «alfabeto» en sí es una combinación de las dos primeras letras. El árabe, el hebreo, el latín, el griego y también el inglés pueden remontarse hasta los fenicios. Escribían de derecha a izquierda, de forma continua, porque no utilizaban todas las consonantes. Los trazos verticales actúan como puntuación para separar frases y palabras.

—Olvídese de lo que no podemos leer —le pidió Austin—. Comience por leer lo que puede. Incluso a la piedra Rosetta le faltaban partes del texto.

—Usted tendría que haberse dedicado a la terapia motivacional —dijo Saxon.

Cogió una libreta y un boli, y se inclinó sobre un extremo del papiro. Se humedeció los labios, escribió en su libreta y luego pasó al siguiente fragmento. Algunas veces, observaba una única palabra; otras, varias líneas de escritura. Murmuraba para sí mismo mientras trabajaba a lo largo del papiro.

Al final, miró a Kurt con un brillo de triunfo en sus ojos.

—¡Sería capaz de besarlo, muchacho!

—Tengo por norma no besar a nadie con bigote. Hombre o mujer —replicó Austin—. Por favor, díganos qué hay escrito.

Saxon dio unos golpecitos en la libreta.

—El primer fragmento está escrito por Menelike, que se describe a sí mismo como el hijo favorito del rey Salomón. Habla de su misión.

—Menelike también es el hijo de Saba —apuntó Austin.

—No se sorprenda si no aparece mencionada. Salomón tenía muchas esposas y concubinas. —Señaló unas líneas de texto—. Aquí dice que está agradecido por la confianza. Lo repite varias veces, algo que encuentro muy interesante.

—¿En qué sentido? —quiso saber Austin.

—Según la leyenda, cuando Menelike era joven, él y su hermanastro, el hijo de la doncella de Saba, robaron el Arca de la Alianza del templo y la llevaron a Etiopía para fundar una dinastía de reyes salomónicos. Algunos sostienen que fue hecho con el conocimiento de Salomón, y que se construyó una copia para que ocupase su lugar en el templo. Otro relato afirma que se llevó el Arca Sagrada a Etiopía. En otro se redime. Acosado por la culpa, devolvió el Arca y Salomón lo perdonó.

—Veo que Salomón también practicaba la terapia motivacional —dijo Austin—. ¿En quién puede confiarse más que en alguien que intentaba hacer mérito por un mal pasado?

—La reputación de Salomón como sabio estaba bien merecida. Hay fragmentos en el papiro que indican que Menelike transportaba una carga de gran valor.

—¿Nada más específico? —preguntó Austin.

—Por desgracia, no. El resto del papiro no es más que un diario de a bordo. Menelike es el autor, y eso significa que debió de ser el capitán. Encontré la palabra «escita» repetida un par de veces. Los fenicios a menudo contrataban a mercenarios para vigilar sus naves. Hay una referencia a un gran océano, algunas observaciones meteorológicas, pero la parte principal del diario está oscurecida por el moho.

—Ahora es su turno para alegrarme —manifestó Austin, y sacudió la cabeza.

—Creo que pudo hacerlo —afirmó Saxon. Señaló varias de las partes no manchadas—. El rollo estaba muy apretado en estos puntos. El moho no pudo penetrar. Estas líneas describen un desembarco. El capitán habla de entrar en una gran bahía, casi un pequeño mar, donde ya no podía oler el océano.

Austin prestó atención.

—¿Chesapeake?

—Es una posibilidad. La nave ancló cerca de una isla en la desembocadura de un río muy ancho. Describe el agua con un tono más marrón que azul.

—Me fijé en el color fangoso del agua cuando zarpamos —dijo Zavala—. Pasamos por una isla cerca de Aberdeen Proving Grounds.

Austin todavía llevaba la carta de la bahía de Chesapeake en un sobre de plástico. Desplegó la carta en el suelo. Con un rotulador que pidió a Saxon, marcó una equis cerca de Havre de Grace en la desembocadura del Susquehanna.

—Tenemos a nuestros fenicios aquí. ¿Qué hicieron con la carga?

—Quizá la escondieron en una mina de oro —sugirió Saxon.

—Su libro proponía que Ofir estaba situado en Norteamérica. ¿Está diciendo que ocultaron esa cosa en una mina del rey Salomón?

—Cuando comencé a buscar por primera vez las minas de Salomón, me centré en la región alrededor de Chesapeake y Susquehanna —contestó Saxon—. Había grandes explotaciones mineras de oro a una distancia que podía cubrirse a pie desde Washington cien años antes de la gran Fiebre del Oro de mil ochocientos cuarenta y nueve en California.

—Eso lo sabemos —dijo Austin.

—Thelma Hutchins mencionó que su marido sabía de las minas de oro —recordó Zavala.

Saxon asintió.

—Había más de media docena de minas a lo largo del Potomac, desde Georgetown hasta Greater Falls, a principio de siglo. Al menos cincuenta minas funcionaban en Maryland a ambos lados del Chesapeake. El oro se encontraba en las rocas de la Meseta Piedmont, que va de Nueva York a Carolina del Sur.

—Eso es mucho territorio a cubrir —opinó Austin.

—Estoy de acuerdo. Comencé a buscar pruebas de la presencia fenicia. No las encontré en Maryland sino más al norte, en Pensilvania. Un grupo de piedras con escrituras fenicias fue descubierto cerca de la capital del estado en Harrisburg.

—¿Qué clase de piedras? —preguntó Austin.

—Un hombre llamado W.W. Strong reunió casi cuatrocientas piedras encontradas cerca de Mechanisburg en el valle del río Susquehanna. El doctor Strong interpretó las marcas en ellas como símbolos fenicios. Barry Fell cree que la escritura es vasca. Otros dicen que las marcas son naturales.

—Retenga ese pensamiento —dijo Austin.

Salió para ir al Jeep y regresó con la piedra que había recogido del pecio. Saxon se quedó boquiabierto.

—¿De dónde demonios ha sacado eso?

—La subí de mi inmersión en el pecio.

—¡Asombroso! —exclamó Saxon. La cogió de las manos

de Austin, y la sostuvo como si estuviese hecha de cristal, y re-siguió la frase escrita con el dedo—. Aquí está la *beth*, el símbolo fenicio correspondiente a casa, que más tarde se convertiría en la beta griega. Liga con el naufragio en Mechanisburg.

Austin trazó una segunda equis en el lugar del pecio en la bahía, y una tercera en la desembocadura del río. Unió las equis con un trazo y lo extendió río arriba.

—La pista se pierde en Mechanisburg —señaló.

—No del todo. He estudiado esa zona durante años. Recorrí gran parte a pie y en vehículo. Si hay algún lugar prometedor, es este.

Dibujó un círculo alrededor de la zona al norte de Harrisburg.

—Saint Anthony's Wilderness siempre me ha intrigado debido a las historias de una mina de oro perdida. Incluso hay una carretera a la mina de oro que la atraviesa. La zona está llena de leyendas de ciudades abandonadas y pueblos mineros. Es muy escabrosa. Uno de los pocos lugares del territorio que no ha sido urbanizado.

—Las leyendas son una cosa y los hechos otra —le recordó Austin.

Saxon volvió su atención al papiro.

—Hay un único trozo sin manchas donde se hace mención de una mina. Las palabras que la rodean han sido borradas por el moho, excepto por una frase que describe un meandro en el río con forma de herradura. —El largo dedo de Saxon recorrió el curso hasta una pronunciada curva del Susquehanna—. Saint Anthony's Wilderness está al este del meandro. —Sacudió la cabeza—. Es un área enorme. Podríamos buscar durante años sin encontrar nada.

Austin sacó un trozo de papel del sobre y lo colocó junto al mapa. Una línea curva en el papel concordaba con el meandro del río. Otros trazos marcaban montañas y valles al este del río.

—Esta es una copia del mapa fenicio de la mina del rey

Salomón. La encontraron entre algunos documentos de Thomas Jefferson.

—¿Jefferson? Eso no tiene ningún sentido.

—Esperamos que lo tenga en su momento. ¿Qué opina del mapa?

Saxón leyó las palabras fenicias en el papel.

—Esto muestra con toda exactitud dónde está la mina en relación al río.

—Antes de que nos entusiasmemos demasiado, debo señalar un problema con esto —advirtió Austin—. El Susquehanna tiene un kilómetro y medio de ancho y treinta centímetros de profundidad, como dicen los lugareños. Está lleno de rápidos e islas. Es imposible que una nave de Tarsis pudiese navegar río arriba.

—Pero pudo haberse bajado por él una carga —replicó Saxon—. El río sería lo bastante profundo para una barca de remos que lo recorriese durante el deshielo de primavera.

—Difícil, pero posible con la barca adecuada —admitió Austin.

—La embarcación correcta se llamaba «arca de Susquehanna» —dijo Saxon con una sonrisa—. Comenzaron a utilizarlas en el siglo diecinueve desde Steuben County, en Nueva York, río abajo hasta Port Deposit, en Maryland. No eran más que grandes balsas, de veinticinco metros de eslora y cinco metros de manga. Navegaban río abajo con el deshielo de primavera, trasladando los productos al mercado. Luego desmantelaban las arcas, vendían la madera, y las tripulaciones regresaban a casa a pie. Tardaban ocho días en bajar por el río y seis días en el camino de regreso. Transportaron millones de dólares en cargas antes de que los ferrocarriles los dejaran sin trabajo.

—Un simple pero brillante concepto —manifestó Zavala—. Los fenicios pudieron utilizar la misma técnica para transportar el oro.

Saxon soltó una fuerte carcajada.

—Rider Haggard se estará retorciendo en la tumba. Él y

el resto del mundo siempre creyeron que las minas del rey Salomón estaban en África.

Zavala había estado mirando los mapas.

—Yo también tengo un problema. Hay una extensión de agua que cubre el lugar señalado en el viejo mapa.

La mirada de Saxon siguió el dedo de Zavala.

—Así es. Eso complica el asunto.

—Solo un poco —dijo Austin—. Propongo que reunamos al Equipo de Misiones Especiales para una operación submarina mañana. No es más que un corto viaje en helicóptero hasta Saint Anthony's Wilderness. Podemos estar allí a primera hora de la mañana.

—¡Espléndido! —exclamó Saxon—. Releeré el papiro, y profundizaré en la investigación, por si acaso he pasado algo por alto.

Austin se sujetó la barbilla con el pulgar y el índice.

—Salomón se tomó mucho trabajo para ocultar esta reliquia de los ojos de los hombres.

Zavala advirtió la gravedad en la voz de su colega.

—Creo que estás diciendo que podríamos estar cogiendo a un león por la cola.

—Digamos que algo así. Supongamos que encontremos ese objeto. ¿Qué debemos hacer con él?

—Nunca lo había pensado —admitió Saxon—. Los objetos religiosos tienen la virtud de alterar a las personas.

—Eso es lo que quería decir —afirmó Austin con un tono que hizo que Saxon frunciese el entrecejo—. Puede que Salomón fuese mucho más sabio al ocultar esta cosa que nosotros al buscarla.

43

Carina estaba tendida en la cama, con la mirada fija en el techo por no tener nada mejor que hacer, cuando escuchó una suave llamada. Fue a ver quién era y encontró que alguien había dejado un cesto de mimbre con sus prendas junto a la puerta. Cogió la nota colocada sobre la pila.

>   Querida señorita Mechadi. Por favor reúnase conmigo para cenar a su conveniencia. VB.

—Qué civilizado —murmuró al tiempo que cerraba la puerta.

Carina se quitó el albornoz blanco como si le quemase. Vestirse con sus propias prendas le daba una sensación de control. Sabía que solo era una ilusión, pero de todas maneras la hacía sentir mejor. Releyó la nota. Habría preferido no pasar ni un segundo más con Baltazar, pero sabía que él tenía la llave de su destino.

Echó los hombros hacia atrás y caminó por el pasillo desierto hasta el patio. Un guardia la esperaba para escoltarla hasta otra ala. La hicieron pasar a un gran comedor decorado con motivos españoles. Las paredes eran blancas, con azulejos de colores y decoradas con tapices. Grandes tiestos de cerámica ocupaban las esquinas.

Apareció el mayordomo e hizo sentar a Carina a una mesa con patas de hierro forjado y la cubierta de cuero. La mesa estaba puesta para dos, e iluminada con candelabros de hierro.

Baltazar llegó un minuto más tarde, vestido de etiqueta, como si fuese a un baile de gala.

—Señorita Mechadi, qué amable de su parte reunirse conmigo —dijo con el afecto de una vieja amistad.

Carina sonrió sin humor.

—¿Tenía alguna alternativa?

—Todos tenemos alternativas, señorita Mechadi.

Baltazar chascó los dedos, y el mayordomo llenó las copas con un Rioja tinto. Levantó la copa en un brindis silencioso y no pareció molestarse cuando ella no hizo caso del gesto. Probó un poco de la ensalada y la aromática paella que era el plato principal. Apartó el flan pero sí que se tomó el *espresso*.

Comieron en silencio, como un viejo matrimonio que no tuvieran más que decirse el uno al otro. Baltazar le preguntó si le había gustado la comida y el vino. Carina le respondió con un gruñido.

—Bien —dijo Baltazar. Encendió un puro, sin apartar la mirada de Carina en ningún momento—. Tengo una pregunta —añadió, con la cabeza oculta detrás de una nube de humo púrpura—. ¿Cree usted en el destino divino?

—No sé a qué se refiere.

—Hablo del concepto de que el curso de nuestras vidas está dictado no tanto por nuestros actos sino por nuestro destino.

—La predestinación no es una filosofía que sea suya. —La joven lo miró a los ojos—. Creo que todos somos responsables por la consecuencia de nuestra conducta. Si usted salta por la ventana de un edificio alto, la consecuencia será su muerte.

—Tiene usted toda la razón. Nuestros actos afectan nuestras vidas. Así y todo, debo pedirle que piense en las incomprensibles fuerzas que me llevarían a querer saltar por la ventana.

—¿Adónde quiere ir a parar? —preguntó Carina.

—Es muy difícil ponerlo en palabras. Se lo puedo mostrar mucho mejor que decírselo.

—¿Tengo alguna alternativa?

—En este caso, no —respondió él, y se levantó.

Apagó el puro en un cenicero y se acercó para apartar la silla de la joven. Luego la escoltó hasta la galería de los retratos.

—Estos son algunos de mis antepasados —explicó Baltazar—. ¿Ve el parecido familiar?

Carina observó las docenas de pinturas que colgaban en las paredes de la galería. La mayoría de los hombres vestían armaduras decoradas. Si bien los rostros a menudo diferían físicamente, incluidas las mujeres, poseían el brillo lobuno de Baltazar en los ojos, como si los instintos predadores hubiesen sido transmitidos en los genes.

—Sí, existen algunas características familiares muy definidas.

—Esta encantadora joven era una condesa —dijo Baltazar, y se acercó a un óleo del siglo XVIII de una joven matrona—. Es muy especial.

Aproximó el rostro a unos centímetros del retrato y apoyó las manos en los paneles tallados a cada lado. Carina creyó que estaba besando la pintura. Al observar la expresión de asombro en el rostro de ella, Baltazar le explicó la existencia de los escáneres de ojos y manos. Luego la guió escalera abajo hasta la puerta de hierro con su cerradura de combinación.

Se abrió la puerta. Carina se sorprendió al ver los armarios de vidrio alineados en las paredes.

—Esto parece una biblioteca.

—Esta habitación guarda los archivos de la familia Baltazar. Estos volúmenes contienen toda nuestra historia que se remonta a más de dos mil años atrás. Es un catálogo de las intrigas en Europa y Asia durante ese tiempo.

Fue hasta el otro extremo de la biblioteca y abrió otra puerta. Cogió una antorcha de un soporte en la pared y la encendió con su mechero. La luz de la antorcha alumbró las curvas paredes de piedra de una estancia circular. Carina entró en la habitación y vio la estatua que la llamaba con los brazos extendidos.

—¡Dios bendito! ¿Qué es esa cosa?

—Es una vieja estatua de ofrendas. Lleva en mi familia miles de años.

La mirada de la joven se fijó en la nariz y la barbilla puntiaguda y en la boca libidinosa, facciones que se hacían más prominentes por el movimiento de las sombras que provocaba la antorcha.

—Es siniestra.

—Algunas personas pueden creer eso. Pero la belleza está en el ojo de quien contempla. No es la estatua lo que quería mostrarle; es este libro.

Baltazar colocó la antorcha en un candelabro y se acercó al altar. Levantó la tapa del cofre tachonado con gemas y abrió la caja de madera en el interior. Sacó las hojas de pergamino.

Carina no quería satisfacer a Baltazar mostrando interés, pero no pudo contener la curiosidad.

—Parecen muy antiguas.

—Tienen casi tres mil años de antigüedad. El lenguaje es arameo. Las páginas fueron escritas en el tiempo del rey Salomón.

—¿Quién es el autor? —preguntó Carina.

—La matriarca fundadora de la familia Baltazar. Su nombre se ha perdido en el tiempo. Se cita a sí misma y los demás se refieren a ella como la Sacerdotisa. ¿Quiere escuchar lo que escribió?

Carina se encogió de hombros.

—No tengo nada mejor que hacer.

—Puedo recitarle el texto de corrido. Ella se presenta en la primera página. Era una sacerdotisa pagana y la concubina favorita de Salomón. Tuvieron un hijo al que llamaron Melqart. Como le dije, Salomón era un hombre veleidoso. Se enamoró de Saba.

—Mi antepasada.

—Así es. Tuvieron un hijo a quien llamaron Menelike. Salomón dio a Saba la Sacerdotisa para que fuese su doncella. Ella no pudo menos que obedecer. Los niños crecieron juntos, pero Menelike fue el hijo preferido. En la adolescencia, Melqart, instigado por su madre, convenció a su hermanastro para que robase un objeto sagrado del templo. Menelike acabó por devolverlo, y ambos jóvenes fueron perdonados por el padre, pero los alistó en la marina fenicia a través de su amigo Hiram.

—¿Cuál era este objeto tan valioso?

—El Arca de la Alianza. Aún más importante, el original de los Diez Mandamientos que estaban contenidos en el Arca.

—¿Las tablillas de arcilla que Moisés bajó de la montaña?

—No. Estas estaban hechas de oro. En la Biblia se las menciona como el Becerro de Oro. Se dice que Moisés las destruyó, pero no fue así.

—¿Por qué querría destruirlas?

—Fueron escritas cuando las viejas religiones estaban en su apogeo. Las tablillas podrían haber llamado la atención de las personas antes de que Moisés pudiese llevarlas hacia la religión que predicaba.

—Al parecer las tablillas no fueron destruidas.

—Fueron ocultadas hasta el tiempo de Salomón. Las veía como un posible peligro, pero temía destruir esos objetos sagrados. Le preocupaba que las tablillas pudiesen ser robadas de nuevo. Dijo a Menelike que se llevarse los Diez Mandamientos a Ofir y los ocultase. La Sacerdotisa envió a Melqart para que recuperase las tablillas de oro. Los hermanastros lucharon. Menelike mató a Melqart, se apropió de su barco y regresó a casa para informar a su padre de la batalla. Salomón expulsó a la madre de Melqart de quien sospechaba que incitaba a sus súbditos contra él y la culpaba de revivir la vieja religión pagana.

—¿Dónde entra *El Navegante* en todo esto?

—La Sacerdotisa supo a través de sus informadores que Salomón había encargado dos estatuas de Menelike con los mapas que mostrarían el camino a Ofir y las tablillas. Un mapa más detallado, trazado en pergamino, se perdió durante la batalla entre los hermanastros.

—¿Por qué dos estatuas?

—Salomón era cauto además de sabio. Mandó que fueran colocadas en las entradas de su templo. Ocultas a plena vista.

—¿Qué pasó con la Sacerdotisa?

—Enviada al exilio, rabiaba por la muerte de su único hijo a manos de Menelike, el hijo de Saba. Consideraba que ella debía haber sido la esposa de Salomón, y que los Diez Mandamientos y el poder que conferían eran legítimamente suyos. Encomendó al hijo de Melqart la tarea de recuperar el tesoro y vengarse de los descendientes de Salomón y Saba. No lo consiguió, pero pasó la orden a la siguiente generación. A medida que pasaban los años, la meta principal se convirtió en recuperar las tablillas antes de que nadie más supiese de su existencia. Se montó un sistema de Vigilantes en todo el mundo para impedir que el secreto fuese descubierto.

—¿Cuál es su papel en todo esto?

—Mi padre me transmitió la tarea. Como el último de los Baltazar, cae sobre mis hombros continuar el juramento hecho siglos atrás.

—Así que es eso. Se cobrará la revancha por la Sacerdotisa, que ahora no es más que un montón de polvo. Cree que desciendo de Saba y pretende matarme.

—Preferiría no hacerlo. Tengo una propuesta. Deseo continuar con la línea de sangre de los Baltazar. ¿Qué mejor manera de hacerlo que fundir nuestras dos estirpes en una?

Una expresión de total asombro apareció en los ojos azules de Carina.

—No puede hablar en serio. ¿Cree que yo...?

—No hablo de un matrimonio por amor. Considérelo una propuesta comercial.

—¿Será asunto suyo matarme una vez que le haya dado un heredero?

—Eso depende solo de usted.

—Entonces máteme ahora. Solo pensar en su contacto me da asco.

Ella intentó pasar a su lado. Baltazar se movió para cortarle el paso. Carina se volvió por instinto, atenta a un lugar por donde huir; su mirada se posó en el rostro de la estatua, estaba iluminada por la vacilante luz de la antorcha.

—La estatua. Ahora lo recuerdo. Vi una como esta en Roma. Se la habían llevado de Cartago durante las Guerras Púnicas. Los cartagineses la utilizaban para sacrificar niños a Ba'al cuando los romanos atacaron la ciudad. Por eso su santa Sacerdotisa fue mandada al exilio. Practicaba sacrificios humanos.

—Salomón era un hipócrita —replicó Baltazar—. Adoraba a los viejos dioses, pero cuando sus sacerdotes se levantaron contra él cedió.

—No quiero tener nada que ver con usted o sus viles dioses. Quiero que me deje marchar.

—Eso no es posible.

Un brillo perverso apareció en los ojos de Carina. Cogió la antorcha del candelabro y amenazó con tocar el rostro de Baltazar con el fuego. Él se rió ante la muestra de desafío.

—Deje esa cosa antes de que se la quite.

—Si no me deja ir, destruiré a su maravillosa Sacerdotisa.

Se volvió y acercó la antorcha a las páginas del libro en el altar.

La mano de Baltazar se movió con la velocidad de una cobra. Le arrebató la antorcha antes de que las resecas páginas se incendiasen, y le descargó un puñetazo en el rostro. Carina se desplomó, inconsciente.

Baltazar miró la estatua. Los ojos oblicuos brillaban con la luz. Los brazos extendidos como si quisiesen abrazarlo.

Miró el cuerpo de Carina, y de nuevo la silenciosa estatua. Ladeó la cabeza como si escuchase.

—Sí —dijo al cabo de un momento—. Ahora lo comprendo.

44

Austin dejó la bolsa con el equipo de buceo junto a la entrada de la casa y fue al estudio. La luz roja parpadeaba en el teléfono. Dos mensajes. Apretó el botón. El primer mensaje era de Carina:

> Hola, Kurt. Salgo del Met alrededor de la una y media. ¡La reunión ha sido un gran éxito! No veo la hora de contártelo. Espero que las ampliaciones del *Navegante* hayan funcionado. Cojo un taxi para ir a la estación Pensilvania. Llegaré a Washington a última hora de la tarde. Te llamaré desde el tren. *Ciao.*

Miró el reloj de pared. Eran las diez pasadas. El pitido que señalaba el comienzo de un segundo mensaje interrumpió sus pensamientos. Quizá era Carina que llamaba de nuevo. El mensaje telefónico era breve y escalofriante.

—Buenas noches, señor Austin —dijo una voz metálica—. ¡Tenemos una propiedad italiana para que la vea! Por favor, llame a este número.

Un distorsionador de voz hacía que la persona sonase como un autómata. El número de teléfono que aparecía en el identificador de llamadas indicaba que correspondía a algún lugar fuera del área. Austin recordó las palabras de Buck cuando Austin se había enfrentado a él en el palacio Topkapi.

«Mi empleador tiene otros planes para ella.»

Carina nunca había llegado a la estación Pensilvania. Austin frunció los labios. Repasó mentalmente los pasos de Carina durante el día, con la ilusión de encontrar una pista a su desaparición. Carina no le había dicho a nadie más sus planes de ir al Met. Recordaba haberla oído haciendo los últimos arreglos con las personas del museo aquella mañana a través de su teléfono.

Austin cogió el teléfono para llamar a Zavala pero su mano se quedó inmóvil a medio camino. Colgó el teléfono como si fuese una serpiente de cascabel y salió a la terraza.

El aire traía un olor rancio de barro y vegetación podrida que no era desagradable. Las ranas croaban suaves canciones de amor acompañadas por el coro de insectos. El río era un pálido fantasma bajo la luz de la medialuna. Recordó al intruso que había observado la casa la noche de su primera cena con Carina. El gran roble donde había encontrado la marca de la pisada se recortaba contra el opaco reflejo del río.

El intruso había hecho algo más que espiar.

Salió de la casa y fue al coche. Condujo hasta el final del largo camino particular, entró en la carretera y recorrió casi diez kilómetros antes de detenerse. Cogió el móvil del soporte en la consola y marcó un número de memoria.

Respondió una voz profunda.

—Aquí Flagg.

—Necesito tu ayuda —dijo Austin—. ¿Podrías venir a mi casa? Trae a un fumigador.

—Veinte minutos —respondió Flagg y colgó.

Era probable que Flagg estuviese en Langley. Austin no sabía dónde vivía su viejo colega. Quizá no tenía otro hogar que el cuartel general de la CIA, donde pasaba la mayor parte de su tiempo entre las misiones que lo llevaban por todo el mundo.

Austin volvió a la casa. Estaba furioso consigo mismo por no haber insistido en que Carina se mantuviese oculta, aunque probablemente no habría servido de nada. Carina era temeraria cuando se trataba de su propia seguridad.

Dos vehículos se detuvieron frente a la casa veinticinco minutos después de la llamada de Austin. Flagg se apeó del Yukon. Un joven delgado vestido con un mono salió de una furgoneta que llevaba el rótulo de una compañía de control de plagas pintado en las puertas.

Se presentó a sí mismo como el Fumigador. Colocó un maletín de aluminio en el suelo del despacho y abrió la tapa. Sacó un artilugio que parecía una pistola espacial de Buck Rogers y apuntó el cañón a las paredes mientras giraba sobre los talones.

Con gran rapidez, el Fumigador revisó cada habitación de la planta baja y luego subió la escalera de caracol al dormitorio de la torre. Bajó al cabo de unos minutos y se dispuso a guardar el equipo electrónico.

—Aquí no hay nada —anunció—. La casa está limpia.

—¿Qué me dice del exterior?

Señaló con el pulgar hacia la terraza. El Fumigador se tocó la sien derecha con el índice.

—Por supuesto.

Salió a la terraza y volvió al cabo de unos segundos.

—Recibo algo en dirección del río —avisó.

—Creo que sé de dónde viene —afirmó Austin. Cogió una linterna y llevó a Flagg y al Fumigador por la escalera de la terraza hasta el pie del roble—. Hace unas noches aquí estuvo un intruso. Encontré una huella junto al tronco.

El Fumigador apuntó la pistola de rayos hacia las ramas. Aparecieron una serie de números en la pequeña pantalla, y el arma hizo sonar una serie de pitidos electrónicos.

El técnico le pidió prestada la linterna, y luego solicitó a Flagg y Austin que le echasen una mano. Lo levantaron hasta la rama más baja, y el hombre trepó hasta la mitad del árbol. Escarbó en una gruesa rama con una navaja, bajó y sostuvo algo en la mano que iluminó con la linterna. Una caja de plástico negro del tamaño de una baraja descansaba en su palma.

—El último grito en tecnología. Quizá más que eso. Activado por la voz. Alimentado con energía solar. Este pequeño aparato capta todas las llamadas telefónicas que usted hace, ya sea por el teléfono normal o el móvil, y las retransmite a un puesto de escucha. Sus conversaciones telefónicas pueden haber sido enviadas a cualquier parte del mundo. ¿Qué quiere que haga con esto?

Flagg había observado el proceso sin decir palabra, pero ahora ofreció una sugerencia.

—Yo lo pondría de nuevo en su sitio. Podría resultar útil si quieres transmitir alguna desinformación.

—Estaba pensando en utilizarlo para enviar unas cuantas palabras escogidas al puesto de escucha —replicó Austin, pero sabía que la sugerencia de Flagg era buena.

El Fumigador trepó de nuevo al árbol. Flagg miró hacia la copa.

—Alguien se tomó mucho trabajo para meter las narices en tus asuntos —comentó—. Creía que lo único que hacías en la NUMA era contar peces.

—Alucinarías con el tamaño de algunos de los peces que hay en el océano. Cuando tu amigo acabe, abriré un par de cervezas y te contaré de qué va todo esto.

El Fumigador bajó del árbol después de reinstalar el aparato electrónico. Recogió las herramientas y se marchó en su furgoneta. Austin sacó dos botellas de Sam Adams de la nevera, y Flagg y él se acomodaron en los sillones en el estudio. Durante la hora siguiente, Austin le habló de todos los hechos que habían ocurrido desde el asalto al portacontenedores.

Flagg se permitió una leve sonrisa en su rostro impasible.

—¡Las minas de rey Salomón! Comparado contigo, Austin, mi trabajo es tan excitante como clasificar el correo. —Recuperó la seriedad—. Te enfrentas a unos cuantos pesos pesados. ¿Crees que ese tipo, Baltazar, tiene a tu amiga?

—La huella de Baltazar está en todo esto desde el principio.

—¿Qué puedo hacer?

—Intenta averiguar dónde pasa su tiempo Baltazar.

—Ahora mismo me pongo. ¿Alguna cosa más?

—Espera.

Austin cogió el teléfono, conectó el altavoz y marcó el número dejado por su anónimo interlocutor.

—Le hemos estado esperando —dijo la voz metálica.

—Estaba fuera de la ciudad. ¿Qué es esa propiedad italiana que menciona?

—Usted la conoce como Carina Mechadi. Está en buen estado. Por ahora. No puedo garantizarle su futura buena salud.

—¿Cuánto pide?

—No es cuánto, es quién. Queremos intercambiarla por usted.

—¿Garantizado?

—En un mundo perfecto. El suyo ahora mismo es muy imperfecto.

—¿Cuáles son los términos?

—Esté delante del Lincoln Memorial dentro de noventa minutos. Venga solo. No traiga ningún dispositivo de rastreo. Será escaneado.

Austin miró a Flagg.

—Estaré allí.

Se cortó la comunicación.

—Debe de ser toda una mujer —comentó Flagg. Se levantó del sillón—. Será mejor que te pongas en marcha. Yo intentaré ver dónde para Baltazar.

Austin dijo a Flagg que utilizase a Zavala como su contacto. Cuando se hubo marchado su amigo, Austin llamó a Joe, y contuvo la tentación de soltarle unos cuantos epítetos escogidos al desconocido oyente.

—Hola, Joe. Soy Kurt. No podré reunirme contigo mañana. Pitt me ha llamado y quiere que me encuentre con él esta noche.

—Debe de ser muy importante.

—Lo es. Volveré a telefonearte más tarde.

Austin llamó de nuevo a Zavala al cabo de quince minutos cuando circulaba por la autovía hacia Washington.

—Esperaba tu llamada. No sé cómo podrías hacer para reunirte con Pitt esta noche. La última noticia que tuve de él es que estaba en el mar de Japón.

—Lamento la treta. Alguien estaba escuchando cada palabra.

Austin le explicó lo sucedido con Carina y sus intenciones de cumplir con las órdenes del secuestrador.

—Aceptaré lo que tú digas, Kurt, pero ¿crees que aceptar ayudará a Carina?

—No lo sé. Quizá me ponga lo bastante cerca de ella para ayudarla. Tener una pista de la ubicación de la mina podría serme de mucha utilidad.

—Lamento estropearte la fiesta. ¿Qué pasará si solo quieren tu pellejo y no les interesa negociar?

—Lo he considerado muy a fondo. Tendré que correr el riesgo. Mientras tanto, quiero que encuentres la mina. Podría ser nuestra carta de triunfo. La rapidez es esencial.

—Ya tengo reservado un helicóptero y he hablado con los Trout. Nos reuniremos con Saxon a primera hora. Mientras tanto, buena suerte.

—Gracias. La necesitaré.

Austin dijo a Zavala que Flagg estaría en contacto con él y colgó. Aparcó el Jeep en el garaje subterráneo de la NUMA y tomó un taxi para ir al Lincoln Memorial. Llegó allí un minuto antes de que se cumpliesen los noventa minutos. Segundos después de que el taxi se alejase, apareció un Cadillac Escalade negro, que aparcó junto al bordillo. Se abrió la puerta trasera, se apeó un hombre y le señaló el asiento.

Austin respiró a fondo y subió al coche. El hombre se deslizó tras él, encajando a Austin contra el otro ocupante. El todoterreno se apartó del monumento y se unió al tráfico.

El hombre a su izquierda metió la mano debajo de la chaqueta. Austin vio el brillo del metal. No sabía si era un puñal o una pistola. Maldijo su mal juicio. No iban a llevarlo a ninguna parte. Iban a matarlo de inmediato.

Levantó un brazo para protegerse.

Algo frío se apoyó en su cuello y escuchó un suave siseo.

Entonces alguien bajó un telón sobre sus ojos.

Sus músculos se aflojaron, sus ojos se cerraron por sí mismos y su cabeza cayó sobre el pecho. Solo la presencia de los hombres a sus lados impidió que se desplomase.

Muy pronto, el todoterreno llegó a las afueras de la ciudad, circulando al máximo de la velocidad permitida, en dirección al aeropuerto.

45

El helicóptero McDonnell Douglas MD 500 voló muy alto por encima de la bahía de Chesapeake, el fuselaje turquesa iluminado por la suave luz del amanecer. Joe Zavala estaba en los controles. Gamay ocupaba el asiento del copiloto. Paul había acomodado su larguirucho cuerpo en el banco trasero que compartía con las bolsas de los equipos de buceo.

Zavala miró a través del parabrisas de la cabina y movió el índice hacia abajo.

—Allí es donde Kurt y yo bajamos al pecio —dijo—. Nos acercamos a Havre de Grace.

La torre blanca del faro de Concord apareció a la vista. Luego el puente del ferrocarril en la desembocadura del río Susquehanna.

Zavala siguió el curso de la fangosa corriente, que se movía en dirección noroeste. De vez en cuando se veía alguna isla. Los campos agrícolas que parecían sacados de un cuadro de Grant Wood flanqueaban ambas orillas.

A una velocidad de doscientos cincuenta kilómetros por hora, el helicóptero recorrió la distancia a Harrisburg en unos minutos. El tráfico en las carreteras todavía era escaso. A unos dieciséis kilómetros al norte de la cúpula del Capitolio, el helicóptero viró al este, lejos del río y hacia una cordillera. Voló sobre densos bosques y granjas, para posarse entre la bruma matinal en una pista de hierba.

El Chevrolet Suburban de Saxon estaba aparcado a un

costado de la pista. En cuanto los patines del helicóptero tocaron el suelo, Saxon puso en marcha el motor y cruzó el campo. El Suburban se detuvo junto al helicóptero y Saxon se apeó a la carrera. Pasó agachado por debajo de los rotores para saludar a Zavala y a los Trout con vigorosos apretones de mano. Vestía como para un safari africano con pantalón corto, un chaleco con cartucheras y un sombrero de fieltro con el ala levantada en un costado.

—¿Dónde está Kurt? —preguntó el escritor.

—Una llamada inesperada —respondió Zavala. Ocultó sus dudas sobre la misión de Austin con una alegre sonrisa.

—Es una pena —manifestó Saxon, desilusionado—. Kurt se va a perder toda la fiesta cuando encontremos la mina.

—Parece muy confiado —manifestó Paul.

—Joe conoce por experiencia que tiendo a los grandiosos pronunciamientos. Ser actor es parte de mi oficio —admitió Saxon—. Pero juraría sobre la tumba de Saba que tenemos la mina a nuestro alcance. Se lo mostraré.

Saxon se acercó al todoterreno y bajó el portón trasero. Abrió su vieja maleta y sacó un grueso fajo de papeles.

—Ha estado ocupado —comentó Zavala.

—Se me cierran los ojos por haber estado en pie toda la noche dedicado a investigar. Pero ha valido la pena. Este es un mapa topográfico de la zona que nos interesa. El diagrama muestra la línea del viejo ferrocarril que se utilizaba para las minas de carbón. Sin duda Joe ya los ha puesto al corriente —dijo a los Trout—, pero lo que me trajo a este lugar fueron los insistentes rumores sobre una legendaria mina de oro y las cuevas donde los indios sepultaban a los suyos. Hay una carretera que se llama De la Mina de Oro, que pasa entre las montañas, y un pueblo abandonado que también se llama Mina de Oro.

Trout observó el bosque que rodeaba el tranquilo aeródromo. Parpadeó como a menudo hacía cuando reflexionaba.

—Tendrá que perdonar mi escepticismo científico —dijo con la típica sinceridad de Nueva Inglaterra—, pero resulta difícil de creer que los fenicios navegaron a través de medio mundo y encontraron una mina de oro en esta bonita campiña de Pensilvania.

—El escepticismo es saludable —manifestó Saxon—. Tiene que mirar el contexto. Vemos senderos, tranquilos pueblos y granjas. Pero esta tierra estuvo habitada una vez por al menos cinco tribus que vivían en veinte aldeas. En el siglo diecisiete, cuando los europeos redescubrieron el lugar, había casi siete mil indios que vivían en estas colinas y valles.

—¿Cuál es su teoría del primer contacto? —preguntó Gamay.

—Creo que una nave de exploración fenicia que buscaba cobre oyó hablar a los indios del oro. Con su capacidad para la organización, los fenicios pudieron contratar a los habitantes para que abrieran la mina, refinar el oro y establecer rutas terrestres y marítimas para llevárselo.

—Difícil pero no imposible —manifestó Trout con un gesto de asentimiento—. ¿He entendido bien cuando ha dicho que puede llevarnos a la mina?

—Puedo llevarlos donde creo que está. Suban al coche e iremos a dar una vuelta.

Sacaron las bolsas del helicóptero y las llevaron al Suburban. Saxon condujo desde el aeródromo por una sinuosa carretera rural. Después de unos kilómetros, abandonó y siguió por unas rodadas que entraban en el bosque.

—Bienvenido a Saint Anthony's Wilderness —dijo el escritor mientras el vehículo botaba por los enormes baches—. Esta es la segunda zona más grande sin carreteras de Pensilvania. El sendero de los Apalaches pasa por aquí. Hay unas diez mil hectáreas de bosque entre la primera y la segunda cordillera.

—No sabía que San Antonio hubiese visitado Norteamérica —dijo Gamay.

—No lo hizo. Lleva el nombre de un misionero que se llamaba Anthony Seyfert. Los lugareños lo conocen como Stony Valley. Ahora todo esto es como un cementerio, pero en el siglo diecinueve centenares de hombres y niños trabajaban en las minas de carbón. El ferrocarril llegaba hasta el pueblo de Rausch Gap, y más adelante llegó a Cold Springs, un pueblo de veraneo. Casi todos se marcharon cuando se agotaron las minas.

—Ha dicho casi —señaló Zavala.

Saxon asintió.

—Algunos urbanizadores astutos encontraron la manera de aprovecharse de la leyenda de la mina de oro. Construyeron un lugar llamado el Gold Stream Hotel. Llevaban a los huéspedes en barca hasta una cueva; Pensilvania está llena de ellas. Lo divertido era la oportunidad de buscar oro.

—¿Encontraban oro? —preguntó Gamay.

—El suficiente para que los turistas se sintiesen felices. En la recepción les vendían relicarios para guardar el polvo de oro. El hotel cerró cuando dejó de prestar servicio la línea férrea.

—Tuvo que haber una fuente para el polvo de oro —manifestó Paul.

—Así es. —Saxon sonrió—. Por eso creo que el hotel es la clave para desentrañar todo este misterio.

—¿Cómo es eso? —preguntó Zavala.

—Ya lo verá —contestó Saxon con un tono de misterio.

Mientras el coche continuaba adentrándose en el bosque, Saxon comenzó una descripción de las guerras entre los indios y los colonos, y fue señalando las ruinas de los viejos campamentos mineros y las torres que marcaban las bocas de las minas. El camino acababa sin más frente a un lago. El escritor detuvo el coche.

—Bienvenidos al Gold Stream Hotel.

Se apearon del coche y siguieron a Saxon por una suave pendiente que llevaba hasta la orilla. Ni un amago de viento ondulaba la superficie que parecía un espejo.

—¿El hotel está debajo de lago? —preguntó Zavala.

—El hotel estaba en un valle —explicó Saxon—. Cuando el lugar fue abandonado, los buscadores de oro vinieron a ver si encontraban la fuente. Tenían más dinamita que sesos. Volaron una represa natural, y permitieron que las aguas de un arroyo cercano inundasen el valle y cubriesen el hotel.

Zavala observó el espejo de agua. Calculó que tendría poco más de kilómetro y medio de ancho y unos tres de largo, y estaba rodeado por colinas arboladas.

—¿Qué profundidad tiene?

—Casi treinta metros en su punto más profundo —contestó Saxon—. Se llena con el deshielo de primavera.

—El procedimiento estándar es planear la inmersión y ceñirse al plan —dijo Zavala—. Es un lago grande. ¿Alguna idea de por dónde debemos comenzar?

—Se lo mostraré —dijo el escritor.

Fue de nuevo hasta el coche y sacó del maletín una carpeta con el rótulo de GOLD STREAM HOTEL. Abrió la carpeta y dio a Zavala un folleto amarillento con una ilustración de un edificio de piedra de dos plantas en el que se detallaban las comodidades que el hotel ofrecía a sus huéspedes.

Una pasarela llevaba del hotel a la escalera que bajaba a la entrada de la cueva, donde estaban amarradas las barcas. Otra ilustración mostraba a gente con prendas victorianas y surtidas con los grandes cedazos para buscar oro. Zavala miró del plano del hotel al lago, intentando visualizar lo que había bajo el agua.

—Nadie pudo encontrar la mina cuando el hotel estaba en tierra —comentó—. ¿Qué le hace creer que será más fácil debajo del agua?

—A mí se me ocurrió la misma pregunta —contestó Saxon—. Estaba a punto de suspender la expedición cuando encontré en una revista un artículo sobre el hotel sumergido. Alguien del personal describía una trampilla en la cocina. Había estado cerrada, pero los empleados rompieron el candado y dejaron caer algo al interior del pozo para ver qué profundidad tenía. Nadie escuchó el ruido contra el fondo. La dirección puso un candado más resistente en la trampilla porque el personal de cocina echaba las peladuras por el pozo.

—El pozo bien podría haber servido para ventilar una mina —dijo Paul.

Saxon abrió un cuaderno y buscó una página donde había hecho una copia del hotel tomada del folleto turístico. Dos líneas verticales marcaban el pozo de ventilación.

—Creo que el hotel fue construido sobre la mina. La cueva pudo haber sido parte de la entrada antes de que se desplomase el techo. El derrumbe impidió el acceso pero no el flujo del agua que arrastraba el mineral de oro. Si podemos bajar por el pozo, llegaremos a la mina. ¿Cree que es posible?

Zavala observó el dibujo por un momento, y fue repasando cada paso de la inmersión en su mente.

—¿Tiene alguna idea del tamaño de la abertura? —preguntó a Saxon.

—En el artículo no se daba ninguna dimensión.

Zavala era un buceador muy cuidadoso. Propuso un plan en dos etapas. Gamay y él explorarían primero la cueva, y después se ocuparían del pozo de ventilación. Gamay era una buceadora experta que había explorado muchos naufragios en los grandes lagos y, más tarde, trabajado como arqueóloga subacuática. Como eran delgados, quizá podrían moverse por el pozo de ventilación.

Paul se ocupó de inflar una barca neumática mientras los buceadores se vestían con sus equipos. Saxon había marcado la ubicación del hotel en un mapa topográfico guardado en una funda impermeable.

Trout llevó a Gamay y Zavala en la barca hasta el lago. Lanzaron una boya al agua. Todo estaba preparado. Los buceadores se dejaron caer por el costado de la pequeña embarcación y desaparecieron en las profundidades. Solo unas ondulaciones marcaron su paso de un mundo a otro.

46

Austin se despertó con la sensación de que lo habían drogado. Había esperado como un tonto tener la mente clara antes de encontrase con Baltazar. En cambio, se sentía como si le hubiesen dado una paliza.

El rostro de un hombre apareció en su campo de visión a menos de un metro de distancia. El rostro tenía un grueso vendaje en el lado derecho.

—¿Se siente mejor? —preguntó el hombre con un tono de desinterés que sugería que no le importaba en lo más mínimo.

A Austin le dolía la cabeza, notaba la boca pastosa y tenía la visión difusa.

—Si lo comparas con verte atropellado en la carretera no está mal —respondió Austin—. ¿Quién es usted?

—Puede llamarme Escudero. Trabajo para Baltazar. —Ofreció a Austin un vaso con un líquido transparente. Al ver el titubeo de Kurt, separó los labios en una sonrisa que dejó a la vista que le faltaban algunos dientes—. No se preocupe. Si Baltazar lo quisiese muerto, ya estaría criando malvas. Eliminará los efectos de la droga que le inyectaron.

Austin bebió un sorbo. El líquido era fresco y tenía una dulzura artificial. Disminuyeron los latidos en la cabeza, y recuperó la claridad de la visión. Estaba tendido en un catre militar. Su nuevo amigo ocupaba una silla plegable. Se encontraban en una gran tienda rectangular. El sol se filtraba por las translúcidas rayas rojas y blancas.

—He estado inconsciente toda la noche —comentó Austin.

—Tuvo que ponerlos muy nerviosos. Le dieron anestésico suficiente para tumbar a un toro.

Austin se bebió toda la copa y se la devolvió. El hombre tenía el físico de un luchador profesional y vestía un mono azul. Un par de muletas de aluminio estaban apoyadas en la silla.

—¿Qué le pasó en la cara? —preguntó Austin.

El lado izquierdo de la boca del hombre se movió hacia abajo en un medio gesto.

—Cosas —respondió—. Levántese.

Escudero utilizó las muletas para levantarse. Se apoyó en ellas y observó cómo Austin movía las piernas poco a poco por el costado del catre y se levantaba. Se sentía algo mareado, pero notó que recuperaba las fuerzas muy rápido. Abrió y cerró las manos.

Escudero observó el sutil movimiento.

—Por si acaso se le ocurre intentar lo que sea, hay dos guardias fuera de la tienda, y no son tíos amistosos como yo. Tengo la autorización del señor Baltasar para ordenarles que le den un repaso. ¿Comprendido?

Austin asintió.

Escudero señaló hacia la puerta. Austin salió; la fuerza del sol lo obligó a parpadear. Sendos guardias estaban apostados a cada lado de la puerta. Las prendas medievales que vestían no hacían juego con las armas automáticas que apuntaban a Austin. Los hombres tenían una engañosa mirada de calma en los ojos, como si deseasen que les diese la oportunidad de aliviar el aburrimiento.

La tienda era una de la docena dispuesta en dos hileras en un gran campo abierto bordeado por el bosque. En el centro de la hilera opuesta había algo que parecía un palco. La estructura tenía techo y estaba cerrada por los costados. Las esquinas simulaban torres. Los estandartes con el emblema de la cabeza del toro chasqueaban en el viento.

Un espacio de unos quince metros de ancho separaba las

hileras de tiendas. Una cerca de madera baja dividía el espacio en casi toda su longitud.

En cada extremo, separados por la cerca, había dos hombres con armaduras montados en enormes caballos. Sostenían lanzas de madera con puntas de metal romas. Los gigantescos animales también llevaban corazas que reflejaban el sol de la mañana.

Alguien en el palco agitó lo que parecía ser un pañuelo verde. Los hombres acorazados clavaron las espuelas en sus monturas y cargaron el uno contra el otro con las lanzas bajadas. La tierra temblaba con el impacto de los cascos. Los jinetes se encontraron a medio camino con un tremendo choque de lanzas contra los escudos. Las lanzas de madera se rompieron. Los jinetes cabalgaron hasta el final de la cerca, hicieron girar a sus caballos y cargaron de nuevo con las espadas en alto. Austin no vio la segunda fase del combate porque sus guardias lo llevaron entre dos tiendas.

Miró en derredor y vio campo y bosque. Algo rojo se materializó en un extremo entre los árboles. Era un coche que se movía a gran velocidad. En el último minuto, el conductor pisó los frenos y el Bentley se detuvo con su enorme parachoques a unos centímetros de las rodillas de Austin.

Se abrió la puerta y Baltazar se apeó. La luz del sol se reflejaba en la cota de malla que llevaba debajo de la túnica con el emblema de la cabeza de toro. Una gran sonrisa apareció en su ancho rostro.

—Nervios de acero como siempre, Austin.

—Solo camino poco a poco gracias al cóctel que me dieron sus hombres, Baltazar.

El millonario dio una palmada. Escudero llevó dos sillas de cuero, que dispuso de forma tal que quedasen uno frente al otro. Baltazar se sentó en una y ofreció la otra a Austin.

—¿Qué opina de nuestro pequeño torneo? —preguntó.

Austin echó una ojeada a la armadura y a la túnica de Baltazar.

—Creí que estaba en el rodaje de *Un yanqui en la corte del rey Arturo*.

—Considérelo como un viaje en el tiempo. Aquí he recreado todos los detalles como si fuese un torneo francés del siglo quince.

Austin miró el coche.

—¿El Bentley también?

Baltazar recibió la broma de Austin con expresión ceñuda.

—En los días de la caballería, el torneo servía para entrenar a los hombres para la guerra y separar a los valientes de los timoratos. Aquí lo utilizo para el mismo propósito con mis mercenarios. Es algo que me tomo muy en serio.

—Me alegra que tenga una afición, Baltazar, pero ambos sabemos por qué acepté su invitación. ¿Dónde está Carina Mechadi?

—Por ahora sana y salva, como le dije por teléfono. —Miró a Austin como si fuese una cobaya—. Debe de tener a la joven en mucha estima para permitir que mis hombres le cogiesen.

—Echaba de menos su rostro, Baltazar. —Austin sonrió—. De esta manera me han traído hasta usted sin pagar nada.

Baltazar adelantó su considerable barbilla.

—Entonces hable, señor Austin. Estoy ansioso por saber si tiene algo que valga la pena decir.

—Para empezar sé qué necesita para permitir que Carina se marche.

—Ah, una proposición. ¿Qué tiene para ofrecer?

—La ubicación de la mina del rey Salomón.

—Es un farol, Austin —dijo Baltazar con un tono de burla—. Además, tengo El *Navegante* original, con su mapa. ¿Por qué necesito negociar con usted?

—Porque si supiese dónde está la mina, no habría tenido necesidad de secuestrar a Carina y utilizarla como cebo para pescarme.

—A lo mejor lo hice para acabar con una mosca molesta,

Austin. Pero le haré caso. Hábleme de la mina. Quizá pueda utilizar la información como algo para el trueque.

Austin hizo una mueca como si se enfrentase a una dolorosa elección.

—Los dibujos en el gato de bronce eran un mapa. Las ampliaciones en el ordenador mostraron la ubicación de un pecio fenicio. Una ánfora rescatada del naufragio contenía un papiro con los detalles de la mina.

—¿Sabe usted quién fue el autor de ese fabuloso papiro? —preguntó Baltazar.

—Su nombre era Menelike, hijo de Salomón.

—¿Menelike? —Sonó como un siseo.

—Así es. Transportó una reliquia sagrada a Norteamérica.

La reacción de Baltazar fue más calma de lo que había esperado Kurt.

—Su intento de asombrarme con su conocimiento solo demuestra que no comprende en absoluto cuál es la situación. ¿Tiene alguna idea de cuál es la reliquia sagrada?

—Quizá usted me lo pueda decir...

Baltasar sonrió.

—Es el original de los Diez Mandamientos, escrito en tablillas de oro puro.

—No me lo creo. Los Mandamientos estaban escritos en tablillas de arcilla.

—Sus palabras reflejan su ignorancia. Se cree que había tres versiones de los Mandamientos, todas en arcilla. Pero en realidad había cuatro. La primera era anterior a las otras. Dicha versión se basaba en las creencias paganas de mis antepasados pero se consideró que eran demasiado polémicas. Se aceptó que las tablillas habían sido destruidas. En cambio, fueron ocultadas y luego entregadas a Salomón, quien decidió enviarlas a los confines más lejanos de su imperio.

—Es más rico que Creso —señaló Austin—. ¿Qué son un par de kilos de oro para usted?

—Las tablillas pertenecen por pleno derecho a mi familia.

—No parece ser un tipo de familia, Baltazar.

—Todo lo contrario, Austin, este es desde todos los ángulos un asunto de familia. Mira en derredor, ve la violencia ritualizada y asume que eso es lo único que representa la familia Baltazar. No somos peores que los gobiernos. ¿Por qué cree que tenemos tantos conflictos como antes del final de la Guerra Fría? La enorme infraestructura militar no solo sobrevivió sino que prosperó cuando acabó la Guerra Fría.

—Algo que es muy bueno para las compañías de asesores paz y estabilidad como la suya —replicó Austin.

—El miedo y la tensión forman parte de nuestro interés empresarial.

—Cuando no hay miedo o tensión, ustedes lo crean.

—No tenemos ninguna necesidad de incitar las pasiones humanas. Las personas continuarían matándose las unas a las otras existiésemos o no. Aquí hay mucho más en juego de lo que parece a simple vista. El descubrimiento de las tablillas sembraría dudas sobre los fundamentos de los gobiernos y las religiones. Se producirían tensiones en todas parte.

—El primer lugar sería Oriente Próximo.

—Comenzaría allí pero no acabaría.

—Eso le daría mayor riqueza y poder. ¿Cuál es el siguiente objetivo, Baltzar, el mundo?

—No la intención de dominar el mundo como un villano de James Bond. Sería muy difícil de gobernar.

—Entonces ¿qué quiere?

—La exclusividad en el negocio de la seguridad mundial.

—Tiene mucha competencia. Hay docenas de compañías metidas en el negocio de la paz, para no hablar de los ejércitos.

—Las barreremos del mercado o las compraremos hasta que quede una sola importante: PeaceCo. Nuestras compañías mineras y de armamento se complementarán las unas con las otras. Las naciones industrializadas pueden quedarse con sus preciosos ejércitos y marinas. Nuestras fuerzas privadas se alquilarán para ofrecer seguridad a cambio de los recursos naturales de las naciones pobres de África, Sudamérica y Asia. Construiré un imperio económico-militar sin rival en el mundo entero.

—Los imperios nacen y mueren, Baltazar.

—Este durará muchos años. Dado que no tengo herederos, quizá pase mi legado a Adriano. Es como un hijo para mí.

—Es usted un hombre malvado.

—Solo soy un empresario que se beneficiará de un continuo de pequeños conflictos. Una *Pax Baltasar*. Pero lo primero es lo primero, Austin. Necesitamos encontrar las tablillas.

—Entonces quizá podamos hacer un trato. La ubicación de la mina a cambio de la señorita Mechadi.

Baltasar levantó la mano enfundada en el guantelete.

—Todavía no. Dígame lo que sabe. Mandaré a alguien para que lo verifique.

Austin se echó a reír.

—No soy tonto, Baltazar. Me mataría en cuanto confirmase la ubicación de la mina,

—Vaya, sí que es desconfiado. Le ofrezco un compromiso. La oportunidad de escapar de mis terribles garras. Defiende la causa de una dama. De acuerdo con las leyes de la caballería, es su campeón y debe actuar como tal.

Austin decidió a la vista de lo dicho que Baltazar estaba loco perdido. Se obligó a sonreír.

—Dígame en qué ha pensado.

Baltasar se levantó de la silla.

—Se lo mostraré. Suba al coche.

Abrió la puerta del pasajero del Bentley para Austin y se sentó al volante. Puso en marcha el poderoso motor y aceleró hasta los ciento cincuenta kilómetros por hora por la carretera recta.

Poco después redujo la velocidad, pisó el freno y el coche se detuvo a unos metros del borde de una profunda garganta.

A través del abismo habían tendido un puente de acero de unos catorce metros de longitud y seis de ancho. No había barandillas. Una cerca de madera pasaba por la línea central. Se veía nueva, como si la hubiesen instalado hacía poco.

Se bajaron del coche y caminaron hasta el borde. Las laderas casi verticales descendían hasta un arroyo con el cauce de piedras unos cien metros más abajo.

—Los lugareños lo llaman Zanja del Muerto —explicó Baltazar—. Mandé construir el puente para unir partes de mi propiedad. He introducido algunas modificaciones para su visita.

—No tendría que haberse tomado tantas molestias —dijo Austin.

—En absoluto. Esta es mi propuesta. Colocaré mi coche con la señorita Mechadi al otro lado de la garganta. —Señaló el campo verde al otro lado—. Yo estaré en el medio, interpretando el papel del mítico dragón. Combatiremos por el favor de la bella dama.

Austin se volvió para mirar al par de cuatro por cuatro que los había seguido.

—¿Qué pasa con sus gorilas?

—Daré órdenes a mis hombres para que se queden de este lado.

—¿Dejará que escapemos?

—Le daré una oportunidad deportiva, que es más de lo que tiene ahora.

—¿Qué pasa si declino su invitación?

—Mandaré que lo arrojen al fondo de la garganta delante de los ojos horrorizados de su dama.

—No veo cómo puedo pasar por alto tan generosa oferta.

El millonario le dirigió una sonrisa desagradable y le hizo un gesto para que volviese al coche. Condujeron a una velocidad de vértigo hacia la zona principal de torneo. Se detuvo para dejar que Austin bajase delante de la tienda. Escudero estaba apoyado en las muletas delante de la entrada.

—Su hombre se ocupará de vestirlo con el equipo adecuado —dijo Baltazar—. Solo llevaremos cota de malla y un yelmo. No sería caballeroso cargarlo con una armadura completa. Dispondrá de un escudo y una lanza. Los caballos no llevarán corazas, cosa que hará que todo sea más rápido. Nos vemos en el puente. —Apretó el acelerador y salió disparado, los neumáticos resbalando en la hierba.

Escudero miró cómo se alejaba el coche y dijo a Austin que entrase en la tienda. Lo ayudó a ponerse la cota de malla y le dio una túnica sin ningún emblema. La capucha de la cota de malla tenía una abertura para el rostro. Escudero colocó un gorro tejido en la cabeza de Austin y le probó el yelmo. Le iba un poco suelto pero no podía hacerse otra cosa. Abrochó un cinto con espada alrededor de la cintura de Austin y le colocó las espuelas. Luego le entregó un escudo con forma de cometa.

Miró a Austin, y separó los labios en una sonrisa torcida.

—No es sir Lancelot que digamos, pero es lo que hay. Siéntese y le daré algunas indicaciones.

Austin se quitó el yelmo y se sentó en el catre.

—Escuche con atención. A Baltazar le gusta hacer las cosas en tríos. En la primera pasada jugará con usted. Fallará el golpe. En la segunda, descargará un golpe muy fuerte con toda probabilidad en el escudo. La tercera vez es la que cuenta. Lo atravesará con la lanza como a un cerdo. ¿Alguna pregunta?

—Dígame dónde puedo conseguir un AK-47.

—No lo necesitará. Baltazar emplea una lanza con la médula de metal. Se asegura de que el oponente reciba una lanza de madera, que se romperá contra la armadura y podrá desviarse con el escudo.

—Eso no parece muy caballeroso —dijo Austin.

—No lo es. Solo que esta vez será usted quien tendrá la

lanza con la médula de acero. A él le daré una lanza de estilo alemán hecha con una madera más pesada. Si nos acompaña la suerte, Baltazar tendrá tantas ganas de matarlo que no notará la diferencia en el peso.

—¿Por qué hace esto, Escudero?

El hombre se llevó la mano al rostro vendado.

—El muy cabrón me hizo esto con su lanza reforzada. Los médicos dicen que quedaré con el rostro de Cuasimodo. No hay píldora en el mundo que pueda calmar el dolor de la lesión en mis piernas. Olvídese de mí. La tercera pasada es la que cuenta. Irá a por su escudo, convencido de que la lanza atravesará el cuero y la madera. Apunte al estómago. Es el objetivo más grande. No falle.

—¿Qué le pasará a usted si fallo?

—Para mí no significa nada. Pase lo que pase, yo estoy fuera. Quizá pueda conseguir trabajo en un banco.

Un guardia asomó la cabeza en el interior de la tienda.

—Es la hora.

Un todoterreno estaba aparcado delante de la tienda. Acompañado por otro vehículo donde viajaban los guardias, Escudero llevó a Austin hasta el puente donde reinaba un ambiente de fiesta. Estandartes con la cabeza de toro ondeaban en lo alto de mástiles improvisados. La noticia de la justa se había corrido entre las fuerzas mercenarias de Baltazar. Además de los guardias, todo el borde la garganta estaba ocupado por hombres ataviados con prendas medievales que se habían reunido para ver a Austin atravesado por la lanza o arrojado al fondo del abismo.

—No me dijo que íbamos a una fiesta —comentó Austin.

—A Baltazar le gusta tener público. —Escudero señaló un par de enormes caballos que bajaban de unos remolques—. El gris es el caballo de Baltazar. El manchado es el suyo. Se llama Valiente. Baltazar quería que montase un jamelgo, pero me aseguré de que tuviese una buena montura. Val es un caballo noble y fuerte. No se echará atrás en una carga.

Escudero aparcó cerca de los remolques de los caballos. Austin se apeó del todoterreno y fue a presentarse a su montura. Visto de cerca el animal parecía tan grande como un elefante. Austin le palmeó el costado y le susurró a la oreja: «Ayúdame esta vez, Val, y te daré toda el azúcar que puedas comer».

El caballo resopló y alzó la cabeza, lo cual Austin interpretó como un sí. Fue a inspeccionar el puente donde se libraría la justa. En aquel angosto espacio parecía difícil que pudieran cruzarse dos caballos. No habría margen para el error si era desmontado.

Austin escuchó los gritos de la multitud. El Bentley se acercaba a gran velocidad al barranco. Cruzó el puente, escoltado por un Escalade negro, y se detuvo a unos cien metros de la garganta. Baltazar se apeó de su coche y abrió la puerta del todo terreno.

Una figura vestida de blanco salió del coche, acompañada por dos guardias. La figura consiguió hacer un gesto de saludo antes de ser introducida en el lado del pasajero del Bentley. Baltazar y sus guardias cruzaron de nuevo el puente.

Baltazar se acercó a Austin. Le señaló el Bentley.

—Allí tiene a su dama.

—He cumplido con mi parte del pacto. Ahora es su turno.

Austin tendió la mano.

—La llave del coche.

Baltazar levantó el casco que llevaba debajo del brazo. Un llavero colgaba de uno de los dos cuernos metálicos que sobresalían de la corona.

—Son suyas, Austin. No queremos que sea demasiado fácil.

—Necesitaré papel y pluma —dijo Austin.

Baltazar dio una orden. Uno de sus hombres corrió al todoterreno y volvió con un bloc y un boli. Austin utilizó el capó como un improvisado escritorio y escribió una serie de direcciones y el dibujo de un mapa. Subrayó las palabras MINA DE ORO.

Baltazar tendió la mano. Austin se guardó el papel en el yelmo.

—Como usted dijo, Baltazar, no creemos que esto sea demasiado fácil.

Sabía que Baltazar podía ordenar a sus hombres que lo sujetasen, le arrebatasen el mapa de la mina y lo arrojasen a la garganta. Había apostado a que el ego desmesurado de Baltazar le impediría hacer cualquier cosa que estropease el espectáculo que había organizado para sus hombres.

—Es hora de probar su valor, Austin.

Con una mirada tan encendida que habría provocado un incendio en el bosque, Baltazar se volvió y fue hacia su caballo. Montó con una facilidad increíble. El escudero sujetaba las riendas. Era un hombre grande, vestido con un traje con capucha escarlata, y daba la espalda a Austin. Se volvió y miró a Austin, que reconoció al asesino de rostro de bebé. Adriano sonrió y señaló el Bentley.

La implicación era clara. Si Austin fracasaba, Adriano se haría con Carina.

Baltazar clavó las espuelas a su caballo. Galopó a través del puente e hizo girar a su montura para mirar a Austin.

Kurt se acercó a Val y montó en la silla. No estaba acostumbrado al peso de la cota de malla y era considerablemente menos ágil que Baltazar. Escudero le alcanzó el yelmo y le dijo que mantuviese la cabeza inclinada hacia delante para poder ver por las rendijas.

Luego le entregó el escudo y la lanza y le explicó cómo sostenerlos.

—Observe el pendón cerca de la punta de la lanza. Le indicará dónde está la punta.

—¿Algún otro consejo? —La voz de Austin resonó dentro del yelmo.

—Si —respondió Escudero—. Deje que el caballo haga su trabajo, recuerde la tercera pasada, y rece para que se produzca un milagro.

Dio al caballo una palmada en la grupa y el gigantesco animal avanzó. Austin intentó que el caballo hiciese un círculo. Val respondió bien al toque de las rodillas. El peso y el equipo de combate eran un incordio, pero la montura era alta por atrás y ofrecía cierto apoyo.

El breve ensayo estaba a punto de acabar.

Un hombre vestido con un traje verde de heraldo sopló una nota en su trompeta. La señal para prepararse. Austin giró el caballo para enfrentarse a Baltazar. El segundo toque de trompeta indicó que debían bajar las lanzas. El tercer toque sonó un segundo después.

Baltazar clavó las espuelas antes de la señal.

Austin solo se demoró una fracción de segundo.

Los caballos aceleraron hasta un brutal galope que arrojaba trozos de tierra al aire como pájaros espantados. El suelo tembló mientras los enormes animales y las criaturas con piel de acero en sus lomos volaban el uno hacia el otro en una estruendosa carga.

47

Gamay y Zavala aceleraron su descenso con poderosos movimientos de piernas utilizando el cabo de la boya como guía. La claridad de la superficie del lago había sido engañosa. El tinte verde marrón se había acentuado hasta convertirse en algo opaco que reducía la visibilidad a un par de metros. La oscuridad fangosa se engullía los haces de luz de las linternas y amortiguaba el amarillo brillante de los trajes de neopreno.

A unos metros del fondo se detuvieron para no levantar una nube de sedimentos que les impidiese la visión. Consultaron la brújula y nadaron hacia el oeste hasta que una mancha sombría apareció en la oscuridad. Las luces alumbraron una superficie vertical. Las algas cubrían el exterior del hotel de dos plantas y se veían las piedras de las paredes. Los peces entraban y salían por las ventanas sin cristales que miraban como cuencas de una calavera.

Una voz como la del pato Donald sonó en los auriculares de Zavala.

—Bienvenido al Gold Stream, su hotel amigo —dijo Gamay.

—Todas las habitaciones tienen vistas al lago —añadió Zavala—. Debe de ser temporada baja porque no se ve a nadie por aquí.

El edificio no era muy grande, pero el tejado en mansarda y la construcción en piedra le daban una grandeza superior a su tamaño. Bajaron hasta la gran galería frontal. El pórtico se había caído. Un moho verdoso cubría la madera podrida donde los antiguos huéspedes se habían sentado una vez en las mecedoras para disfrutar del aire fresco del campo.

Espiaron a través de la puerta principal. La oscuridad era casi impenetrable, y el frío que salía del hotel traspasaba los trajes de neopreno. Nadaron hasta la parte trasera del edificio. Zavala apuntó con la luz a un anexo de una planta construido en la trasera.

—Ahí tuvieron que estar la cocina y la zona de servicios —afirmó Zavala.

—Buena vista —dijo Gamay—. Veo el tubo de una chimenea que sale del tejado.

Bajaron por una pendiente gradual, donde el césped había sido reemplazado por la vegetación marina de agua dulce, hasta una gran escalera de piedra. Al pie de esta había un muelle donde habían amarrado las barcas que iban a la caverna. Los noray de piedra aun estaban allí. Los dos buzos se metieron en la boca abierta.

Las estalactitas y las estalagmitas en el interior de la caverna se veían desgastadas como los dientes de un perro viejo, y la vegetación acuática opacaba sus antaño brillantes colores. Las fantástica formaciones de roca insinuaban el extraño mundo que una vez habían contemplado los turistas de principio de siglo.

Después de nadar unos cuatrocientos metros contra una ligera corriente, llegaron al final de la caverna. Unas enormes piedras cerraban el paso. Una cavidad en el techo parecía haber sido la fuente del desprendimiento. Como no podían superar el obstáculo, volvieron a la boca de la caverna, esta vez mucho más rápido gracias a la corriente que los empujaba.

Minutos más tarde, estaban fuera y de nuevo detrás del hotel. Zavala nadó por el exterior del anexo de servicios hasta llegar a un gran portal. Entró, seguido por Gamay. El espacio interior era lo bastante grande para haber sido el comedor. Zavala nadó junto a la pared hasta que encontró una puerta, y entraron en una habitación. Las luces de las linternas alumbraron los armarios vacíos y los grandes fregaderos. Un pila de metal oxidado en una esquina debía de haber sido una cocina de hierro. Revisaron cada centímetro cuadrado del suelo. No encontraron nada que se pareciese a una trampilla.

—Me pregunto si no habremos caído en una «trampilla» —bromeó Zavala.

—No te rindas —dijo Gamay—. El pinche de cocina fue muy específico. Probemos en aquella habitación.

Nadó a través de una abertura para entrar en un espacio que era la cuarta parte del tamaño de la cocina. Las estanterías en las paredes indicaban que el cuarto había sido una despensa. Bajó hasta que la máscara estuvo a unos centímetros del suelo y, después de buscar durante un par de minutos, encontró un trozo rectangular elevado. Quitó el sedimento y aparecieron las bisagras y un candado oxidado.

Zavala buscó en la bolsa impermeable sujeta a una anilla de su chaleco y sacó una palanqueta angulada de unos treinta centímetros de largo. Insertó la palanqueta debajo de la tapa de la trampilla y vio cómo la madera podrida se hacía pedazos. Apuntó con la linterna hacia el interior del pozo. La negrura parecía prolongarse hasta el infinito.

—No te he oído decir «yo primero» —dijo Gamay.

—Eres más delgada que yo —le recordó Zavala.

—Suerte la mía.

El titubeo de Gamay era fingido. Era una intrépida buceadora y no habría tenido ningún problema en echar un pulso a Zavala por la oportunidad de encontrar la mina. Al mismo tiempo, llevaba buceando el tiempo suficiente para saber que debía tener muchísima cautela. Bucear en las cavernas exigía una calma absoluta. Cada movimiento debía ser preciso y bien pensado por adelantado.

Zavala ató el extremo de un cabo de nailon a la pata de un armario y el otro a la palanqueta. Dejó caer la herramienta en el pozo, sin que llegase al fondo después de haber soltado más de quince metros.

Gamay observó los costados del pozo revestidos con tablones. La madera estaba blanda al tacto, pero supuso que aguantaría.

La abertura no llegaba al metro cuadrado, el espacio justo para permitir el paso de las botellas de aire. Consultó su reloj.

—Voy a entrar —avisó.

Su cuerpo flexible se deslizó por el borde de la abertura y desapareció en el negro agujero cuadrado. Los golpes de las botellas contra los lados arrancaban trozos de madera, pero el pozo permaneció intacto. Zavala observó cómo se iba apagando la luz a medida que Gamay bajaba.

—¿Qué tal es estar ahí abajo? —preguntó Zavala.

—Es como cuando Alicia bajó por la conejera en el País de las Maravillas.

—¿Ves algún conejo?

—Hasta ahora no he visto una maldita cosa... Epa.

Silencio.

—¿Estás bien? —preguntó Zavala.

—Mejor que bien. He salido del pozo. Estoy en un túnel o cueva. Baja. Hay una caída de tres metros después de salir del pozo.

Zavala se deslizó al interior de la abertura y se unió a Gamay en el espacio en el fondo.

—Creo que esta es una continuación de la caverna de las barcas —dijo Gamay—. Estamos al otro lado del desprendimiento.

—No me extraña que la dirección del hotel se inquietase. La corriente podía llevar los desperdicios de la cocina al interior de la caverna.

Zavala se puso otra vez en cabeza. Nadó al interior de la cueva al tiempo que alumbraba las paredes con la linterna. La formación de roca desapareció al cabo de unos pocos minutos.

—Estamos en una mina. ¿Ves las marcas de los picos?

—Esta podría ser la fuente del oro que recogían los huéspedes.

Zavala alumbró la oscuridad que tenía delante.

—Mira.

En la pared izquierda habían abierto un túnel.

Dejaron la caverna principal para explorar el túnel. El pasaje tenía unos tres metros de altura y dos de ancho. El techo era curvo. Habían practicado huecos en las paredes para poner las antorchas.

Después de unos cien metros, el túnel se cruzaba con otro en un ángulo recto. Decidir cuál sería el siguiente paso motivó una discusión breve pero acalorada. Podían estar en la entrada de un laberinto. Sin un cabo guía, muy pronto perderían el camino. La limitada cantidad de aire en las botellas podía convertir en fatídica una decisión equivocada.

—Tú hablas —dijo Zavala.

—El suelo del túnel a la derecha está más gastado que los otros —señaló Gamay—. Propongo que recorramos un centenar de metros. Si no encontramos nada, volvemos.

Zavala formó un círculo con el pulgar y el índice para mostrar su asentimiento, y entraron en el túnel. Nadaron en silencio para ahorrar aire. Ambos eran conscientes de que cada golpe de aleta que daban los acercaba al peligro. Pero la curiosidad los incitó a seguir hasta llegar al final, y salieron a un lugar abierto después de nadar unos cincuenta metros.

El túnel se acababa en un gran recinto. El techo y la pared opuesta estaban fuera del alcance de la luz de las linternas. Habían llegado a la parte más arriesgada de la inmersión. Era muy fácil desorientarse en un gran lugar abierto. Decidieron limitar la exploración a no más de cinco minutos. Gamay se quedaría en la boca del túnel. Zavala se encargaría de la exploración. En ningún momento el buceador estaría fuera de la vista de la luz de la otra linterna. Zavala avanzó en la oscuridad, sin apartarse de la pared.

—Ya es suficiente. Comienzo a perderte —avisó Gamay.

Zavala se detuvo.

—Vale. Ahora nado apartándome de la pared. El suelo es liso. Este lugar parece haber visto mucho tráfico. Nada indica para qué se utilizaba.

Gamay le advirtió de nuevo. Zavala dio media vuelta y se dirigió hacia su luz. Siguió un camino en zigzag que le permitiría observar el máximo de suelo.

—¿Has visto algo?

—No... ¡Espera! —Nadó hacia una silueta amorfa.

—Te estoy perdiendo de vista.

La linterna de Gamay se había convertido en un punto difuso. Sería una locura avanzar mucho más, pero Zavala no podía detenerse en ese momento.

—Solo un par de metros más.

Luego silencio.

—Joe. Apenas si te veo. ¿Estás bien?

La voz excitada de Zavala sonó en los auriculares.

—¡Gamay, tienes que ver esto! Deja la linterna para marcar el túnel y sigue mi luz. La agitaré.

Gamay calculó que tenían el aire justo para recorrer el túnel, subir por el pozo y regresar a la superficie.

—No nos queda mucho tiempo, Joe.

—Esto solo nos llevará un minuto.

Gamay era conocida por utilizar un lenguaje fuerte, pero se guardó sus pensamientos. Colocó la linterna en el suelo y nadó hacia la luz en movimiento. Encontró a Zavala junto a una tarima de piedra circular de unos noventa centímetros de altura y casi dos metros de diámetro. La superficie de la plataforma estaba cubierta con trozos de madera podrida y piezas de metal amarillas.

—¿Eso es oro?

Zavala sostuvo un trozo de metal amarillo cerca de la máscara de Gamay.

—Podría ser. Pero es esto lo que llamó mi atención.

Al apartar la madera, Zavala había dejado a la vista una caja metálica de unos treinta centímetros de largo y veinte de ancho. Las letras en relieve en la tapa de la caja estaban en parte oscurecidas por una película negra, que Zavala quitó al pasarle el guante. Murmuró una exclamación en español.

Gamay sacudió la cabeza.

—No puede ser —exclamó.

Pero no había manera de negar lo que sus ojos hacían evidente. Un nombre estaba escrito en la tapa:

THOMAS JEFFERSON.

48

El caballo galopó hacia la garganta como un tanque descontrolado. Austin hacía lo imposible para mantenerse en la montura. Le molestaban el peso de las armas y la armadura. Un pie se le había escapado del estribo. La cabeza protegida con el yelmo de acero se sacudía como la de un muñeco aguantada con un resorte. El escudo se le resbalaba del brazo. La larga lanza apuntaba a cualquier parte excepto donde él quería.

Los cascos de Val golpearon el puente de metal. A través de las rendijas, Austin atisbó por un momento la punta de una lanza y el emblema de la cabeza de toro en la túnica de Baltazar. Luego los caballos salieron del puente y pisaron otra vez la hierba.

Austin soltó el aliento contenido y sujetó bien las riendas. Sofrenó al caballo y le hizo dar la vuelta para enfrentarse a Baltazar, que estaba al otro lado del barranco y miraba con toda calma las dificultades de Austin. Baltazar se quitó el yelmo de la cabeza y lo sostuvo delante del pecho.

—Buen intento, Austin —gritó—. Pero por lo visto le ha costado bastante no perder su equipo.

Las risas se escucharon de la multitud.

Austin se quitó el yelmo y el guantelete para enjugarse con el dorso de la mano el sudor que se le metía en los ojos. No hizo caso del dolor de sus heridas en el costado a medio cicatrizar y respondió el desafío.

—Me he distraído pensando en mi nuevo Bentley.

Su rival cogió las llaves del coche sujetas en el cuerno del yelmo y las sostuvo por encima de la cabeza.

—No cuente con el Bentley hasta que hayamos acabado —respondió, desafiante.

Austin buscó en su yelmo el trozo de papel plegado y lo sostuvo en la postura de la Estatua de la Libertad.

—No gaste su oro antes de encontrarlo.

Sin borrar la sonrisa, Baltazar colocó de nuevo el llavero en el cuerno y se puso el yelmo.

Austin se volvió en la silla y miró a la figura solitaria vestida de blanco sentada en el Bentley. Agitó una mano para saludarla y la figura le respondió de la misma manera. El gesto le dio nuevos ánimos. Guardó el papel en el yelmo y se lo puso.

Se escuchó el toque de aviso de la trompeta.

Austin apoyó el escudo en la montura, y movió la lanza unas pocas veces para cogerle el equilibrio. Agachó la cabeza hacia delante para mirar a través de las rendijas. Vio a Baltazar que llamaba a Adriano y se inclinaba en la silla para hablar con el asesino.

Sonó el estruendoso segundo toque de trompeta.

Austin apuntó la lanza a la izquierda de forma tal que la punta estuviese en el camino del jinete rival.

La trompeta sonó por tercera vez.

Austin se disculpó con Val y le clavó las espuelas. La figura de Baltazar se fue haciendo más grande en las ranuras. Austin se acurrucó por debajo del escudo y mantuvo la lanza apuntada al pecho del millonario como le había aconsejado Escudero. Su agitada respiración sonaba como una locomotora de vapor dentro del yelmo.

En el último segundo, Baltazar levantó la lanza. La punta enganchó el yelmo de Austin por debajo de la barbilla y se lo arrancó de la cabeza.

Llegaron de nuevo al final del puente.

Austin hizo girar el caballo a tiempo para ver cómo su

yelmo golpeaba en el suelo cerca del lugar donde la cabecera del puente se unía con el borde del barranco.

Adriano corrió a recogerlo. Le alcanzó el yelmo a Baltazar, quien cogió el papel con un floreo. Leyó las palabras que Austin había escrito y se lo entregó al sicario. Adriano se dirigió hacia uno de los todoterrenos, pero antes de marcharse entregó el yelmo a un escudero, que corrió para dárselo a Austin.

—Buena suerte, Austin —gritó Baltazar—. Pero aún puede salvar a la dama.

La trompeta ahogó la sugerencia formulada por Austin de que Baltazar podía saltar del puente.

Ambos hombres apenas si habían tenido tiempo de ponerse otra vez los yelmos cuando el heraldo tocó la señal de bajar las lanzas.

Escudero le había dicho que la tercera era la definitiva.

Austin estaba asombrado por la facilidad con la que Baltazar había colocado la punta de la lanza. La médula de metal de la lanza le daba una ventaja, y tenía la intención de aprovecharla. Apretó los dientes y bajó la cabeza.

Se escuchó de nuevo la trompeta.

Cargaron los caballos. Baltazar se inclinaba detrás del escudo de forma tal que solo se veían los cuernos del yelmo. Austin apuntó al escudo. La lanza de Baltazar golpeó el escudo de Austin en el centro. Tal como le había avisado Escudero, la lanza se rompió detrás de la punta.

La lanza de Austin atravesó el escudo de Baltazar como si estuviese hecho de aire. La afilada punta habría ensartado a Baltazar si la puntería de Austin hubiese sido mejor. La punta golpeó en una esquina del escudo, rompió el cuero y la madera de la estructura y arrancó a Baltazar de los estribos.

Cayó al puente de acero y desapareció por el borde.

Austin maldijo como solo podía hacerlo un marinero. No tenía la menor compasión por Baltazar, pero en la caída se había llevado las llaves del coche.

Entonces Austin maldijo de nuevo, esta vez de alegría. Los cuernos gemelos del yelmo asomaban por encima del puente. Baltazar intentaba encaramarse. El peso de la cota de malla y el yelmo aumentaban las dificultades. Aún mantenía el escudo sujeto al brazo.

Austin se quitó el yelmo y arrojó la lanza a un costado. Se apeó de la silla y corrió por el puente.

Baltazar ya había levantado un hombro. Vio a Austin que se inclinaba sobre él.

—Ayúdeme —suplicó.

—Quizá esto aligerará su carga.

Austin cogió las llaves del coche enganchadas al cuerno.

Sintió la tentación de enviar a Baltazar al infierno con un puntapié. Pero los hombres de Baltazar se habían recuperado de la sorpresa de ver desmontado a su jefe y corrían hacia ellos.

Austin dio media vuelta y corrió hacia el coche.

A medida que se acercaba, vio a Carina con la cabeza apoyada en la consola como si hubiese sido incapaz de ver la justa. Gritó su nombre. La figura en el asiento del pasajero levantó la cabeza. El rostro barbudo de uno de los hombres de Baltazar lo miró con una expresión de mofa por debajo de la toca.

—Gracias por rescatarme —dijo el hombre con una voz de falsete que imitaba la de una mujer. Buscó entre los pliegues del vestido un arma pero se enganchó en la tela.

Austin echó hacia atrás el puño enguantado y canalizó su furia en un tremendo puñetazo en la barbilla del hombre que lo dejó inconsciente.

Sacó al mercenario del coche. Se sentó al volante y murmuró una plegaria para que Baltazar no hubiese cambiado las llaves. El motor se puso en marcha con un rugido.

Decidió no alejarse del puente y entrar en territorio desconocido. El bosque que veía a lo lejos podía ser un callejón sin salida.

Los hombres de Baltazar habían subido a su patrón. Les gritó que fuesen a por Austin. Media docena de guardias avanzaron a través del puente. Austin recogió la lanza que había desechado y la sostuvo desviada como si estuviese en un torneo. Se apartó de la garganta, luego giró el volante y apuntó hacia el puente. Baltazar vio que el Bentley aceleraba y buscó protección al otro lado de la barrera, pero la lanza barrió a los hombres del puente como migajas que se quitan de una mesa.

Cuando Austin llegó al otro lado, arrojó la lanza y pisó a fondo el acelerador. Las ruedas patinaron en las hierbas, pero consiguió controlar el zigzagueo y entró en el camino que llevaba de regreso a las tiendas.

Miró por el espejo retrovisor. Un todoterreno lo seguía. Alguien había llamado por radio porque otro cuatro por cuatro iba directamente hacia él. Austin apuntó el Bentley hacia el vehículo que se acercaba y apretó la bocina.

El conductor del todoterreno debió de pensar que su vehículo más pesado ganaría aquella extraña justa.

El Bentley se desvió en el último segundo. El todo terreno se estrelló contra el vehículo de persecución.

Austin cruzó la entrada a una velocidad de vértigo y siguió por el camino donde a lo lejos se veía una gran mansión. Un kilómetro y medio más adelante llegó a una reja y una garita. Aminoró la velocidad, atento a que un guardia saliese de la garita, pero se detuvo delante de la reja sin ser desafiado. Dedujo que los guardias habían recibido el permiso para dejar sus puestos y asistir al torneo.

Se apeó del coche entró en la garita, donde apretó el botón que abría las reja de hierro forjado.

Al salir de la garita, escuchó el sonido de motores. Un grupo de cuatro por cuatro negros se acercaban a gran velocidad. Cruzó la reja abierta, detuvo el coche y volvió a la garita. Cerró la verja, cogió una silla y la emprendió a golpes con los controles hasta inutilizarlos.

Los coches se encontraban a menos de trescientos metros. Austin trepó a un árbol y se arrastró por una gruesa rama que se extendía por encima de la cerca. Saltó al suelo con un golpe que casi lo dejó sin aire, pero se recuperó de inmediato. Corrió hasta el Bentley y apretó el acelerador hasta el fondo. Circulaba por una carretera flanqueada por campos de pastura y cultivos. Unos silos se alzaban en la distancia. Nadie lo seguía. Miró al cielo azul sin una nube, y se le ocurrió que Baltazar quizá disponía de un helicóptero.

El brillante coche rojo sería un blanco fácil desde el aire.

Se metió en un angosto camino. Los árboles a cada lado se unían por las copas formando un escudo que lo protegía de una amenaza aérea.

Vio un coche aparcado en el arcén. Un hombre con un traje oscuro estaba apoyado en el guardabarros, y alzó la vista del mapa que consultaba cuando el coche rojo pasó a su lado como un bólido. Austin alcanzó a ver su rostro, y pisó el freno a fondo. Dio marcha atrás.

—Hola, Flagg.

El hombre de la CIA parecía fuera de lugar con su traje oscuro y su corbata.

Cuando vio que era Austin, una sonrisa de medialuna apareció en su rostro. Sus ojos de gruesos párpados observaron el Bentley y la cota de malla de Austin.

—Bonito coche. La NUMA debe estar pagándote una pasta. El traje tampoco está mal.

—No son míos. Los tomé prestados de Baltazar. ¿Qué estás haciendo aquí?

—Descubrí que tu amiguete tenía una casa por aquí. Estaba curioseando.

Austin indicó hacia atrás con el pulgar.

—Está a tan solo unos kilómetros. ¿Dónde estamos?

—En el norte del estado de Nueva York. ¿Qué hay de tu amiga?

—No he podido encontrar a Carina. ¿Cuánto tardarás en conseguir refuerzos?

—La policía podría ser más rápida.

—La gendarmería local no tendría la más mínima posibilidad frente a los mercenarios de Baltazar.

Flagg asintió y sacó un teléfono del bolsillo. Marcó un número y habló durante unos cuantos minutos antes de colgar.

—He conseguido un equipo que vendrá de Langley. Llegarán aquí dentro de dos horas.

—¡Dos horas! Daría lo mismo que fuesen dos años.

—Es lo mejor que pueden hacer —respondió Flagg y se encogió de hombros—. ¿Cuántos malos dices que había allí?

—Unas tres docenas, contando a Baltazar.

—Las probabilidades no están mal para una pareja de tíos duros como nosotros —afirmó Flagg. Abrió la puerta de su coche y buscó debajo del asiento. Sacó una pistola Glock de calibre nueve milímetros y se la dio a Austin—. Es un recambio. —Se palmeó el pecho—. Yo ya voy servido.

Austin recordó que Flagg era un arsenal ambulante.

—Gracias. —Cogió el arma—. Sube.

Flagg se acomodó en el asiento del pasajero del Bentley.

—Maldita sea, Austin. Había olvidado hasta ahora lo aburrida que es mi vida desde que te marchaste de la CIA.

Austin puso la primera y dio una vuelta en semicírculo.

—Sujétate el sombrero —dijo, por encima del chirrido de los neumáticos—. Tu vida está a punto de ser muy interesante.

49

—¿No tendrían que haber salido ya? —preguntó Saxon, con un tono de preocupación.

—No se inquiete. Ambos son buceadores muy experimentados —respondió Trout.

Saxon y él estaban en la embarcación neumática cerca de la boya. Paul estaba más preocupado de lo que dejaba entrever. Había consultado su reloj unos pocos minutos antes de que Saxon hiciese la pregunta. Gamay y Zavala estaban aprovechando su provisión de aire al máximo, sobre todo si necesitaban hacer paradas de descompresión. Algunos escenarios siniestros se materializaron en su mente. Se imaginó a los buceadores perdidos o sus botellas enganchadas en los desconocidos pasadizos debajo del hotel.

Trout había estado mirando cómo una garza azul volaba sobre el lago cuando vio unas burbujas en la superficie.

Señaló las burbujas.

—¡Ya suben!

Cogió el remo y dijo a Saxon que hiciese lo mismo. Comenzaron a remar y solo estaban a unos pocos metros cuando la primera cabeza asomó a la superficie. Gamay. Zavala apareció un par de segundos más tarde.

Gamay hinchó su chaleco y flotó sobre la espalda. Se quitó la boquilla del regulador de la boca y respiró con ansia. Trout arrojó un cabo a su esposa.

—Eh, guapa, ¿qué tal si te llevo?

—Es la mejor oferta que me han hecho en todo el día —dijo Gamay con un tono de cansancio.

Zavala se enganchó al cabo detrás de la joven. Trout y Saxon remolcaron a los dos agotados buceadores a aguas poco profundas. Gamay y Zavala se quitaron las botellas y las aletas, y chapotearon hasta la orilla. Dejaron los cinturones de lastre y se sentaron a descansar en la hierba.

Saxon arrastró la embarcación a la orilla. Trout abrió una nevera portátil y repartió botellas de agua. Fue incapaz de contener la curiosidad.

—No nos mantengáis en suspenso. ¿Habéis encontrado la mina del rey Salomón?

Una leve sonrisa apareció en los labios de Zavala.

—Es tu marido —dijo a Gamay—. Quizá deberías ser tú quien le dé la mala noticia.

Gamay exhaló un suspiro.

—Alguien se nos adelantó.

—¿Buscadores de oro? —preguntó Trout.

—No creo —contestó Zavala. Se levantó y recogió la bolsa de la lancha neumática. Sacó la caja de peltre y se la dio—. Encontramos esto en la mina.

Paul parpadeó varias veces mientras miraba enmudecido por el asombro el nombre grabado en la tapa. Pasó la caja a Saxon.

El escritor fue menos contenido.

—¡Thomas Jefferson! —exclamó—. ¿Cómo puede ser?

Gamay sacó el cuchillo que llevaba en la funda sujeto a la pierna y se lo pasó a Saxon.

—¿Por qué no hace los honores?

Pese a su excitación, el aventurero desmontó la oxidada cerradura con mucho cuidado. La tapa estaba sellada con cera, pero se abrió sin problemas. Miró en el interior durante unos segundos y luego sacó dos trozos de pergamino, envueltos en papel encerado y marcados con líneas y equis y con una escritura en letra muy apretada. Colocó los dos cuadrados juntos y los bordes rasgados encajaron a la perfección.

—Es el mapa fenicio completo —susurró—. Muestra el río y la bahía.

Gamay cogió el pergamino de las manos temblorosas de Saxon y observó las marcas en silencio antes de entregárselo a su esposo.

—La trama se complica —opinó.

—Esta trama ya es tam complicada como una madeja liada —afirmó Trout sacudiendo la cabeza—. ¿En qué lugar de la mina lo has encontrado?

Gamay le describió la inmersión al hotel y el descenso por el pozo. Zavala continuó con el relato y detalló la exploración de los túneles de la mina y el gran recinto donde la caja descansaba sobre una plataforma de piedra.

Saxon se había recuperado de la sorpresa y su mente funcionaba a tope.

—Fascinante. ¿Algún rastro de oro?

—Si lo hay, nosotros no lo vimos —respondió Gamay.

Saxon entrecerró los párpados

—Es una posibilidad, pero también podría ser que abandonasen la mina cuando se agotó el filón.

—En cualquier caso, ¿cómo encaja lo que hemos encontrado con las historias de la fabulosa mina de oro del rey Salomón? —preguntó Trout—. ¿Esto es Ofir o no?

—Vaya a saber. —Saxon se rió al ver la expresión de extrañeza de Trout—. Algunas personas creen que Ofir no era una ubicación específica sino el nombre dado a varias diferentes fuentes del oro del rey. Esta pudo ser una de sus minas.

Gamay observó la plácida superficie del lago.

—¿Qué mejor lugar para ocultar algo que una mina abandonada sin nada de valor en ella?

—Esto nos trae de nuevo a la expedición fenicia —señaló Saxon—. Su propósito era ocultar una reliquia sagrada.

—Por lo tanto, la pregunta es qué se hizo de la reliquia —manifestó Trout.

Gamay levantó la caja de metal.

—Quizá deberíamos preguntárselo al señor Jefferson.

Saxon había estado sujetando los cuadrados de pergamino. Los levantó en el aire para mirar mejor las marcas.

—Esto es interesante —afirmó—. Creo que el mapa es un palimpsesto.

—¿Un qué? —preguntó Trout.

—Es el nombre que se da a un pergamino que se ha utilizado más de una vez. Los monjes bizantinos perfeccionaron la práctica de lavar y raspar la escritura de los pergaminos para utilizarlos de nuevo, pero el proceso puede ser mucho más antiguo. Miren aquí, cuando se lo sostiene a la luz, se ve todavía una escritura muy débil.

Les pasó el pergamino a los otros para que lo mirasen.

—Es una pena que no podamos recuperar el mensaje original —se lamentó Trout.

—Quizá podamos —dijo Saxon—. Los conservadores del Walters Art Museum de Baltimore encontraron hace poco un mensaje de mil años de antigüedad oculto en un palimpsesto. Podrían aplicar la misma técnica. Desearía que Austin estuviese aquí para compartir con él estos maravillosos descubrimientos. ¿Cuándo volverá de su recado?

Zavala había estado pensando en Austin incluso en las profundidades del lago. Austin era un superviviente, pero al permitir dejarse secuestrar por el despiadado Baltazar había saltado a un abismo. Mientras se levantaba con la intención de recoger el equipo de buceo, respondió:

—Pronto. Espero que muy pronto.

50

Austin y Flagg estaban sentados en el Bentley con el motor en marcha, atentos y vigilantes a la entrada de la finca de Baltazar.

—Si no me equivoco habías dicho que estos tíos son poco amistosos —dijo Flagg—. Por lo que se ve nos están esperando.

—Eso es lo que me temo.

Habían dedicado la última hora a buscar otro camino de entrada a la finca de Baltazar, pero solo se habían encontrado con bosques y una cerca electrificada. Se perdieron en el laberinto de caminos de tierra alrededor de la propiedad y acabaron por encontrarse de nuevo ante la reja principal. Estaba abierta de par en par.

Austin se apoyó en el volante.

—Esto es lo que debe de pasar por la mente de una langosta antes de entrar en una nasa. Carina es mi amiga, no tuya. Aún podemos esperar los refuerzos.

—Los refuerzos no serán más que un estorbo —se mofó Flagg. Sacó una tercera pistola—. Entra despacio. Yo vigilaré los arbustos por si hay pieles rojas.

Austin puso el coche en marcha y cruzó la verja. Flagg estaba apoyado en el respaldo del asiento con un arma en cada mano. Nadie intentó detenerlos. La carretera salió del bosque y Austin se dirigió hacia el campo de los torneos. Habían tumbado las tiendas, las lonas estaban rasgadas y marcadas con rodadas de neumáticos. El palco no mostraba ningún cambio, excepto por un detalle añadido.

Al acercarse, Flagg se puso tenso.

—¿Qué demonios es eso?

Una figura humana pendía de una de las torres esquineras con la barbilla tocando el pecho. Los brazos colgaban laxos. Austin empuñó la Glock y acercó el coche.

—Ah, demonios —exclamó.

—¿Alguien que conoces?

—Eso me temo.

Era Escudero. Una lanza lo tenía sujeto a la madera como una mariposa en una caja.

Austin dejó atrás al palco y su macabra decoración y llegó donde estaban el cuatro por cuatro con el cual se había enfrentado y al vehículo contra el que se había estrellado. Ambos presentaban graves daños.

—¿Qué ha pasado aquí? —quiso saber Flagg.

—Una carrera de rompecoches —dijo Austin. Siguió hacia el barranco.

El campo que había estado ocupado con los vehículos y los hombres de Baltazar se veía desierto. Habían desaparecido también los caballos y los remolques. Había profundas rodadas en la hierba, que indicaban una gran actividad de camiones.

Austin le describió la justa y su encuentro con el hombre que había fingido ser Carina. Luego dio la vuelta con el coche y volvió al palco. Dijo a Flagg que debía un favor a Escudero. Juntos quitaron la lanza y cubrieron a Escudero con un trozo de lona. Después de dejar el cadáver en el palco recorrieron algunas carreteras laterales y llegaron a un hangar y una pista, lo que explicaba la rápida fuga de Baltazar.

Decidieron inspeccionar la casa. Austin buscó el camino que llevaba a la mansión. El edificio de dos plantas parecía haber sido arrancado del campo español. Las paredes eran de un suave color tostado. Unos parapetos redondos decoraban las esquinas del tejado rojo. Las arcadas y las columnas de la gran galería mostraban unas intrincadas tallas.

Austin aparcó delante de la casa. Seguían sin encontrar oposición. Flagg y él se bajaron del coche y cruzaron el patio hasta una puerta doble de madera oscura. Austin la abrió. Nadie le voló la cabeza así que entró en el gran vestíbulo.

Los dos hombres se fueron cubriendo el uno al otro mientras inspeccionaban todas y cada una de las habitaciones de la planta baja. Subieron la escalera. Llegaron al cuarto con el balcón. Era un despacho, con una gran mesa y sillas de cuero. Austin salió al balcón. Contempló el panorama de campos y jardines. No vio ningún movimiento excepto el de una bandada de cuervos.

—Eh, Austin —llamó Flagg—. Tu amiguete te ha dejado una nota.

Flagg le señalaba una hoja de notas de Baltazar pegada a un control remoto que había sobre una mesa auxiliar. Debajo del logo de la cabeza de toro había escrito: «Apreciado Austin, por favor, vea el vídeo. VB.»

—Demasiado cortés. Podría ser una trampa —dijo Flagg.

—No lo creo. A Baltazar le gusta que sus víctimas sufran antes de matarlas.

La expresión de Flagg reflejó sus dudas, pero cogió el control remoto y apretó el botón de puesta en marcha.

Se abrió una sección de la pared y quedó a la vista una gran pantalla de televisión. El rostro sonriente de Baltazar apareció en la pantalla. El vídeo había sido rodado en aquel despacho, porque detrás de Baltazar se veía la puerta que daba al balcón.

—Saludos, Austin. Me disculpo por este urgente mensaje, pero tengo que atender unos asuntos de familia. La señorita Mechadi está conmigo. Usted no sabe que ella es descendiente directa de Salomón y Saba. Debo cumplir con la misión de mi familia y ofrecerla a Ba'al. Tenía planes para perdonarla, pero Ba'al lo envió a usted como un tormento para recordarme que debía volver a mis raíces familiares. Adriano se llevará una desilusión, pero está muy obsesionado con usted. Le sugiero que continúe mirando por encima del hombro. Gracias, Austin. Ha sido un placer el torneo. —Sonrió—. Puede quedarse con mi coche. Tengo otros.

La figura se desvaneció.

Flagg frunció el entrecejo.

—Ese tipo está como una cabra.

—Por desgracia es una cabra letal. Además tiene a Carina. Tú encontraste este lugar. ¿Has tenido suerte en encontrar otros agujeros donde pueda ocultarse?

—Ya me resultó difícil encontrar esta choza —manifestó Flagg, y sacudió la cabeza—. Seguimos buscando, pero mentó tantas empresas tapadera que resulta una tarea muy ardua. ¿Quién es ese Adriano?

—Una pesadilla. —Austin tendió la mano—. Tengo que pedirte prestado el teléfono.

Zavala subía a la cabina del helicóptero cuando oyó «La cucaracha» en el móvil. Atendió la llamada y escuchó una voz conocida:

—Todavía respondes a las llamadas, así que supongo que no te has largado a México con el oro de Salomón —dijo Austin.

Zavala sonrió de oreja a oreja.

—Pues Baltazar debe de haberse hartado de tus chistes malos porque todavía lo estás contando

—Algo así. ¿Encontraste la mina?

—Sí. Ni pizca de oro, Kurt, pero hallamos otro tesoro escondido. El otro trozo del mapa en una caja que, al parecer, pertenecía a Thomas Jefferson.

—Jefferson otra vez. Dejaré que tú y los Trout resolváis esa parte. Baltazar todavía tiene a Carina. Necesito hablar con Saxon.

Zavala pasó el móvil a Saxon.

—Kurt, no vas a creer que... —dijo el escritor.

Austin lo interrumpió.

—Estoy interesado, pero no ahora. Baltazar me dejó un mensaje. Quiero que lo escuche, Saxon, y si descubre un indicio de sus planes, por pequeño que sea, dígamelo.

Austin apretó el botón en el control remoto de la pantalla de televisión y acercó el teléfono al altavoz para que Saxon pudiese escuchar el escalofriante mensaje.

Al otro lado siguió un silencio de estupefacción antes de que Saxon preguntase:

—¿Cree que Carina es descendiente de Salomón?

—Eso parece. ¿Qué significa la referencia a Ba'al?

El escritor recuperó de inmediato la compostura.

—Dijo que ofrecerá Carina a Ba'al. Eso puede significar una sola cosa. Está dispuesto a sacrificarla al dios Ba'al. ¡El muy cabrón! Tenemos que encontrarla antes de que sea demasiado tarde.

—Usted conoce ese hombre mejor que yo. ¿Alguna idea de adónde ha podido llevarla?

—No sabría darle un lugar concreto.

—La compañía de Baltazar es propietaria de una nave donde transporta a sus mercenarios. ¿Es allí adonde la lleva?

—No lo creo. Menciona las raíces familiares. Eso implica tierra firme. Podría estar hablando de España, donde los Baltazar se trasladaron después de las Cruzadas. Pero la casa ancestral estaba en Chipre. Ahí es donde prosperaron durante muchos años. Si no es España es Chipre. Me jugaría la vida.

—Decídase, Saxon. No es su vida la que me preocupa.

—Lo siento. Hummm... espere. Después que incendiaron mi barco averigüé todo lo que pude sobre los Baltazar. Un grupo siniestro. Encontré referencias a ellos en la historia de la orden del Temple. Los Baltazar estaban vinculados a los templarios, pero al parecer se separaron o habrían sido barridos junto con el resto de los caballeros. El símbolo de la orden era la cabeza de toro, que también representa una de las encarnaciones de Ba'al.

—La cabeza de toro.

Austin dejó que su mente recordase el vuelo en helicóptero que él y Joe habían hecho después del asalto al barco portacontenedores. El helicóptero había volado muy bajo sobre un barco de carga de minerales y había visto por primera vez el símbolo de la cabeza de toro. Debajo del nombre del barco figuraba el puerto de bandera.

Nicosia, Chipre.

—Gracias, Saxon. Ha sido de gran ayuda. Diga a Joe que me mantendré en contacto.

Austin cortó la comunicación e hizo un resumen de lo hablado a Flagg.

—Chipre —exclamó Flagg—. Eso está al otro lado del mundo.

—Cerca de la costa turca. De haber sabido que Baltazar iba a ir a esa isla, bien habría podido quedarme en Estambul. ¿Tienes a alguien allí?

—Tenemos a un tipo que nació en la isla. También tenemos más agentes en la zona. Podría llamar a unos cuantos tipos para dar una gran sorpresa al caballero.

—Baltazar es peligroso. No permitirá que nadie se interponga en el camino del destino de su familia. Matará a Carina antes de que nadie pueda llegar hasta él. Manda a tu gente que lo rastree y se acerque únicamente si tienen que hacerlo. Veré si mientras tanto puedo conseguir un avión de la NUMA. Solo me lleva unas horas de ventaja. —Austin sacudió la cabeza—. Por desgracia, puede causar muchos problemas en ese tiempo.

—Por eso pensaba que podrías llegar antes que él.

Austin no estaba de humor para bromas.

—No sabía que la CIA controlaba lo del teletransporte.

—Nada tan sofisticado. Estaba pensando en un Blackbird.

Austin conocía muy bien de sus años en la CIA el apodo ornitológico del SR-71, un aparato de velocidad supersónica y de vuelo estratosférico que se había utilizado para las misiones de reconocimiento secretas de la CIA antes de ser reemplazado por los aviones no tripulados y los satélites a finales de los años noventa. El legendario avión podía realizar un vuelo transatlántico en dos horas.

—Creía que habíais retirado a toda la bandada de Blackbirds.

—Eso no fue más que una tapadera —dijo Flagg—. Tenemos uno para transportar a agentes en casos de emergencia.

—Yo diría que esto es una emergencia.

—Las grandes mentes piensan de idéntica manera —afirmó Flagg.

Cogió el móvil y llamó. Se abrió camino entre la burocracia, y aún estaba hablando cuando se escuchó el estruendo de los rotores de un helicóptero.

Austin salió al balcón y vio dos aparatos que volaban muy bajo en círculo sobre la casa.

—Ha llegado la caballería —anunció.

Flagg guardó el teléfono en el bolsillo.

—Siempre he estado a favor de los indios, pero esta vez haré una excepción porque estoy de buen humor. No ha sido fácil, pero tienes un billete de primera clase en un Blackbird.

La noticia de Flagg no podía ser mejor, pero Austin era un realista. Era una probabilidad muy remota.

Su mirada se endureció. Si Carina sufría cualquier daño, dedicaría todos sus esfuerzos a alcanzar una sola meta.

Enviar a Baltazar al infierno.

51

Fred Turner, arrodillado detrás del mostrador del bar, ordenaba jarras de cerveza. Oyó cómo se abría y cerraba la puerta. Frunció el entrecejo. Lo más probable era que fuese uno de los clientes habituales que estaba dispuesto a comenzar su *happy hour* bien temprano.

—Está cerrado —gruñó Turner.

Nadie respondió. Turner se alzó y vio a un gigantón en la entrada. Las facciones redondas del desconocido eran suaves e infantiles. Turner era un policía retirado, y sus instintos advirtieron una amenaza detrás de la inocente fachada. Se acercó a la escopeta que tenía cerca de la caja registradora.

El desconocido se limitó a mirar en derredor suyo y preguntó:

—¿De dónde viene el nombre de este lugar?

Turner se rió ante la inesperada pregunta.

—La mayoría de la gente cree que le di el nombre en imitación a un salón del Viejo Oeste. Cuando compré el bar, recordé haber leído que en un tiempo hubo por aquí minas de oro.

—¿Qué le pasó a las minas?

—Cerraron hace años. No encontraron suficiente oro para que hiciese rentable la explotación.

Después de un momento de reflexión, el hombre dio las gracias y se marchó sin más comentarios. Turner volvió a su trabajo de ordenar las jarras, al tiempo que mascullaba para sus adentros la de tipos raros que entraban en los bares.

Adriano se sentó en su coche en el aparcamiento y volvió a leer las direcciones y el mapa que Austin había anotado en la hoja de un bloc de notas. Alzó la mirada con una expresión plácida en el rostro para mirar el rótulo de neón sobre el tejado plano del edificio de una sola planta: GOLD MINE CAFÉ. Luego rompió el papel en pedazos, puso en marcha el coche y salió del aparcamiento para tomar una carretera secundaria de Maryland.

Después de haber dejado el campo de torneos de Baltazar, Adriano había viajado desde la parte norte del estado de Nueva York hasta Nueva Jersey y Maryland. Las indicaciones de Austin lo habían llevado a una zona rural no lejos de la bahía de Chesapeake, y tras recorrer una serie de carreteras secundarias había acabado en el Gold Mine Café.

Cogió el teléfono y llamó a la línea directa que lo conectaba con Baltazar.

—¿Y bien? —preguntó la voz de su patrón.

Adriano le habló del Gold Mine Café.

—Es una pena que Austin esté muerto —añadió Adriano—. Le habría hecho cantar lo que necesitábamos saber.

—Demasiado tarde —le interrumpió Baltazar—. Escapó. Tuvimos que abandonar la finca. No vuelvas allí.

—¿Qué pasa con la mujer?

—La tengo conmigo. Ya nos ocuparemos de Austin más tarde. Quiero ver su rostro cuando le diga lo que hice con su preciosa amiga.

Adriano había esperado ser el último en hablar con la mujer, pero se calló la desilusión.

—¿Qué quiere que haga?

—Regresaré en unos días. Mientras tanto permanece en algún lugar discreto. Te llamaré cuando regrese. Tendrás mucho trabajo que hacer. Quiero ver destruida la NUMA y a cualquiera asociado a ella. Tendrás a tu disposición todos los recursos que necesites.

Adriano sonreía cuando colgó. Nunca había intentado el asesinato a gran escala y le hacía ilusión el desafío que planteaba matar a tanta gente.

La vida era buena, pensó. La muerte, mucho mejor.

52

El Boeing 737 con el logo de la cabeza de toro en el fuselaje aterrizó en el aeropuerto internacional de Larnaca y rodó por la pista hasta un sector reservado a los aviones particulares de empresas. Los mecánicos que se ocupaban del mantenimiento de los aviones se habían ido ya a sus casas. Baltazar había planeado su llegada con mucho cuidado, y era muy poco probable que cualquiera hubiese sentido más que una leve curiosidad al ver que bajaban a alguien por la escalerilla del avión en una camilla.

Unas vendas cubrían el rostro de aquella persona excepto la nariz y los ojos. Unos hombres vestidos con chaquetas blancas cargaron la camilla en un helicóptero. Segundos más tarde, Baltazar descendió a la pista y subió al helicóptero. El aparato despegó de inmediato y puso rumbo al oeste.

Aterrizó en un pequeño aeródromo cerca de la ciudad costera de Pafos. Una ambulancia que esperaba se puso en marcha en cuanto cargaron la camilla. Baltazar y sus hombres la siguieron en un Mercedes.

El convoy rodeó la ciudad para entrar en una autovía. No tardó mucho en abandonarla para seguir por una sinuosa carretera de montaña. Solo había dos carriles en un tramo de curvas muy cerradas que pasaban por tranquilos pueblos y junto a hoteles abandonados que en un tiempo habían sido elegantes lugares de veraneo antes de que los turistas prefiriesen pasar más tiempo en la playa.

El campo se hizo más escarpado y menos poblado cuanto más subían la ambulancia y su escolta. Oscuros bosques de pinos se cerraban a ambos lados. Con el Mercedes pegado al parachoques, la ambulancia entró en un camino de tierra que estaba casi oculto por la maleza.

Los vehículos se bambolearon cuando recorrieron la carretera llena de baches durante casi un kilómetro. El camino se acabó sin previo aviso. Recortado contra el cielo estrellado había un edificio de dos plantas. Baltazar se apeó del Mercedes y respiró a fondo el fresco aire de la noche. El único sonido era el gemido del viento a través de las habitaciones vacías del viejo castillo cruzado. Baltazar se empapó con su antigua aureola, y obtuvo fuerzas de su proximidad con la ruina que había albergado a sus antepasados.

El gobierno había intentado en una ocasión comprar el histórico edificio para convertirlo en una atracción turística. El plan se vino abajo cuando los partidarios de la idea recibieron amenazas de muerte, algo que encajaba muy bien con la terrible historia del lugar. Los habitantes de los pueblos vecinos aún hablaban en susurros de los indescriptibles horrores asociados con las ruinas.

Baltazar no había visitado el castillo desde la última ofrenda a Ba'al. Recordaba la desnuda arquitectura defensiva de la construcción. Había sido construida como una fortaleza en sus orígenes. Las almenas que coronaban los muros servían de refugio a los defensores. Las únicas aberturas en la fachada sin resquicios eran las saeteras para los arqueros. Pero sobre todo, recordaba la sala.

Subió un corto tramo de escalera hasta la entrada. Giró la vieja llave en la cerradura y la puerta se abrió con un sonoro chirrido. Las habitaciones vacías eran como neveras que mantenían fuera el calor del día y guardaban el frío. Ordenó a sus hombres que entrasen la camilla y la colocasen delante de una chimenea lo bastante grande para que un hombre pudiese estar en ella de pie.

Eran seis mercenarios, todos escogidos de su compañía de seguridad. Sus principales atributos eran la obediencia, la crueldad y su mutismo absoluto. Mandó que ocupasen los puestos de vigilancia. En cuanto se quedó solo, marcó una combinación en las piedras de la repisa. Se abrió una puerta oculta en la parte de atrás del hogar.

Encendió una linterna, pasó por la puerta y bajó una escalera de piedra.

Un miasma mucho más fétido que el aliento de un dragón salía de las profundidades. El hedor similar al de una tumba llevaba recuerdos de dolor y terror, y estaba cargado con un olor oleoso. Para Baltazar era más dulce que cualquier perfume. Se detuvo para encender una antorcha en un soporte de pared y utilizó la llama para encender las demás colocadas en un corto pasillo. Al final había una sala redonda de unos treinta metros de diámetro.

Las placas en las paredes marcaban el lugar de reposo eterno de docenas de Baltazar enterrados en el castillo antes de que la familia se hubiese visto forzada a escapar de Chipre. Las figuras de Ba'al en las diversas encarnaciones del dios aparecían por todas partes.

En el centro de la sala había una estatua de bronce que se parecía a aquella otra del sótano de su mansión en Estados Unidos. Como aquella, era una figura sentada con los brazos extendidos y las palmas vueltas hacia arriba. Pero era por lo menos cuatro veces más grande, sentada en un pedestal de un metro ochenta de altura. Sendas escaleras angostas subían a cada lado del pedestal. El rostro de la estatua pequeña era casi bondadoso comparado con la más grande. Era más siniestra que la más espantosa de las gárgolas.

Baltazar subió una de las escaleras. Se detuvo en una pequeña plataforma detrás de la estatua. Los antiguos sacerdotes ocupaban su puesto allí, y hablaban por un tubo que habían utilizado para infundir todavía más temor a sus víctimas indefensas.

Sacó el libro de su familia del bolso y lo colocó en una repisa hecha a su medida. Leyó los rituales, y sujetó una palanca que sobresalía entre los omóplatos de la figura sentada. Bajó la palanca. Se escuchó un rechinar cuando un sistema de pesos y poleas entró en acción y se abrieron unas puertas en el suelo que dejaron a la vista un pozo circular, delante mismo de la estatua.

Subió la palanca. Los brazos de la estatua se doblaron por los codos y volvieron a subir casi con la misma rapidez.

Bajó la escalera y alumbró el interior del pozo. Lo habían llenado de nuevo con petróleo después del ultimo uso, cuando las fortunas de la familia iban de baja y habían necesitado hacer unas ofrendas a Ba'al.

Entonces una joven de Europa oriental sin familia fue atraída a Chipre con la promesa de un trabajo bien remunerado.

Todo estaba preparado.

Fue a buscar a Carina. La figura vendada en la camilla se movió. «Bien», pensó Baltazar. Quería que Carina viese el destino que la aguardaba. Desató las correas que la sujetaban a la camilla y se la cargó al hombro.

Escuchó un gemido de los labios de Carina. Se estaba despertando.

Sonrió. Muy pronto ella estaría en los amorosos brazos de Ba'al.

53

La voz del piloto del Tornado FB británico sonó en los auriculares.

—Bienvenido a la hermosa isla de Chipre, lugar de nacimiento de Afrodita, diosa del amor.

Austin iba sentado detrás del piloto en el asiento destinado al operador del sistema de armamento del avión supersónico. El aparato trazó un círculo sobre la base de la fuerza aérea británica cerca de la vieja ciudad romana de Curium antes de bajar en un rápido descenso. En cuanto el tren de aterrizaje tocó tierra, Austin miró las luces de la pista después de un vuelo de noventa minutos desde Inglaterra, y se asombró ante lo pequeño que se había vuelto el mundo.

Horas antes había viajado en un helicóptero de la CIA a Albany. Desde allí, un avión lo había trasladado hasta la base de Andrews en Maryland, donde el Blackbird estaba guardado en un hangar especial del que solo lo sacaban para los vuelos nocturnos. El SR-71 había sido diseñado como un aparato de reconocimiento estratégico de largo alcance que podía volar a velocidades superiores a Mach 3.2 y alcanzaba una altitud de casi treinta mil metros. El fuselaje achatado, más azul que negro, tenía más de treinta metros de largo, sin contar el afilado morro de un metro cincuenta. Dos estabilizadores verticales se elevaban en la parte de atrás como aletas de tiburón gemelas. Cada uno de los dos motores producía casi dieciséis mil kilos de empuje, lo que lo hacía capaz de remolcar hasta un transatlántico.

Austin ingirió una comida abundante en proteínas de carne y huevos, pasó por un rápido examen médico, y le dieron un traje especial idéntico a los que utilizaban en el transbordador espacial. Mientras se vestía, respiró oxígeno puro para filtrar los gases de su cuerpo. Una furgoneta lo llevó hasta el hangar del Blackbird y lo hicieron sentar en un asiento construido especialmente para el pasajero. El SR-71 se encontró con un avión cisterna para repostar combustible. Menos de dos horas más tarde, aterrizó en una base de la RAF en Inglaterra.

Flagg lo había arreglado todo para que un caza de la RAF llevase a Austin en la última etapa del viaje porque pasaría más desapercibido que un avión norteamericano en Chipre, ya que los británicos habían mantenido allí una presencia militar durante años.

Un coche entró en la pista y siguió al caza hasta que se detuvo. Tres hombres vestidos con pantalón negro, jersey de cuello alto y boinas se apearon del coche para saludar a Austin cuando bajó del avión.

—Buenas noches, señor Austin —dijo el jefe del grupo, un moreno greco-americano. Se presentó a sí mismo como George, y añadió que había llegado de Atenas para reunirse con los agentes que venían del Cairo y de Estambul. También explicó que un cuarto hombre, que pertenecía a la embajada norteamericana en Nicosia, y que conocía la isla, se había adelantado para explorar el terreno.

—¿Va armado? —preguntó George.

Austin palmeó el bulto debajo de la chaqueta. Mientras Austin volaba a Maryland, Flagg había encargado a alguien de Langley que recogiese una muda y el revólver Bowen de la casa de Kurt y la llevase a Andrews.

—Tendría que haber sabido que no hacía falta preguntarlo a un antiguo hombre de la compañía —comentó George, con una sonrisa—. Pero estas cosas podrían serle útiles. —Dio a Austin unas gafas de visión nocturna y una boina.

Austin subió al Land Rover. Un vehículo de la fuerza aérea

los escoltó hasta la salida, y el guardia les permitió el paso por la reja. Viajaron por una carretera a oscuras a velocidades de casi ciento sesenta kilómetros por hora antes de que el conductor frenase para tomar un camino que subía a las montañas.

George dio a Austin una foto de satélite y una linterna. La foto mostraba un edificio de planta cuadrada en lo más alto de una montaña con una única carretera de acceso. No podía ser más remoto.

Sonó el teléfono de George. Escuchó durante unos momentos y cortó. Se volvió hacia Austin.

—Un coche y una ambulancia acaban de llegar al castillo.

—¿Cuánto tardaremos en llegar? —preguntó Austin.

—Menos de una hora. En estas carreteras de montaña hay que ir despacio.

—Se trata de un asunto de vida o muerte —afirmó Austin.

George asintió y dio una orden al conductor. El coche aceleró, y varias veces el vehículo tomó las cerradas curvas de la carretera en dos ruedas.

Cuando se acercaban a su destino, George recibió una segunda llamada de su avanzadilla.

Había visto el coche que subía y pedía al conductor que hiciese un guiño con los faros para identificarse. El conductor hizo luces un par de veces. Segundos más tarde alguien hizo una señal con una linterna desde un margen del camino.

El coche se detuvo y George bajó la ventanilla. El rostro de un hombre apareció enmarcado tras el cristal de otro vehículo.

—El camino de entrada está unos cincuenta metros más adelante —informó.

—Iremos a pie a partir de aquí —dijo George a su interlocutor—. Muéstrenos el camino.

Austin se apeó del Land Rover y se colocó las gafas de visión nocturna. Él y los demás siguieron al agente por una carretera a un paso tan ligero que enseguida atajó la distancia.

Baltazar cargó a Carina por la escalera y la colocó en los brazos alzados de la estatua.

El efecto de la droga que la había mantenido inconsciente durante horas se estaba disipando. Se despertó con un olor a petróleo en la nariz. Cuando se aclaró su visión, vio el siniestro rostro de bronce de Ba'al. Tenía los brazos y las piernas ligados por las vendas, pero podía mover la cabeza. Dobló el cuello y vio a Baltazar de pie en la base de la estatua.

—Le recomiendo que no se mueva, Saba. Está en un lugar precario.

—No soy Saba, loco. Quiero que me deje marchar.

—Su soberana altivez la traiciona —replicó Baltazar—. Es descendiente de Saba. Lleva la sangre de Saba en sus venas. Me tentó como su antepasada tentó a Salomón. Pero Ba'al envió a Austin para recordarme mi deber familiar.

—Además de estar loco, es usted un idiota.

—Quizá.

Baltazar observó los elementos de la escena como un artista que contempla un posible tema. Se disponía a coger una antorcha de la pared cuando escuchó lo que parecían disparos.

Austin se había detenido en la entrada del camino de acceso con una rodilla en tierra.

Una cerilla se había encendido más adelante, y la brisa le trajo el olor del tabaco. Aunque poco nítida y verdosa, vio con las gafas de visión nocturna una figura que se movía de un lado a otro.

George le tocó el brazo. Se señaló a sí mismo y después al centinela.

Austin le respondió con la señal de okey. El hombre de la CIA se agachó para avanzar hacia el centinela que nada sospechaba. Austin vio cómo las figuras se unían por un momento. Se escuchó un quejido, y el guardia cayó al suelo. George hizo una seña a los demás para que avanzasen.

—No lo he hecho bien —dijo George, junto al guardia inconsciente—. Lo lamento.

Algunos de los guardias habían escuchado el quejido del centinela y se acercaron a la carrera para investigar. Los gritos llegaban de todas las direcciones. El rayo de una linterna iluminó de pleno a George, y este levantó las manos para protegerse los ojos. Austin derribó a George como si fuese un jugador de rugby. No pudo ser más oportuno porque una fracción de segundo después las balas pasaron por encima de sus cabezas. George se levantó de un salto y disparó una corta ráfaga con su pistola ametralladora. Se escucharon gritos de dolor al tiempo que se apagaba la luz.

Austin corrió hacia el castillo y cruzó el puente sobre el foso seco. El mercenario que vigilaba la puerta intentaba deducir a qué se debían los gritos, las luces en movimiento y los disparos. A diferencia de Austin, no tenía la ventaja de la visión nocturna. No vio a la figura que corría hacia él con los hombros bajos hasta que fue demasiado tarde.

Austin golpeó al hombre como una bala de cañón. El guardia cayó hacia atrás y dio de cabeza contra el muro. Se desplomó, inconsciente.

Austin abrió la pesada puerta y entró en el frío del castillo. Con el Bowen sujeto con las dos manos, recorrió rápidamente la planta baja y encontró la habitación con la gran chimenea. La puerta en el fondo del hogar estaba entreabierta y permitía que se filtrase un poco de la luz de las antorchas.

Austin se quitó las gafas de visión nocturna, abrió la puerta de un puntapié y corrió escalera abajo. Cruzó un portal y vio la escena. La sala circular con sus grotescas estatuas. El fuerte olor del petróleo. Carina en los brazos alzados. A Baltazar detrás de la estatua como si hubiese estado esperándolo.

—¡Austin! —gritó, el rostro convertido en una máscara de furia—. De alguna manera, sabía que era usted.

Para empezar, Austin quería a Baltazar lejos de Carina. Apuntó con el Bowen.

—Se acabó la diversión, Baltazar. Baje de ahí.

Baltazar se escondió detrás de la estatua y habló por el tubo de voz. Sus palabras parecían salir de la boca abierta de la efigie.

Austin escuchó un chirrido debajo de los pies y se apartó cuando las puertas se abrieron para dejar a la vista el pozo lleno de petróleo.

Con los dientes apretados para concentrarse, permaneció con las piernas bien separadas, apuntó con el Bowen al rostro de Ba'al y apretó el gatillo. Volaron las esquirlas de metal. La nariz de la estatua se desintegró para dejar a la vista el interior hueco. Austin disparó de nuevo. El pesado proyectil arrancó una mejilla. Luego continuó disparando metódicamente al rostro malvado de la estatua.

Se escuchó un alarido de dolor. Baltazar salió de detrás de Ba'al. Tenía el rostro ensangrentado por los trozos de metal. Cogió una tea de la pared. Austin disparó al azar. Falló, pero en su prisa por ponerse a cubierto, Baltazar dejó caer la tea sobre la escalera. Bajó los escalones para recogerla. Austin había agotado la munición. Guardó el revólver en la funda y corrió escalera arriba.

Baltazar recogió la tea e intentó golpear con ella el rostro de su rival. Kurt se agachó y descargó un tremendo golpe con el hombro en el vientre del millonario, quien dejó caer la tea, pero ambos hombres tenían más o menos la misma corpulencia y la furia daba a Baltazar una fuerza añadida. Lucharon por un momento, perdieron el equilibrio y rodaron escalera abajo hasta el borde del pozo.

Baltazar dio un cabezazo a Austin, se puso de pie y le descargó una patada en las costillas. Intentó dar otro puntapié en el rostro de su oponente. Austin no hizo caso del terrible dolor, sujetó la bota antes de que hiciese impacto y la retorció.

Baltazar se aguantó sobre un pie y buscó con desesperación mantener el equilibrio, pero acabó cayendo de cabeza en el pozo.

Austin se levantó y vio que su enemigo intentaba nadar en el líquido espeso. El petróleo que le cubría el rostro y la cabeza reflejaba la luz de las antorchas.

—¡Retrocede, Kurt!

Las vendas que sujetaban a Carina se habían aflojado durante el viaje. Se había soltado ella misma y bajado de los brazos de la estatua. Estaba en la escalera, con la tea en la mano. Con el vestido blanco, y sus hermosas facciones desfiguradas por la rabia, parecía un ángel vengador.

—Espera —gritó Austin. Corrió escalera arriba.

Carina titubeó. Comenzó a bajar la tea. Entonces vio que Baltazar intentaba salir del pozo, una tarea harto difícil debido al petróleo en las manos. Consiguió llegar hasta el borde como un monstruo que emergía de las profundidades. Carina echó el brazo hacia atrás y lanzó la antorcha. Trazó un arco en el aire seguida por una estela de chispas que acabó en el centro del pozo.

Se escuchó un fuerte sonido como el de una descarga de aire comprimido.

Austin corrió escalera arriba y sujetó a Carina por la cintura.

La empujó en el espacio detrás de la estatua y la cubrió con su cuerpo.

La efigie los protegía del terrible calor pero corrían el peligro de asfixiarse debido a la nube del grasiento humo negro que subía hacia el techo. Las rejillas de ventilación no eran suficientes, y la sala se llenó con humos tóxicos en cuestión de segundos.

Austin rodeaba con fuerza el cuerpo delgado de Carina cuando sintió el contacto con una manija en la pared. Sujetó la manija y al moverla se abrió una parte del muro. El aire fresco entró por la abertura rectangular. Austin apenas si pudo pronunciar las palabras pero gritó a Carina que pasase por el agujero. Luego la siguió y cerró la puerta.

Sacó una linterna del bolsillo y alumbró en derredor. Se

encontraban en una habitación apenas más grande que un armario. Olía a humedad, pero la habitación estaba libre de humo. Dedujo que había sido construida por los antepasados de Baltazar para protegerse cuando hacían los sacrificios a Ba'al.

Permanecieron en el cuarto hasta que el petróleo acabó por consumirse. Austin entreabrió la puerta. El aire era pestilente pero estaba casi libre de humo. Utilizaron parte de las vendas de Carina para improvisar unas máscaras. Salieron de detrás de la estatua y bajaron la escalera para ir a la puerta.

Al pasar junto a la humeante hoguera, Carina desvió la mirada. Austin sí que miró al interior como si esperase ver a Baltazar salir de las profundidades. Pero lo único que vio fue la negrura del abismo.

54

Después de una rápida llamada telefónica a Baltazar, Adriano había ido a Nueva York para preparar sus planes para la NUMA.

Se alojó en un motel barato, donde diseñó un intrincado plan que incluía múltiples asesinatos, coches bombas, agentes biológicos y algunos elementos clásicos como los fusiles de gran calibre. Buscó con toda minuciosidad en los listados de personal y dio prioridad a los objetivos que eran los más importantes para la agencia. Al día siguiente, se trasladó a otro motel. Para el tercer día, había dado los últimos retoques a su plan para su campaña de muerte y destrucción. Ahora solo le quedaba esperar la orden de su jefe.

Después de dos días, Adriano intentó llamar a Baltazar pero no obtuvo respuesta. Colgó cuando escuchó la señal de ocupado y marcó otro número que lo conectaba con el aparato transmisor que había colocado en el árbol de Austin.

—Hola, Joe —dijo la voz de Austin—. ¿Cómo va tu búsqueda?

—Hemos encontrado la mina —respondió Zavala—. El papiro nos indicó el lugar exacto donde encontrarla.

Adriano enarcó una ceja y escuchó con mucha atención.

—¡Fantástico! Dame todos los detalles.

Zavala le habló del hotel sumergido en el lago en Saint Anthony's Wilderness, y le describió con gran detalle el pozo que llevaba de la cocina a la mina. Le dictó las coordenadas del GPS.

—¿Cuándo crees que podremos hacer una inmersión? —preguntó Austin.

—Ahora mismo estoy reuniendo un equipo de buceadores. Podemos estar allí en cuarenta y ocho horas.

—Buen trabajo. Mañana nos ocuparemos de los detalles.

Los dos hombres colgaron después de hablar de otros temas.

La llamada había sido hecha a primera hora del día. Adriano leyó las notas que había tomado. Abandonó su habitación en el motel y fue hasta un almacén donde tenía uno de los varios trasteros alquilados cerca de Washington. Allí disponía de armas, municiones, dinero, prendas y documentos de identidad, y, para sus propósitos inmediatos, un equipo de buceo, que cargó en el maletero del coche.

A la mañana siguiente circulaba por un camino de tierra en Saint Anthony's Wilderness. Aparcó a orillas del lago, se puso el traje de neopreno, el chaleco y las botellas de aire comprimido. Adriano era un excelente buceador; había aprendido de los SEAL que habían estado al servicio de Baltazar.

Nadó hasta una boya no muy lejos de la costa, leyó las coordenadas en el GPS portátil y buceó hacia el hotel con vigorosos movimientos de las piernas. Llegó a la cocina y encontró el pozo. Bajó por la abertura sin vacilar. Incluso si no hubiese estado tan ansioso por llegar a la mina, era poco probable que hubiese advertido los pequeños objetos rectangulares enterrados en el sedimento a poco más de un metro de la abertura.

Llegó al fondo y se sorprendió al ver una pizarra con una flecha dibujada y dos palabras: POR AQUÍ.

Siguió la dirección marcada por la flecha y llegó a otra pizarra que le indicaba un túnel que salía de la caverna principal. Continuó hasta un cruce. Otra pizarra, otra flecha. Llegó al final. Una cuarta flecha le señalaba el camino a la gran sala con la tarima.

Mientras Adriano seguía la flecha en la pizarra, dos figuras salieron en silencio del bosque y se acercaron al borde del agua.

Austin consultó su reloj.

—Han pasado treinta minutos —dijo.

—Eso lo sitúa más allá del pozo y dentro de la mina —señaló Zavala.

La falsa conversación telefónica había sido el cebo. Era hora de poner en marcha la trampa. Austin entró en el agua hasta la cintura. Sujetaba un transmisor protegido en una funda impermeable. Esperó unos minutos, luego metió el transmisor en el agua y apretó un botón. Segundos más tarde, grandes surtidores de burbujas aparecieron en la superficie del lago.

Austin observó con los labios apretados, hasta que las ondulaciones golpearon su pecho.

Dio media vuelta y chapoteó de regreso hasta la orilla.

Fue recibido por un Zavala de expresión grave que sin decir palabra le entregó una carpeta que había encontrado en el coche de Adriano. La carpeta llevaba una etiqueta con el nombre de la NUMA.

Muy por debajo de la superficie del lago, Adriano escuchó las explosiones como una serie de martillazos amortiguados.

Pensó en regresar pero decidió seguir adelante. Adriano tenía un sentido del propósito como el de un autómata, algo que lo convertía en un asesino implacable, y estaba decidido a encontrar la mina y el oro.

Siguió la indicación de la flecha y acabó por llegar a la sala de la tarima. Se le aceleró el pulso al ver el lugar donde había estado el cofre de Thomas Jefferson.

Entre los restos de madera había una pizarra de buceador con unas palabras para él: CUANDO LLEGUE AL INFIERNO, ADRIANO, DÉ NUESTROS SALUDOS AL SEÑOR BALTAZAR.

Austin de nuevo.

Adriano leyó el mensaje, arrojó la pizarra a un costado y

nadó con todas sus fuerzas por la ruta que lo llevaría de nuevo al pozo. Cuando llegó allí, descubrió tan solo una montaña de escombros.

Comprobó su consola; el manómetro indicaba que solo le quedaba aire para unos minutos. Incluso si había una manera de salir, no lograría encontrarla. Adriano se sentó en los escombros hasta que se le acabó el aire. El último en la línea de verdugos de España murió, irónicamente, de asfixia.

55

—¡Ah del barco, señor Nickerson! —gritó Austin—. Solicito permiso para subir a bordo del *Lovely Lady*.

Nickerson asomó la cabeza por la puerta del salón y sonrió al ver al visitante.

—Permiso concedido.

Austin subió por la pasarela y estrechó la mano del hombre del Departamento de Estado. Dio una palmadita en una cartera de plástico negro.

—Tengo algo que mostrarle, si dispone de unos minutos.

—Siempre tengo tiempo para usted, señor Austin. Venga, le preparé café, con unas gotas de algo que nos haga entrar en calor.

—Hace treinta grados, señor Nickerson.

—No importa. Siempre hace frío en alguna parte —replicó Nickerson.

Entraron en la cabina. Nickerson preparó una cafetera de café bien cargado, y agregó a cada taza una generosa ración de bourbon de Kentucky.

Chocaron las tazas.

—¿Qué tiene para mí? —preguntó Nickerson después del silencioso brindis.

Austin abrió la cartera y sacó los cuadrados de pergamino.

Dio uno a Nickerson.

—Este es el trozo que Jefferson recibió de un indio. Meriwether Lewis encontró el otro trozo en uno de sus viajes.

Juntos, forman un mapa que muestran la ubicación de la mina de Salomón en Pensilvania.

—¡Maravilloso! Sabía que podía hacerlo. ¿Ha explorado la mina?

—Sí, lo hemos hecho. Fue en ella donde encontramos los trozos de pergamino. El propio Thomas Jefferson los había dejado allí.

—¡Eso supera todo lo creíble! ¿Qué hay de la reliquia?

—¿Las tablillas de oro de los Diez Mandamientos? Creo que usted ya sabe la respuesta.

—No sé a qué se refiere.

—Había otro texto escrito bajo el mapa. Es, al parecer, una versión de los Diez Mandamientos un tanto diferente de la original. Lo más probable es que el texto esté en las tablillas de oro.

—Continúe, señor Austin.

—Estos mandamientos fueron entregados por varios dioses paganos, incluido uno que exigía sacrificios humanos. Ahora sé por qué estaba tan preocupado. La situación en Oriente Medio no era la verdadera razón de su inquietud.

—Así es. Se supone que los Diez Mandamientos establecen una guía moral infalible, dictada por un único dios. Dan fundamento a religiones seguidas por millones de personas y son el soporte del pensamiento del gobierno occidental. Algunas personas dicen que son la fuente de los sistemas legales de todos los países de Occidente. Si se descubriese que los Diez Mandamientos originales estaban basados en escritos paganos, este frágil sistema nuestro podría verse destrozado para siempre.

Austin recordó las predicciones de Baltazar.

—El mundo entero se vería sumido en otra serie inacabable de conflictos innecesarios —manifestó Austin.

—Exacto. Nadie sabe quién tiene los Mandamientos escritos en oro en lugar de arcilla, pero su existencia implica validez. Salomón quería que las tablillas de oro estuviesen lo más lejos posible. Podían instigar los disturbios. Lo mismo sucedería ahora.

—Usted sabía cuando hablamos por primera vez que las tablillas no estaban en la mina.

—Me temo que sí.

—Entonces ¿por qué me envió en esta búsqueda sin sentido?

—Sabemos dónde están las tablillas, no dónde estaban. Escritos antiguos refieren que un navegante mostrará el camino a Ofir. Cuando nos enteramos del fracasado intento de robo de la estatua del *Navegante* y el descubrimiento del Archivo de la Alcachofa, temimos que alguien pudiese encontrar la mina y que esta lo llevaría a las tablillas.

—Cuando habla en plural, se refiere a la Sociedad de la Alcachofa.

—Correcto. Nos enteramos del papel que usted desempeñó en el asalto, de la reputación de su equipo, y consideramos que era el mejor para el trabajo.

—Me debe una presentación a esas «alcachofas», señor Nickerson.

—Sí, creo que es lo justo.

Cogió el teléfono. Después de una breve conversación, Nickerson dijo:

—¿Cuánto tardará en reunir a su equipo?

—Casi de inmediato. ¿Dónde les digo que nos encontraremos?

Nickerson sonrió.

—En un pequeño lugar llamado Monticello.

Más tarde, Austin, Zavala y los Trout, acompañados por Angela, pasaron entre las columnas en la entrada de la mansión de Jefferson. Emerson y Nickerson los esperaban para recibirlos y les hicieron cruzar el umbral.

Emerson esperó que pasase un grupo de visitantes.

—Me disculpo por haberme mostrado esquivo en este asunto.

—Acepto la disculpa —dijo Gamay—, si me da todos los detalles.

Emerson asintió.

—Estuvieron muy cerca. Meriwether Lewis había encontrado en uno de sus viajes la mitad perdida del mapa de la mina. Dedujo que correspondía a una ubicación occidental. Comprendió su error, e intentaba hacérselo saber a Jefferson cuando fue asesinado por aquellos que deseaban mantener el secreto de la mina. Zeb llevó el trozo perdido a Monticello. Con el mapa en su posesión, Jefferson encontró la mina y las tablillas. Dejó el mapa en la mina. Como Salomón, decidió que era mejor que las tablillas permaneciesen ocultas, y fundó una organización para asegurarse de que así fuese.

—¿La Sociedad de la Alcachofa que usted nos dijo que no existía? —preguntó Angela.

—Como miembro de esta sociedad, he jurado guardar secreto. Entre los primeros «alcachofas» estaban algunos de los padres fundadores. A medida que envejecían, reclutaron a nuevos miembros para que ocupasen su lugar. Se sorprendería si supiese los nombres de los actuales integrantes.

Austin sacudió la cabeza.

—No me sorprende nada que tenga relación con este tema. ¿Qué pasó con las tablillas?

—Jefferson formó un equipo de trabajo que incluía a mi antepasado Zeb. Encontraron la mina y trajeron las tablillas aquí.

—¿A Monticello? —exclamó Angela. Miró en derredor como si las tablillas estuviesen a plena vista.

Emerson golpeó el suelo con el zapato.

—Debajo de nuestros pies. Guardadas en una habitación secreta.

Siguió un silencio de asombro que Trout rompió al preguntar:

—¿Cree que alguna vez el mundo estará preparado para conocer su existencia?

—Esa decisión corresponde tomarla a los miembros de la Sociedad de la Alcachofa —respondió Emerson—. Quizá los futuros integrantes decidirán que es el momento oportuno.

—Siempre estamos buscando nuevos miembros —dijo Nickerson—. Cualquiera de su equipo sería bienvenido.

—Gracias, pero viajamos mucho —contestó Austin—. Pero sé de alguien que aportaría juventud e inteligencia a su grupo.

Miró a Angela, que se había alejado un poco y observaba el suelo como si pudiese ver a través del mismo.

Una sonrisa apareció en el rostro de Nickerson.

—No está mal. Gracias por su sugerencia y por toda su ayuda. Espero que este asunto no les haya ocasionado molestias.

Austin miró a los miembros de su equipo.

—En absoluto. Nos hemos divertido, ¿verdad?

Paul Trout parpadeó varias veces. Con cara de póquer, dijo:

—No veo la hora de sentarme a redactar «Qué hice en mis vacaciones».

Epílogo

Austin tiró del cabo de la botavara de la vela para mantenerla ceñida al viento, mientras Carina llevaba el timón. La joven enfiló la ancha proa hacia un navío de investigación color turquesa fondeado cerca de una isla en la bahía de Chesapeake. Cuando llegó a la par de la nave, giró rápido al viento, y el velero se detuvo.

—¡Bien hecho! —dijo Austin.

—Gracias. Se lo debo a mi maestro.

Anthony Saxon estaba apoyado en la borda del navío de la NUMA. Se llevó las manos a la boca a modo de megáfono.

—Subid a bordo. Tenemos muchas cosas que mostraros.

Echaron el ancla y embarcaron en el chinchorro. Austin remó hasta el barco turquesa, que era una versión en pequeño de los grandes barcos de investigación de la NUMA que se utilizaba para aguas poco profundas y para proyectos costeros.

En el momento que subían a bordo, Zavala apareció en la superficie y subió a la plataforma de los buceadores. Vio a Austin y a Carina, se quitó el equipo de buceo y subió a bordo para saludar a sus amigos.

—Buenos días. ¿Habéis venido para bucear en el pecio?

—Hoy no —respondió Austin—. Hemos venido para ver qué habéis encontrado.

—Cosas maravillosas —dijo Saxon.

Los llevó hasta un tanque donde había por lo menos una docena de ánforas sumergidas en agua para preservarlas.

—Hemos hecho unas observaciones preliminares con rayos X. Estas ánforas contiene pergaminos. Son un verdadero tesoro de información. Los fenicios navegaban por todo el mundo. Espero que encontremos cartas que muestren dónde comerciaban y descripciones de sus viajes.

—Por lo que parece tendremos que reescribir los libros de historia —comentó Austin.

—Solo hemos rastreado la superficie, Kurt —señaló Zavala—. El pecio está cargado de objetos.

Austin miró el agua.

—¿Cómo se está tomando la señora Hutchins toda esta conmoción?

—Cuando hablamos a Thelma del rescate, admitió que Hutch quizá estaría harto de tanta agua —respondió Zavala—. Aceptó que transportasen sus restos a tierra, donde podría estar más cerca del viejo.

Austin felicitó a todos. Luego Carina y él volvieron en el chinchorro al velero. En el momento de levar el ancla y soltar la vela, Saxon gritó:

—Nos vemos el sábado, Carina.

La joven respondió con un gesto, y minutos más tarde el velero cruzaba la bahía empujado por una firme brisa del sudoeste. Se detuvieron a comer en una tranquila cala. Austin entró en la cabina y volvió con una botella de champán y dos copas. Sirvió la bebida y brindaron.

—Tengo algo que decirte —dijo Carina.

—Lo deduje de las palabras de Saxon.

—Ha encontrado nuevas pistas de la tumba de Saba en el Yemen. Quiere que lo ayude a buscarla. Todavía me cuesta creer que soy descendiente de Saba, pero me encantaría encontrar su tumba. Era una mujer excepcional. Acepté.

—Te echaré de menos, pero parece una magnífica aventura. ¿Cuándo te marchas?

—Volamos dentro de tres días.

—¿Alguna sugerencia sobre cómo debo tratar a Su Alteza Real en el tiempo restante?

—Dispones de setenta y dos horas para averiguarlo —respondió Carina con una sonrisa intrigante—. Eso te dará tiempo más que suficiente.

Austin dejó la copa y cogió la de ella de su mano. Señaló la cabina.

—No hay mejor momento que el presente.

Impreso en Litografía Rosés, S.A.
Energía, 11-27 (Polígono La Post)
08850 Gavà (Barcelona)